# 빌 에번스 재즈 연주 연구

-《Alone》1968년 앨범 5곡을 중심으로-

김혜정 저

KB075560

# 김혜정

저자는 백석예술대학교 음악과에서 클래식피아노를 전공하였다. 변화하는 음악 문화에 맞춰 숙명여자대학교 음악치료대학원에서 음악치료, 음악심리학 과목을 이수하였다. 이어 경복대학교와 백석콘서바토리 실용음악과에서 재즈피아노를 전공하였고, 이후 백석대학교 음악대학원에서 음악교육학 석사(우수상 졸업)를, 그리고 동대학 기독교전문대학원에서 《버드 파웰, 빌 에번스, 오스카 피터슨의 재즈 연주 특징 연구》로 음악학 박사학위를 받았다. 저자는 30년 이상 음악학원을 운영하며 제자들을 양성하였고 교회 반주자로도 활동하였다. 이러한 저자의 경험과 연구를 바탕으로 후학들에게 도움이 되고자 본 저서를 집필하였다.

E-mail : piano5704@hanmail.net

# 빌 에번스 재즈 연주 연구

발  행 | 2024년 2월 15일
저  자 | 김혜정
펴낸이 | 한건희
펴낸곳 | 주식회사 부크크
출판사등록 | 2014.07.15.(제2014-16호)
주  소 | 서울특별시 금천구 가산디지털1로 119 SK트윈타워 A동 305호
전  화 | 1670-8316
이메일 | info@bookk.co.kr

ISBN | 979-11-410-7203-2

www.bookk.co.kr
ⓒ 김혜정 2024
본 책은 저작자의 지적 재산으로서 무단 전재와 복제를 금합니다.

# 머리말

    본 저서는 빌 에번스의 1968년 앨범 《Alone》을 분석함으로써 음악을 연구하는 학자들과 연주자들에게 도움이 되고자 하였습니다. 저자가 그동안 연구했던 빌 에번스는 실로 '거장'이라 불리울 만큼의 창의성과 독창성을 보여주며 그만의 고유한 연주 스타일을 나타냈습니다. 그는 섬세한 피아노 건반 터치를 강조하며 맑고 투명한 음색을 만들어내는 연주 스타일을 구현하였고, 시적이면서 감성적인 표현으로 구성된 풍부한 화성 사용을 강조했습니다. 연주 시 그의 숙련된 연주 기술은 간결하고 결정적인 터치감으로 그의 연주 세계를 더욱 신비롭게 드러냈습니다.

    본 저서의 에번스 연주곡 분석을 통해 즉흥적 아이디어 반영에 대한 곡의 구조를 이해하고 조직적인 개념을 해석하는 데 도움이 될 것입니다. 각 곡의 핵심을 기반으로 한 원곡의 재해석은 당시의 시대적, 사회적, 정서적, 감성적 패러다임을 이해하고 감상하는데 기여하는 음악적 표현입니다.

    이 책은 학생들을 가르치는 교육자와 더욱 깊은 감상을 추구하는 음악 감상자들에게도 깊은 이해를 제공합니다. 이를 통해 음악의 발전에 미력하나마 도움이 되기를 기대하는 바입니다.

2023년 12월 5일 김혜정

# 표 목차

# 악보 목차

# I. 서론

빌 에번스(1929-1980)는 절제된 화성과 긴 선율을 선호하는 연주로 버드 파웰 이후로 가장 영향력 있는 재즈 피아니스트였다. 또한 그는 1960년 이후의 수많은 재즈 음악가들에게 영향을 주었다. 에번스는 자신의 음악적 예술성을 확장하고 창의적인 가능성의 모색으로 어쿠스틱 피아노 연주를 통해 독보적인 존재감을 보였으며 최고의 경지에 올랐던 음악가였다. 그는 음악 활동 기간 동안 그래미상 7개를 받았고 31번 후보에 올랐으며 사후 그래미 평생 공로상도 받았다. 에번스는 320개가 넘는 녹음'[1]과 60곡이 넘는 작곡[2]을 한 것으로 알려져 있다. 에번스는 1967년 일본 "스윙 저널(Swing Journal)"의 독자 투표에서 피아노 부문 정상에 올랐고, 그것은 이후 5년 동안 계속되었다. 1968년 그의 트리오는 "다운비트"의 비평가 투표에서 1위를 차지하였고, 영국의 "멜로디 메이커"로부터 수상의 영예를 얻음으로 그 명성이 더욱 드높아졌다. 1969년에는 스칸디나비아의 에디슨 상을 받았으며 그의 모교인 루이지애나 사우스이스턴 대학교에서 수여하는 위대한 동문상을 첫 번째로 받았다.[3]

따라서 본 연구에서는 에번스의 연주곡과 원곡 비교를 통하여 그의 연주 패턴을 이해하고, 나아가 리하모니제이션을 통한 보이싱, 선율과 리듬 등의 연주기법을 분석하였다. 이를 통해 에번스의 음악에 나타나는 다양한 연주 특징을 분석하여 그동안 국내에서 주목받지 못했던 그만의 혁신적이고 창의적인 연주를 재조명하여 음악 연구의 지평을 넓히고자 하였다. 연주곡을 분

---

1) Paula Berardinelli, "Bill Evans: His Contributions as a Jazz pianist and an analysis of his musical style", (Doctor of Philosophy, New York University, 1992), 10. *에번스 녹음 320개가 넘는다고 함.
2) Henry A. Darragh, "Bill Evans: Harmonic Innovator in Jazz Piano", (Doctor of Musical Arts, University of Houston, 2015). *에번스 작곡 60개가 넘는다고 함.
   William J. Murray, "Billy's Touch: An Analysis of the Compositions of Bill Evans, Billy Strayhorn, and Bill Murray", (Towson University, 2011), 2. *에번스 작곡 50개가 넘는다고 함.
3) Peter Pettinger, 『빌 에반스』, 341.
   Paula Berardinelli, "Bill Evans: His Contributions as a Jazz pianist and an analysis of his musical style", (Doctor of Philosophy, New York University, 1992), 1.

석할 때는 화성, 보이싱, 선율과 리듬의 변형이 연주자의 스타일과도 서로 유기적 관계를 맺고 있으므로 종합적으로 바라볼 필요가 있다. 따라서 본 연구에서는 재즈 솔로 피아노 분야의 한 획을 그었다고 평가받는 연주곡으로 연주 특징을 분석함으로써 어떤 방식으로 선율과 리듬이 연결되고 변형되는지를 연구하여 그의 곡을 감상과 분석, 연주하고자 하는 이들에게 도움이 되고자 한다. 또한 에번스의 재즈 연주 분석은 저자의 박사논문에서 연구되었던 부분을 추가하여 좀 더 이해하기 쉽게 구성하였다.

# Ⅱ. 빌 에번스의 음악적 배경과 연주 세계

## 1. 재즈 음악의 변천

재즈[4] 음악은 19세기 후반에서 20세기 초에 발생하였다. 재즈는 여러 문화의 영향을 받았는데 다양한 음악을 포괄하는 블루스와 상업적인 음악으로 유행한 춤곡의 스윙재즈로부터 영향을 받았다. 초기 재즈의 인기 스타는 트럼펫 연주자였고 다음은 리드악기 연주자였다. 초기 재즈의 역사에서 피아니스트는 뒷전으로 밀렸다. "재즈보다 앞선다고 알려진 래그타임은 피아노 형식이며 리듬이 유연하지 않고 너무 유럽적이라는 이유로 재즈로 편입되지 않고 그저 재즈 이전의 형식이라고 애매하게 규정했다."[5] 보통 스윙재즈부터 재즈 시대로 보는 것이 일반적이나 재즈는 전통 없이 만들어진 것이 아니며 다양한 요인과 특징들이 결합 되고 변화되어 발전된 것이다. 재즈의 시작은 블루스와 가스펠, 래그타임, 유럽의 고전음악과 뉴올리언스의 브라스 밴드의 행진곡이 결합된 음악으로 당시 미국 남부 뉴올리언스에서만 가능했다.[6]

1900년대 초반 항구도시인 뉴올리언스는 세계 여러 나라와 교역이 활발했던 무역항으로 노예무역의 중심지였다. 미국 남부에 있는 루이지애나주는 면화 농업이 번성했으므로 많은 노예가 필요했다. 1830년 프랑스 황제 나폴레옹이 루이지애나주를 미국에 팔았다. 이로 인하여 재즈는 미국에서 흑인과 유럽 음악의 만남으로 시작되었으며 그 주역은 크리올(Creole)[7]이었다. 당시 보통의 흑인은 음악을 배우거나 악기를 자유롭게 연주할 수 없었다. 흑인들

---

[4] 1980년대 후반, 제100회 미국 의회 회의에서 재즈를 '희귀하고 귀중한 미국의 국보'로 지정하였다. (https://namu.wiki/w/재즈)
　유네스코에서는 2011년 재즈를 국가와 문화를 초월한 평화와 자유를 노래하는 음악이라고 하며, 재즈의 가치와 세계 화합의 정신을 공유하기 위해 매년 4월 30일을 '세계 재즈의 날'로 지정하였다. (유네스코 한국위원회 www.unesco.or.kr)
[5] John Szwed, 『재즈 오디세이』, 서정협 역 (경기: 바세, 2013), 109.
[6] 남무성, 『올댓재즈(All That Jazz) 3강』, EBSⅡ, (2021. 9. 접근)
[7] (1) 서인도 제도나 중남미에 이주한 에스파냐 인이나 프랑스인의 자손. (2) 미국에서, 루이지애나 지방에 식민지를 개척한 프랑스인이나 에스파냐 인을 이르는 말. (3) 서인도 제도나 중남미에 이주한 에스파냐 인이나 프랑스인과 신대륙의 흑인 사이에 태어난 혼혈아(다음어학사전).

은 매일 일을 해야 했지만 백인 아버지를 둔 크리올들은 유럽 음악을 배울 수 있었다. 이곳에서는 백인의 신분을 보장받는 흑인, 즉 혼혈인을 크리올이라고 하였는데 크리올은 재즈의 탄생에서 매우 중요하다. 이때 뉴올리언스 항구도시에는 여러 인종들이 혼란을 겪으며 살던 시기였다. 16세기부터 스페인과 프랑스가 번갈아 가면서 지배했던 곳으로 프랑스, 스페인, 영국, 포르투갈, 이탈리아 사람들까지 다양한 인종이 몰려들어 복잡한 문화와 풍습이 공존하는 지역이었다.[8] 미국에서는 노예해방을 위한 남북전쟁(1861-1865)을 마지막으로 크리올들의 혜택은 사라지고 보통의 흑인들과 같은 동등한 신분이 되었다. 이러한 시대적인 배경으로 재즈는 아프리카에서 미국으로 끌려온 흑인 노예들의 후손들이 다양한 문화와 정서를 받아들여 발전하게 되었다.

이렇게 역사적으로 루이지애나주에서는 아프리카 흑인 노예들이 불렀던 영가, 블루스, 노동요 그리고 프랑스의 민속 음악과 발레 음악, 스페인의 행진곡, 춤곡, 영국 민요 등이 존재하였다. 그 시대에는 크리올 사회가 형성되었는데 당시 크리올 사회에서 유행한 춤곡은 래그타임[9](Rag Time, 1875-1915년경)과 보드빌[10](vaudeville, 프)이었고 이러한 문화적인 다양성은 초기 재즈인 뉴올리언스 재즈(1910-1927년경)가 발전하는 계기가 되었다. 뉴올리언스 재즈의 특징은 트럼펫과 트럼본 그리고 클라리넷을 중심으로 멜로디가 연주되며, 벤조와 피아노가 화성을 연주하고 콘트라베이스와 드럼이 리듬을 연주한다는 점이다. 특히 특정 악기가 멜로디를 연주하면 다른 악기가 동시에 즉흥연주를 하였는데 이러한 즉흥연주가 재즈의 무궁무진한 발전 가능성을 보여주었다.

1917년 1차 세계대전(1914-1918)이 발발하고 뉴올리언스의 홍등가가 폐쇄되면서 그곳에서 연주하던 연주자들은 시카고와 뉴욕 등으로 자연스럽게 이주하게 되었다. 그때 미국 각지로 흩어진 연주자들에 의해 재즈는 미국 곳곳에서 전성기를 누리게 되었다.[11] 당시 미국은 경제적 호황을 누렸으나 경제

---

8) 남무성, 올 댓 재즈 3강, EBSⅡ, (2021. 9. 접근)
9) 19세기 말 미시시피와 미주리강 유역에서 활동한 홍키통크(honkytonk : 원래 싸구려 술집, 연예장을 뜻하는 흑인 속어이며 그곳에서 연주하던 소박 하고 즉흥적인 음악 양식으로 유행한 피아노 음악으로 재즈의 전신으로 보는 이론이 많다(래그타임 음악).
10) 보드빌(vaudeville프), 18세기 초 프랑스에서는 그때의 사건이나 인물을 풍자한 파퓰러 송이었다. 또 때로는 프랑스의 희가극에도 채용되었었다.
경기: 삼호뮤직, 『파퓰러음악용어사전 & 클래식음악용어사전』, 2002.

대공황(1929-1930)이 찾아왔고 1930년대 중반 다시 경기가 회복하게 된다. 세계대전의 우울함을 잊어버리기 위해 밝고 경쾌한 춤곡이 유행하게 되는데 이때 등장한 음악이 스윙재즈[12](1928-1945년경)였다. 1930년대 스윙재즈는 주로 백인들이 춤을 추기 위한 음악으로 연주되었으며 더욱 화려하고 강렬한 사운드를 구사하는 빅밴드[13](Big Band, 1934년경)들이 등장하는데 밴드는 10-30명의 규모였다. 스윙재즈는 2차 세계대전(1939-1945)으로 인해 점점 사라졌다. 그 이유는 재즈 연주자들의 징병으로 인해 스윙재즈의 경쾌하고 밝은 스타일이 당시의 전쟁 분위기를 반영하지 못했기 때문이었다.

이러한 다양한 배경 속에서 1940년대부터 비밥[14](Bebop, 1945-1953년경)이 탄생하게 된다. 댄스음악인 스윙재즈는 쇠퇴하고 재즈밴드의 규모도 축소될 수밖에 없는 상황이었다. 비밥은 스윙보다 화성적으로 더 복잡했고 리듬은 더 빨랐으며 연주자들의 즉흥연주가 강조된 장르였다. 비밥으로 인해 재즈는 빅밴드에서 소규모로 바뀌게 되었고 춤을 추는 음악에서 감상하는 음악으로 변화했다. 비밥 시대에는 화성에 대한 실험이 활발하게 이루어졌다. 감화음을 비롯하여 7도, 9도, 11도 화음 등을 적극적으로 도입하는 등 기존 화음을 확장하거나 변경해서 새로운 화음을 만들어냈다. 비밥의 선율 프레이즈는 대체로 길고 반복이 적었으며 구조가 고르지 않고 배치가 불규칙했다. 리듬과 선율은 나누어져 불연속적이었으며 즉흥성이 강하고 독자적인 성격이 강했다. 편곡 위주로 연주되던 스윙재즈와는 다른 다양한 악기 편성을 선호하였고 즉흥연주가 전면으로 나오면서 재즈의 형태들이 새로운 모습으로 변형되어 발전하게 되었다. 그리하여 비밥의 예술성은 높아졌지만 스윙시대에 비해 대중들로부터 많은 관심을 받지는 못하였다. 비밥은 1940년대 중반 미국에서 유행한 자유분방한 재즈 연주 스타일로 화성, 조성, 리듬, 선율 등은 모던재즈

---

11) 1900년대 재즈의 탄생, 1910년대 뉴올리언스 재즈, 1920년대 재즈 에이지.
12) 재즈를 미국과 전 세계 시장에서 진정한 상업 음악으로 만들려는 시도에서 나온 스윙은 성공을 거두었다.
13) 1934년 1월, 베니 굿맨(Benny Goodman, 1909-1986)의 〈레츠 댄스〉(Let's Dance)가 라디오 전파를 타면서 본격적으로 스윙의 시대를 알렸고, 덩달아 빅밴드 음악 역시 큰 인기를 얻었다.
14) 이 스타일을 비밥(bebop) 혹은 밥(bop)이라고 한다. 비밥이란 장르의 이름은 스캣으로 노래할 때 나오는 의미 없는 음절들(두 왑 두 왑, 비 밥바 루 왑)에서 유래한 것이다.

의 기반이 되었다.

1950년대, 모던재즈는 이전의 시대에 비해 현대적인 감각으로 발전하게 된다. 비밥은 쿨 재즈[15]와 하드 밥으로 나뉘게 되는데 쿨 재즈가 먼저 유행하게 되고 뒤이어 하드 밥이 유행하였다. 하드 밥은 펑키라고 알려진 후기 비밥 양식으로 가스펠 음악과 리듬 앤드 블루스의 요소들을 융합하여 발전하였다. 또한 하드 밥은 1960년대에 유행하게 되는 소울 재즈의 바탕이 되며 비밥보다 더욱 모던하게 발전한다. 쿨 재즈는 미국의 서부 해안 도시를 중심으로 유행하여 '웨스트코스트 재즈'라고 하였고 비밥의 확장으로 볼 수 있는 하드 밥은 동부에서 유행한 '이스트코스트 재즈' 스타일이었다. 이 시기에는 클래식의 협주 방식과 재즈 음악의 결합이 활발하게 이루어져 클럽 문화가 아니라 콘서트장에서 연주하는 등의 격식을 갖추게 된다. 쿨 재즈는 역동적이고 거친 비밥에 비하여 선율이 길고 스케일 중심의 감상을 위한 음악으로 발전하게 된다. 쿨 재즈 연주자들은 절제된 모습을 보이며 새로운 흐름에 반응했다. 1940년대가 끝나갈 무렵 길 에번스(Gil Evans, 1912-1988)는 마일스 듀이 데이비스(Miles (Dewey) Davis, 1926-1991)와 함께 빅밴드가 스윙뿐 아니라 비밥에서 벗어날 방법을 모색했다. 또한 앞서가는 음악을 주도했던 현대 음악의 거장 존 케이지(John Milton Cage Jr, 1912-1992)[16]의 음악을 데이비스에게 소개해 주었다. 이들의 작품들은 데이비스에게 매우 고무적이었고 기존의 음악 규칙을 넘어설 수 있는 용기를 주었다. 당시 프렌치 혼, 튜바, 플루트, 약음기를 단 브라스 등 여러 종류의 리드악기로 편성된 스윙 실내악단인 '손 힐'이라는 오케스트라가 있었다. 이 악단은 다른 밴드들이 달콤하거나 열정적인 음악을 추구할 때, 알토 색소폰 연주자 찰리 파커[17] 연주곡

---

15) 미국 서부 뉴욕, 로스엔젤레스, 샌크란시스코에서 발전. 쿨 재즈라는 용어는 1940년대 말 테너 색소폰 연주자 스탠 게츠(Stan Getz, 1927-1991)와 관련해서 사용된 용어였다. 스탠 게츠의 가볍고 건조한 음색을 지닌 색소폰 연주 사운드에 대중은 열광하였다. At Storyville vol. 1 (Roost) LP-2209).
무라카미 하루키, 『포트레이트 인 재즈』, 김난주 역 (서울: 문학사상, 2017), 51.
16) 미국 작곡가, 작품은 장르 간 벽을 허물고 여러 분야에 걸쳐 있다. 전통적 음악을 부정하고 일상의 소리들을 음악이라고 여김, '준비된' 피아노, 우연성에 기초한 작곡, 부정확한 기보 사용, 미국의 대중음악을 발전시킨 선구자이다. 1952년 8월 29일 뉴욕주 우드스탁 숲속 매버릭(Maverick) 콘서트홀에서 연주하지 않는 연주, 존케이지 〈4분 33초〉로 유명하다.
17) 찰리 파커(Charlie Parker, 1920-1955), 비밥 모던재즈의 창조자. 미국의 재즈 알

의 프레이징을 짧게 축약하여 프랑스 인상주의 양식의 오케스트라 형식을 선보였다. 데이비스가 1950년대 새 음악 스타일로 이끈 구중주단[18]의 〈쿨의 탄생〉(Birth of the Cool)을 만들 때 모델이 되었던 음악이 바로 길 에번스가 '손 힐'을 위해 편곡한 〈도나 리〉(Donna Lee)와 〈죄수복〉(Yardbird Suite)이라는 비밥 곡이었다.[19]

길 에번스와 데이비스는 이후에도 함께 1950년대 최고의 앨범들을 만들었다. 〈스페인의 스케치〉(Sketches of Spain), 〈마일스 앞에〉(Miles Ahead)는 모두 쿨 재즈의 탄생을 알린 음반들이다. 재즈의 흐름은 길 에번스의 영향력이 크게 미친 데이비스 밴드에서 시작이 되었다. 1958년에는 빌 에번스[20]가 데이비스의 섹스텟에 유일한 백인 멤버[21]로 가입되었다. 비록 약 9개월[22]의 짧은 기간이었지만, 빌 에번스가 표현하고 싶은 내적 욕구를 위한 즉흥연주는 클래식 음악가 드뷔시, 라벨, 스크리아빈, 바르톡, 베베른, 스트라빈스키 등의 이론을 접목해 데이비스의 스타일에 깊은 영향을 주었다.[23] 이는 재즈 역사상 가장 성과적인 사건 중 하나였다. 빌 에번스는 연주의 출발은 비밥이었지만 자신의 작품을 개발해 쿨 재즈에서 전성기를 이루게 된다. 데이비스는 빌 에번스와 함께하여 그와 찰리 파커 등이 자랑으로 여긴 비밥에 한계를 느껴 교회선법(mode)을 도입했는데, 이러한 선법[24] 스타일은 모달 재즈

  토 색소폰 연주자, 작곡가로 캔자스시티에서 태어났다. 1941년에 뉴욕으로 진출하여 디지 길레스피(Dizzy Gillespie, 존 벅스 길레스피(John Birks Gillespie) 1917-1993)와 함께 비밥을 창시하였다.

18) 노넷 밴드(NONET BAND)의 9중주단, 원하는 사운드를 얻기 위해 아홉 개의 악기가 요구된다고 결론 내렸다. 이는 여섯 개의 관악기와 3인조 리듬이었다.

19) John Szwed, 『재즈 오디세이』, 209-210.

20) 이 목차에서 길 에번스(Gil Evans, 1912-1988)는 빌 에번스(Bill Evans, 1929-1980)는 성이 같다. 혼동이 우려되어 음악 발전에 함께한 인물로 잠시 등장하게 되므로 성함을 같이 쓰고 빌 에번스만 나오는 문장에서는 한번 성함을 쓰고 다음에는 에번스로 성만 쓰기로 한다.

21) Peter Pettinger, 『빌 에반스 재즈의 초상』, 황덕호 역 (서울: 을유문화사, 2008). 148.

22) Mark Gridley, 『재즈 총론』, 심상범 역 (서울: 삼호 뮤직, 2002), 417.

23) Mark Gridley, 『재즈 총론』, 346.

24) 선법(mode): 중세교회선법, 악곡 중에 사용되는 음을 옥타브 사이에 음높이의 순으로 배열하여 그 선율을 구성하는 여러 음의 음역이나 으뜸음의 위치를 나타내는 음의 배열 방식이다(이오니안, 도리안, 프리지안, 리디안, 믹소리디안, 에올리안, 로크리안).

(modal jazz)의 발단이 되었고 모달 재즈의 대표작 중의 하나인 《카인드 오브 블루》(Kind of Blue) 앨범 제작(1959)[25]은 선법적인 재즈 방법론이 되었다. 이 레코딩에서 빌 에번스는 가장 큰 역량을 발휘하였는데 선법에 기반을 두고 그는 모드 화성에 대한 체계적인 접근을 하였다. 모달 재즈의 선법(mode)은 고대에서 르네상스까지 있었던 음악 체계이며 바로크 시대 바흐에서 장조와 단조가 만들어지고 모드는 거의 사용하지 않게 되었다. 그러나 20세기에는 신고전주의 사조가 유행했고 현대 음악과 함께하게 된다. 재즈계의 쇼팽이라고 불렸던 섬세한 피아니스트 빌 에번스로부터 〈카인드 오브 블루〉는 신비한 음의 세계에서 사색하게 하는 서정적인 면과 감성적인 면을 보여주었으며 이 곡의 레코딩에서 빌 에번스가 주축이 된 것이다.[26] 당시 빌 에번스와 함께한 데이비스 밴드는 동시대 음악가들에게 지난 20년 동안의 음악에서 벗어나 새로운 방식으로 솔로 즉흥연주를 짜임새 있고 논리적인 사운드를 만들어 낼 수 있다는 사실을 알려주었다. 재즈와 클래식 요소가 상호작용을 하며 서로 직접 영향을 미치는 서드 스트림 재즈(Third Stream Jazz, 1957-1963년경)는 선법을 사용하여 연주되는 모달 재즈(modal Jazz, 1958-1964년경)로 발전을 거듭하게 된다. 서드 스트림이란 용어는 1950년대 말에 군터 슐러(Gunther Schuller, 1925-2015)[27]가 처음으로 재즈 이전의 미국 흑인음악을 차용하여 제안했을 때 재즈계에서는 적대감을 보였다. '유럽'과 '클래식'이라는 용어를 일부 재즈인들은 모욕적인 말로 받아들였기 때문이다. 그러나 당시 주요 재즈 음악가들이 이미 클래식 음악을 재즈 음악에 접목하여 시도했다. 1950년대 중반부터 유행하기 시작한 로큰롤(Rock 'n' roll)[28]은 혼돈과 대립의 시대에 맞선 저항, 자유와 평화를 노래하는 상징적인 문화로 대두되었다.

1960년대, 프리재즈 시대(Free Jazz, 1959-1974년경)[29]에 당시 로큰롤의 전

---

25) Joachim Ernst Berendt, 『재즈북 래그타임부터 퓨전 이후까지』, 한종현 역 (더이룸출판사, 2017), 191.
26) 남무성, 올댓재즈 13강. 『JAZZ IT UP!』, 경기: 서해문집, 2021), 277-282.
27) 군터 슐러(Gunther Schuller, 1925-2015), 미국의 작곡가 겸 지휘자, 재즈와 클래식을 융합한 '서드 스트림'(third stream)을 제창. 1957년 브랜다이스 대학에서 강의하며 당시 두 주류 음악 장르였던 클래식과 재즈의 경계를 허문 음악으로 '서드 스트림'이라는 용어를 만들어냈다. John Szwed, 『재즈 오디세이』, 290-291.
28) 1950년대에 미국에서 발생한 광열적인 댄스음악. 리듬 앤드 블루스에 컨트리 음악 요소를 가미한 것. (민중국어사전)

세계적인 인기는 상대적으로 침체기를 맞은 재즈 음악가들이 자신들만의 음악을 찾아 문화적 대응을 하게 된다.30) 이 시기는 전통 재즈에서 벗어나 자유를 추구하는 프리재즈, 브라질의 정서를 담은 재즈 삼바(보사노바), 하드밥에서 파생된 소울 재즈, 강한 비트감과 전자악기의 등장으로 재즈 록이 발전한 시기이다. 프리재즈는 '조성의 자유'와 '표현주의'를 지향하지만 현대 음악가 쇤베르크31)의 음악과 같은 무조성의 개념이 아닌 조성을 자유롭게 넘나들 수 있다는 화성 사용의 자유이다. 이때 20년 전의 비밥보다 훨씬 더 자유로운 화성과 선율 양식이 탄생하게 되는데 이 화성과 선율은 빌 에번스가 아름다움과 서정적 미학을 추구한 포스트밥(post-bop)의 혁신적인 역할을 했다. 이때 불어닥친 포스트모더니즘(postmodernism)과 아방가르드(avant-garde) 운동에 자극받아 전위적인 재즈의 질서를 파괴하는 극한의 자유를 추구한 음악가는 존 콜트레인(John (William) Coltrane, 1926-1967)과 오넷 콜맨(Ornette Coleman, 1930-2015) 등이었다. 재즈 역사의 중심에 있었던 데이비스32)는 전통주의와 아방가르드의 갈등 관계에서 최종 선택은 1970년대 재즈의 흐름에 더 나아가 재즈에 록 비트를 선택하게 된다. 이즈음에서 시작된 퓨전 재즈 록(Fusion Jazz Rock, 1969-1979년경)이 등장했을 당시는 블루스나 소울 음악이 침체기를 맞이하고 '록'이 대중으로부터 점점 인기를 끌던 시기였다. 여러 음악 양식 요소가 흡수되고 변화되어 '록'이라는 이름으로 유럽과 세계 각지에 퍼졌으며, 대중음악의 대표적인 형식이 되었다. 록 음악에 사용된 전자악기의 사용은 시대적 청각의 요구였으며 재즈 화성의 다양한 방법들이 록 음악의 발전에 기여한 것이다.33) 또한 에번스의 영향을 받은 재즈 피아니스트 키스 재럿(Keith Jarrett, 1945-         )34)은 현대 재즈의 포스트 프리재즈의 대표적인 아티스트이다. 키스재럿의 작품들에서 나타나는 것은 고전음악의 성

---

29) 1950년대 말에 등장한 재즈 즉흥연주 양식. 이후 재즈의 주된 흐름이 되었다.
30) 남무성, 『재즈 잇 업 Jazz it up!』, (경기, 서해문집, 2021), 297.
31) 널리 영향력을 미친 12음 음악은 즉흥 예술에는 불완전한 기법이었다.
32) Joachim Ernst Berendt, 『재즈북 래그타임부터 퓨전 이후까지』, 196.
   마일스 데이비스(트럼펫)는 비밥, 쿨재즈, 하드 밥, 모달 재즈, 퓨전재즈 발전에 중요한 역할을 했다.
33) 남무성, 『재즈 잇 업 Jazz it up!』, (경기, 서해문집, 2021), 437.
34) 빌 에번스에게 보이싱 및 모드에 기초한 음악적 사고 등 가장 많은 영향을 받은. 20세기 후반의 가장 독창적이고 활동적인 재즈 음악가로 꼽힌다.

향으로 클래식과 재즈의 이상적인 결합을 보여주고 있다. 허비 핸콕(Herbert (Jeffrey) Hancock, 1940-    )35)의 레가토 연주는 버드 파웰(Bud Powell, 1924-1966)과 빌 에번스의 영향을 받았으며 관악기와의 조화에서 펑키한 바운스는 호레이스 실버(Horace Silver, 1928-2014)36)의 개성과 흡사하다. 그는 다양한 코드를 적용하여 전개하는 모달 재즈의 진수를 보여주기도 하였으며 록보다는 소울 음악과 재즈의 자극적인 전자 사운드와 강렬한 비트감의 일렉트릭(Electric) 재즈를 연주했다.37)

　　1980년대 이후의 재즈는 더욱 다양한 형태로 전개되어 다변화의 시대를 맞이하게 되고 재즈의 영역이 빠르게 확산되는 현상으로 복잡한 양상을 보여주었다. 이는 대중 지향적인 것과 예술적인 모색이다. 컨템퍼러리(contemporary) 모던재즈는 정통 재즈 애호가들에게는 비판의 대상이 되었고, 그에 자극받은 소장파 재즈 음악가들은 정통 재즈, 즉 비밥을 복구하려는 운동을 전개하게 된다. 재즈 본고장의 뉴올리언스 출신의 트럼페터 윈튼 마살리스(Wynton Marsalis, 1961-    )는 재즈의 '신전통주의'를 부르짖으며 정통성 회복에 앞장서게 된다. 컨템퍼러리 포스트 모던 재즈는 이러한 시대적인 배경 속에서 절제된 자유가 있었다. 이는 팝, 록, 뉴에이지, 일렉트로닉스(electronics), 클래식 등 타 장르적 성질을 보여주는 것으로 크로스오버(Cross-Over)의 개념과 같다. 특히 팝재즈의 경향은 시대의 트렌드로 1990-2000년대에 걸쳐 유행하게 된다. 컨템퍼러리 재즈로 대변되는 감성적 경향과 포스트밥으로 통칭되는 이성 지향적 사조이다. 포스트밥은 희석되어가는 비밥의 전통을 새롭게 부활시키는 것과 현대적인 관점에서 새롭게 정의하려는 움직임이다. 이렇게 신고전주의(neo-classicism)38)로 자연스럽게 발전하면서 다양한 장르의 연주자와 작곡가들이 등장하였고 그들의 과감한 연주는 여러 가지 스타일들로 융합 발달하여 여러 조류가 만들어질 수 있었다.

---

35) 빌 에번스에게 보이싱 및 모드에 기초한 음악적 사고 등 가장 많은 영향을 받았으며 모던재즈의 하드 밥, 1960년대 중반의 마일스 데이비스 퀸텟, 그리고 1970년대와 1980년대의 재즈-록/재즈-펑크 장르들에 있어서 중요하게 영향을 끼쳤다.
36) 1950-60년대 '하드 밥' 양식의 전형적인 연주자이며 비밥을 확대시킨 그의 하드 밥 양식은 리듬 앤드 블루스, 가스펠, 라틴 음악 요소들이 첨가된 연주자.
37) 남무성, 『재즈 잇 업 Jazz it up!』, (경기, 서해문집, 2021), 442.
38) 새로운 전통주의(neo traditional)라고도 하며 정통파의 재즈(mainstream Jazz)는 스윙과 비밥으로 돌아가는 경향.

## 2. 생애와 음악적 배경

윌리엄 존 에번스(William John Evans, 1929-1980)[39]는 미국 뉴저지주 플레인 필드에서 러시아계 어머니와 웨일스계 아버지 사이에서 두 형제 중 차남으로 1929년 8월 16일에 태어났다. 그는 6세부터 피아노를 배우기 시작했으며 7세 때는 바이올린도 시작하였다. 12세에는 그의 형 해리를 대신해 버디 발렌티노 밴드에서 연주하였다. 그는 플루트와 피콜로도 공부하여 13세에 숙련된 플롯 연주자가 되었으며 동시에 바이올린도 연주하였다. 6-13세까지는 악보 보는 법과 고전음악 모차르트와 베토벤, 슈베르트를 공부하고 연주하였다. 그는 빠른 속도로 재즈 어법을 터득했고 곧 카드보드디스크를 만들어 센트럴 저지에서 가장 빠른 부기우기를 연주하여 친구들을 놀라게 했다. 친구들이 보낸 편지는 "친애하는 빌 '경이로운 88개의 건반' 에번스에게"와 같은 서두로 시작되었다고 한다. 에번스의 악보 읽는 능력은 지역 극장에서 일할 수 있는 기회를 얻게 하였다. 그는 친구들과 3중주단을 결성하였고 재즈 맨의 삶을 맛보게 되었다. 그는 스스로 음악의 구성 방식을 탐구하였고 로컬 밴드에서 베이스를 연주하던 조지 플랫으로부터 Ⅰ, Ⅳ, Ⅵ와 같은 도수의 화성을 사용하여 서로 어울리게 하는 방식을 배웠다. 또한 뉴욕의 모든 밴드 음악을 듣고 그 방식들을 통찰해 많은 경험을 얻었다. 1940년대 후반, 에번스는 뉴저지의 여러 클럽에서 부기우기[40]를 연주하였다.[41] 1946년 9월 그는 사우스이스턴 루이지애나 대학교에서 음악 공부를 시작했다. 1950년 5월 졸업 연주회에서 베토벤 피아노 협주곡 3번을 연주하였고, 피아노 연주 및 음악교육 학사 학위를 취득했다.[42] 에번스는 여러 지역을 다니면서 다른 연주자들과 함께 왕성한 연주 활동을 하였으며, 그가 젊은 음악 학도들을 가르친 매네스 음악 대학교에서 작곡으로 석사 학위를 받았다. 당시 그의 노트에는 주제의 대체에 있어서 12음 열을 사용하면서 음의 강세를 배제한 채 활기찬 4성부 캐논을 사용한 습작들로 가득 찼고 아울러 윌리엄 블레이크의 시

---

39) Peter Pettinger, 『빌 에반스』, 17.
40) 한 마디가 8박자인 홍겨운 재즈 리듬이다.
41) Peter Pettinger, 『빌 에반스』, 28-35.
42) Peter Pettinger, 『빌 에반스』, 43.

에 작곡한 몇 곡의 가곡에 대해 스스로 만족을 표시했다고 하였다.[43]

1947년 8월, 대학 생활의 첫 여름방학 때 뉴저지주 해안 포인트 플레즌트에서 있었던 비공식 녹음에서 에번스는 자신에게 큰 영향을 준 버드 파웰의 피아노 연주기법에 대하여 다음과 같이 언급하였다.[44] "버드 파웰은 모든 걸 가지고 있다. 난 버드 파웰의 음반을 듣고 그 본질을 흡수해서 뭔가 다른 것에 적용해보려는 것이다. '재즈를 연주하는' 악기보다는 '재즈를 사고하는' 것에 나는 더 관심이 있었다."[45]라고 하였다.

에번스는 대학 시절 클럽에서 탁월한 음악가들의 작품을 연주하면서 그 음악가들에게 받은 여러 가지 영향들을 두루 소화하여 습득하였다. 그 음악가들 중에는 데이브 브루벡, 조지 쉬어링, 오스카 피터슨, 알 헤이그, 루 레비 같은 피아니스트들뿐만 아니라 마일스 데이비스, 디지 길레스피, 찰리 파커, 스탠 게츠와 같은 관악기 주자들도 포함되어 있었다.[46]

에번스는 모차르트와 베토벤의 소나타, 슈만, 라흐마니노프, 드뷔시, 라벨, 거쉰, 빌라-로보스, 하치투리안, 미요, 브람스, 쇼팽, 카발레프스키, J. S. 바흐(Johann Sebastian Bach, 1685-1750) 등의 음악을 연구하는 데에도 많은 시간을 보냈다.[47] 또한 1년 반 동안의 뉴욕 생활 동안 에번스는 수많은 클럽 연주와 다양한 음반 녹음에 참여하였다.[48]

에번스의 첫 프로 활동은 1950년 7월 뉴저지 출신의 동료이자 시카고에서

---

43) Peter Pettinger, 『빌 에반스』, 54.
44) Peter Pettinger, 『빌 에반스』, 38.
45) Fred Binkley, *The Bill Evans Album* (Columbia C30855)의 라이너 노트 인용. Bill Evans, Jean-Ginibre와의 인터뷰. 『Jass Times』, 1997년 1-2월호, 142-145.
46) Peter Pettinger, 『빌 에반스』, 38.
47) Peter Pettinger, 『빌 에반스』, 40-41.
    1950년 4월 24일 졸업 연주회에서 에번스는 바흐의 전주곡과 푸가 B♭단조(48개의 평균율 클라비어 작품 중 1권에 속한 곡)와 브람스의 카프리치오 작품 116의 7번, 그리고 쇼팽의 B♭단조 스케르초를 연주했다. 여기에 에번스가 러시아 작곡가의 작품을 보탠 것은 예상됐던 것으로 당시로서는 발간된 지 얼마 되지 않은 러시아 작곡가 카발레프스키의 작품들 가운데서 전주곡이었다. 연주회 프로그램은 베토벤의 피아노 협주곡 3번 중 1악장으로 끝을 맺었는데 관현악 파트에서 에번스의 스승 로널드 스테첼이 피아노를 연주했다. 그리고 얼마 후 '졸업 기념행사일'의 명예 학위 수여식에서 에번스는 대학 오케스트라와 함께 베토벤 피아노 협주곡 3번 전곡을 연주했다.
48) Jim Aikin, "*Bill Evans*", 『Contemporary Keyboard』(San Diego: GPI Publications, June 1980), 44-55.

활동한 색소폰 연주자이자 리더인 허비 필즈의 밴드였다.[49) 동부 해안에 위치한 할렘의 아폴로 극장에서의 공연을 포함하여 3개월간 재즈 가수 빌리 홀리데이(Billie Holiday, 1915-1959)와 연주했고 필라델피아, 볼티모어, 미국의 수도인 워싱턴 D.C의 하워드 극장에서도 공연했다. 밴드에는 허비 필즈(Herbie Fields, 1919-1958)와 에번스 외에도 트럼펫 연주자 지미 노팅엄(Jimmy Nottingham, 1925-1978), 트롬본 연주자 프랭크 로솔리노(Frank Rosolino, 1926-1978), 베이시스트 짐 아톤(Jim Aton, 1925 - 2008)도 있었다.

시카고로 돌아온 후, 에번스와 아톤은 시카고 클럽에서 2인조로 활동하며, 재즈 가수 럴린 헌터(Lurlean Hunter, 1919-1983)와 함께 연주하기도 하였다. 1951년 미국이 한국전쟁에 참가하게 되면서 에번스 또한 미 육군에 징집되어 워싱턴에 있는 해군 음악학교에서 교육받게 된다. 군 복무 이후, 에번스는 뉴욕으로 돌아가 나이트클럽에서 재즈 클라리넷 연주자 토니 스콧 및 다른 리드 연주자들과 함께 연주하였다.[50) 뉴욕에서 활동하던 1950년대, 에번스는 재즈와 클래식을 혼합한 음악 서드 스트림(third stream)으로 불리는 재즈 그룹에서 멤버로 활동했다. 이 시기 동안 그는 당대 최고의 재즈 음악가들과 함께 녹음하였다. 작곡가이자 이론가인 조지 러셀(George Russell)과 함께한 《빌리 더 키드를 위한 콘체르토》(Concerto for Billy the Kid)와 《로지의 모든 것》(All About Rosie)은 에번스의 솔로 연주로 유명한 레코딩이다. 또한 에번스는 베이시스트 찰스 밍거스(Charles Mingus, 1922-1979), 색소폰 연주자 올리버 넬슨(Oliver Nelson, 1932-1975), 토니 스콧, 아트 파머의 유명한 앨범에도 참여하였다. 1956년 에번스는 리버사이드 음반사에서 〈데비를 위한 왈츠〉(Waltz for Debby)의 오리지널 버전이 수록된 데뷔 앨범 《새로운 재즈 컨셉》(New Jazz Conceptions)을 1957년 1월 발표했다. 이후 1958년 거장 마일스 데이비스 섹스텟에 유일한 백인 멤버로 영입되었다.[51)

당시 마일스 데이비스(Miles Davis, 1926-1991)[52)는 트럼펫 연주자이자 작곡가로 유명했다. 이때 에번스는 클래식 음악가 클로드 드뷔시(Claude Achille Debussy, 1862-1918), 모리스 라벨(Maurice Joseph Ravel, 1875-1937), 벨라 바

49) Peter Pettinger, 『빌 에반스』, 48.
50) Peter Pettinger, 『빌 에반스』, 49, 51-52, 57.
51) Peter Pettinger, 『빌 에반스』, 76, 101.
52) John Szwed, 『마일스 데이비스』, 김현준 역 (서울: 을유 문화사, 2005)

르톡(Béla Viktor János Bartók, 1881-1945), 알반 베르크(Alban Maria Johannes Berg, 1885-1935), 안톤 폰 베베른(Anton Friedrich Wilhelm von Webern, 1883-1945), 스트라빈스키, 스크리아빈53) 등의 이론을 접목해 창조적으로 즉흥연주 하였는데 이러한 사실은 데이비스에게 깊은 영향을 주었다.

1959년 초, 《Kind of Blue》를 녹음하기 위해 데이비스의 밴드에 합류하기 전 프로듀서 오린 킵뉴스(Orrin Keepnews, 1923-2015)54)는 녹음을 꺼리던 에번스에게 기타리스트 제임스 먼델 로우(James Mundell Lowe, 1922-2017) 연주 데모 테입을 전화로 들려주어 설득하였다. 에번스는 데이비스 밴드에서 〈블루 인 그린〉(Blue in Green)을 공동 작곡하였다. 〈플라맹고 스케치〉 (Flamenco Sketches)는 에번스의 1958년 솔로 앨범 《Everybody Digs Bill Evans》에 수록된 〈평화의 조각〉(Peace Piece) 곡의 부분을 활용한 형태였음에도 수년간 앨범에 대한 에번스의 기여도는 간과되었다. 데이비스의 1958년 발표된 재즈 역사상 불후의 명반 《Kind Of Blue》에 수록된 〈Kind Of Blue〉, 〈Flamenco Sketches〉, 〈Blue In Green〉, 〈So What〉 모두 에번스가 편곡하였다.55) 에번스는 또한 《Kind of Blue》의 라이너 노트도 작성하였다.

에번스는 1959년 가을부터 베이시스트 스콧 라파로(Scott LeFaro, 1936-1961)와 드러머 폴 모티안(Paul Motian, 1931-2011)과 함께하는 트리오를 이끌었다. 이 그룹은 역대 피아노 트리오와 재즈밴드 가운데 극찬을 받은 그룹 중 하나가 되었다. "에번스는 베이스 주자 스콧 라파로를 통해 '동시적 즉흥연주'의 개념을 발전시켰다."56)

이 그룹은 리버사이드 4부작 《재즈의 초상화》(Portrait in Jazz), 《탐험》 (Explorations), 《빌리지 뱅가드의 일요일》(Sunday at the Village Vanguard), 《데비를 위한 왈츠》(Waltz for Debby) 이 네 장의 앨범을 녹음하였다. 마지막 두 앨범은 같은 날 라이브로 녹음되었으며, 현대까지 역사상 가장 위대한 재즈 음반으로 불린다. 2005년 이 모든 세트는 《완벽한 빌리지 뱅가드 녹

---

53) 과학과 사상이 결합 된 총체적인 의미의 신비주의 음악을 탄생시켰다.
54) 오린 킵뉴스는 프리랜서 작업을 위해 리버사이드 레코드 (Riverside Records)와 마일스톤 레코드(Milestone Records) 창립, 재즈 작가이자 음반 제작자.
55) Mark Gridley, 『재즈 총론』, 417.
56) Peter Pettinger, 『빌 에반스』, 169.

음》(The Complete Village Vanguard Recordings), (1961)이라는 3장의 CD
로 발매되었다. 이 트리오의 잘 알려지지 않은 음반 중 1960년 초 라디오 방
송에서 녹음된 《라이브 엣 버드랜드》(Live at Birdland)도 있다. 그는 소박
한 가정을 꿈꾸며 형의 가족과 함께 하는 것을 기쁘게 생각했으며 특히 3살
짜리 조카딸 데비(Debby)에 대한 특별한 사랑은 서정적이면서 아름다운 연
주로 평론가들의 극찬을 받은 1961년 《Waltz For Debby》를 만들게 하였다.
이때 즈음 그는 피아노 트리오의 새롭고 자유로운 인터플레이 외에도 재즈
에서 거의 없었던 매우 느리고 조용한 〈바보 같은 나의 마음〉(My Foolish
Heart)과 같은 연주도 시도했다.

에번스는 화성 및 보이싱에 드뷔시, 라벨, 스크리아빈(Scriabin)[57], 에릭 사
티에(Erik, Satie, 1866-1925)[58], 바르톡, 베버른, 스트라빈스키, 라흐마니노프
(Rakhmaninov, Sergei Vasil'evich, 1873-1943)[59]와 같은 클래식 작곡가를 연
상케 했던 고전음악을 접목하여 현대적 보이싱을 만들어 사용했으나 두꺼운
블록 코드는 사용하지 않았다. 왼손의 보이싱이 오른손의 선율 라인 연주를
돋보이게 하는 주법은 재즈 피아니스트 버드 파웰(Bud Powell, 1924-1966)의
영향으로 인한 것이었다.

1963년 앨범 《기억된 시간》(Time Remembered)과 같은 곡에서는 코드 변
화를 많게 하거나 비밥에서 파생된 스타일을 적게 흡수하고, 대신 음색 내에
서 예측 불허한 진행을 많이 구사하였다. 이는 다양한 스윙 변화를 가능하게
했으며 새로운 사운드를 연주한 솔로에서 자연스럽게 나타났다. 이 곡의 연
주에는 빈번한 병치 화음으로 인해 작곡가들이 플레토우 모달[60]이라 하는

---

57) 스크리아빈은 창의적이고 파격적인 천재였으며 기질적으로 코즈모폴리턴이었다.
   음악 세계는 변화무쌍했다. 서혜경은 그를 '반골 기질의 음악가'라고 지칭했다.
   http://news.khan.co.kr/kh_news/khan_art_view.html?artid=201509092146265&code=96
   0313#csidx0b73543e7574668b120e8a7108e098b
   경향신문 2015.09.09 (2018. 11. 22. 접근).
58) 신고전주의의 선구자로서 활약한 파격적인 자신의 양식을 추구한 프랑스 근대의
   독특한 작곡가.
59) 19세기 차이콥스키가 구체화한 낭만주의 음악 어법의 마지막 작곡가.
60) 3가지의 모달(Modal): 1. 버티컬 모달(Vertical Modal) - 화성(Chord)에서 느껴
   지는 선법(Mode). 2. 플레토우 모달(Plateau Modal) - One Chord(연주용)로 영역
   을 정해놓고 영역마다 선법의 색깔을 정함. 3. 리니어 모달(Linear Modal) - 화
   성 진행에서 느껴지는 선법.

《Time Remembered》의 스타일을 참고하였다.

1961년 6월 26일 공연 10일 후, 7월 6일 스콧 라파로(베이시스트 당시 25세)를 젊은 나이에 교통사고로 잃은 후 에번스는 실의에 빠졌다. 에번스는 몇 달간 공식적인 녹음 및 공연을 하지 않았다. 《Sunday at the Village Vanguard》가 1961년 9월 발매 앨범에 스콧 라파로가 강조되는 것은 에번스 자신도 베이스 주자의 이름을 강조하고 싶었고 그래서 그 음반에 라파로의 작곡 〈Gloria's Step〉, 〈Jade Visions〉을 실었다. 라파로는 트리오에서 프레이즈를 서로 주고받는 대위적인 연주로 멤버들 간의 연주를 빛나게 만드는 인터플레이를 하였다. 더블베이스는 리듬 악기만이 아닌 선율 악기로 트리오의 새로운 가능성과 멜로디를 구성하는 트리오 주자로서의 새로운 길을 제시하였다.[61] 라파로 사망 후 에번스는 1962년 4월 24일 기타리스트 짐 홀과 듀엣으로 유나이티드 아티스트 재즈 레코드에서 《저류》(Undercurrent)를 녹음했고 1963년 발매하였다.

1962년 에번스는 베이시스트 척 이스라엘스(Chuck Israels, 1936-    )[62], 폴 모티안으로 구성된 트리오를 구성하고 두 앨범 《달빛》(Moon Beams)과 《어떻게 내 마음이 노래할까요!》(How My Heart Sings!)를 발매하였다. 1963년, 에번스는 리버사이드에서 훨씬 더 큰 레이블인 버브로 옮겼으며, 그는 곡별로 최대 세 개의 개별 트랙 피아노를 오버더빙한 획기적인 앨범인 《나와의 대화》(Conversations with Myself)를 녹음하였다. 이 앨범으로 그는 첫 그래미상[63]을 수상하였다. 버브에서 그는 많은 작품을 녹음하였지만, 예술적인 성과는 평탄하지 못했다. 척 이스라엘스의 빠른 성장과 창의적인 새 드러머 그래디 테이트가 있었음에도, 에번스의 재창조된 즉흥연주가 두드러진 앨범 《심포니오케스트라와 에번스 트리오》(Bill Evans Trio with Symphony Orchestra), 가브리엘 파우레(Fauré, Gabriel)의 〈파반〉(Pavane)이 수록된 것

61) Peter Pettinger, 『빌 에반스』, 201-205.
62) Scott Yanow, *All Music guide to jazz* (San Francisco: Miller Freeman Books), 576. 척 이스라엘스는 빌 에번스 트리오 (Bill Evans Trio)에서 가장 잘 알려진 작곡가, 편곡가, 베이시스트이다. 2011년 Chuck Israels Jazz Orchestra를 만들었고 2013년 Bill Evans의 음악에 대한 Second Wind : Tribute를 녹음했다.
63) Grammy Award, 전 세계 음악계에서 가장 권위 있는 상. 빌보드 어워드, 아메리칸 뮤직 어워드와 함께 미국의 3대 음악 시상식 중 하나.

또한 주목받지 못하였다. 타운홀에서 빅밴드 라이브 앨범과 같은 독특한 시도가 있었지만 에번스의 불만으로 인하여 발매되지 않았다. 심포니오케스트라와 함께한 〈파반〉 공연에서의 재즈 트리오 부분은 다소 성공적으로 출시되었는데 이 앨범도 평론가들에게 좋은 평을 받지 못하였다.

1966년에 에번스는 주목할 만한 젊은 베이스 연주자 에디 고메즈(Eddie Gómez, 1944- )를 발굴하였다. 1977년까지 에번스 트리오와의 작업으로 유명해진 에디 고메즈는 11년간 머물며 에번스의 연주와 그의 트리오의 콘셉트에 새롭고 발전적인 영향을 주었다. 이 시기의 가장 중요한 앨범 중 하나는 1968년에 발매된 《Bill Evans at the Montreux Jazz Festival》이다. 이 앨범은 에번스와 드러머 잭 드조넷(Jack Dejohnette, 1942- )이 함께한 유일한 앨범으로 트리오의 주목할 만한 에너지와 인터플레이로 평론가와 팬들의 사랑을 받았다. 이 시기에 주목받은 앨범들 중에 《Bill Evans at Town Hall》(1966)에 수록된 〈아버지의 추억이 담긴 독주〉(Solo – In Memory of His Father)가 있다. 협연 앨범으로는 기타리스트 짐 홀(James Stanley Hall, 1930-2013)과 성공적으로 연주했던 앨범은 《상호 변조》(Intermodulation)(1966)에 수록된 〈별빛을 밝히며〉(Turn Out the Stars)[64]가 있다. 솔로 앨범 《Alone》(1968)에 화려하고 아름다운 연주곡 〈Never Let Me Go〉가 수록되어있다. 1968-1975년까지 마티 모렐이 트리오의 드럼을 맡았다. 1975-1978년까지 드러머 엘리엇 지그먼드(Eliot Zigmund)와 함께 하였고 1979년부터 1980년까지 베이시스트 마크 존슨(Marc Johnson, 1953- )과 드러머 조 라바베라((Joe La Barbera, 1948- )와 함께 에번스 그룹은 안정적으로 유지되었다.

에번스 그룹은 처음 일렉트릭 피아노를 사용한 1970년 앨범 《좌에서 우로》(Left to Right), 그래미상을 수상한 1971년 앨범 《빌 에번스 앨범》(The Bill Evans Album)을 발매하였다. 1973년 《도쿄 콘서트》(The Tokyo Concert), 1974년 《우리가 만난 이래로》(Since We Met), 《하지만 아름다워》(But Beautiful) 앨범이 각각 발매되었다. 트리오와 전설적인 테너 색소폰 연주자 스탠 게츠(Stan Getz, 1927-1991)[65]와 폴란드, 벨기에에서의 라이브 공연한 앨범 등이

---

64) 1980년 런던의 Ronnie Scott's Jazz Club에서 녹음된 라이브 앨범이다.
65) 1960년대 브라질의 음악과 재즈를 혼합한 보사노바를 세계적으로 대중화시켰다.

에번스 사망(1980) 후 1996년에 발매되었다. 에번스는 또한 1974년 클로스 오거맨이 작곡한 《공생》(Symbiosis)이라는 다악장 재즈 협주곡 앨범을 녹음하였다. 에번스는 가수 토니 베넷과 함께 1975년 《The Tony Benett / Bill Evans Album》, 1977년 《다시 함께》(Together Again) 앨범을 발매했다. 1975년 7월 에번스는 국제 피아노 페스티벌과 메릴랜드 대학 콩쿨에 초청받은 최초의 재즈 피아니스트였다.66) 같은 해 9월에 네넷과의 사이에 아들 에번 에번스가 태어나고 음악가로서, 개인으로서, 존재하는 것보다 훨씬 포괄적인 방식으로 미래와 세상의 모든 일에 확고한 관련을 맺게 되었다. 1975년 드러머 마티 모렐이 엘리엇 지그먼드로 교체되어 협연은 1977년까지 유지되었다.67) 《나는 안녕이라고 말할 거야》(I Will Say Goodbye)와 에번스의 마지막 앨범이 판타지 레코드에서 발매되었고 《당신은 봄을 믿어야 돼요》(You Must Believe in Spring)은 에번스 사망 후 워너 브라더스에서 발매되었다. 에번스는 1980년 9월 15일 출혈성 궤양, 간경변, 기관지 폐렴으로 인해 뉴욕에서 숨졌고 그는 루이지애나주 배턴루지시 로즈 론 기념 공원묘지(161구역 K)에 잠들었다.68)

에번스는 후대의 재즈 피아니스트 맥코이 타이너, 칙 코리아, 허비 행콕, 키스 재럿, 존 테일러, 스티브 쿤, 돈 프라이드먼, 마리안 맥파트랜드, 데니 제이트린, 보보 스텐슨, 워렌 번하트, 미셸 페트루치아니 등과 세계의 많은 음악가들에 의해 기억되고 있다. 에번스의 음악은 프레드 허쉬, 빌 찰랩, 라일 메이즈, 엘리안 엘리아스, 브래드 멜다우 등의 피아니스트들에 의해 계속되고 있다. 빌 에번스는 그래미상을 7번 수상했고 31번 후보에 올랐으며 사후, 1994년에는 그래미 평생 공로상을 수상하였다. 음악 평론가 리차드 S.기넬은 "시대를 풍미한 빌 에번스는 피아니스트들에게는 완벽한 스승이며 청취자에게는 특별한 느낌을 전해 주었다"라고 기록하였다.69)

---

66) Peter Pettinger, 『빌 에반스』, 405.
67) Peter Pettinger, 『빌 에반스』, 407, 413.
68) The New Grove Dictionary of Music and Musicians. Bill Evans.
    https://www.allmusic.com/artist/bill-evans-mn0000764702/biography
    (accessed February. 16. 2022).
69) The New Grove Dictionary of Music and Musicians, Bill Evans.

## 3. 녹음앨범

에번스가 남긴 녹음앨범은 재즈 연주자들이 음악적 영감을 얻고 창작과 연주 활동에 지침이 되고 있다. '부록'에 첨부한 에번스의 앨범 목록에 제시되지 않은 음악과 함께 그의 음악은 320개가 넘는 녹음[70]과 60곡 이 넘는 작곡[71]을 한 것으로 알려져 있다. 본 저서에서는 부록에 에번스의 앨범 목록 105개[72]를 첨부하였다. 에번스의 녹음앨범은 솔로, 트리오, 듀엣, 콰르텟, 퀸텟, 오케스트라와 협연 등으로 많은 앨범 목록을 볼 수 있었다. 본 저서의 부록에 제시한 음반 목록 중 에번스의 솔로 음반 7개, 오케스트라와 협연한 음반 6개, 그래미상 수상 목록 8개, 대위적인 연주의 전환점이 된 리버사이드 4부작 앨범, 1968년에 녹음된 《Alone》 앨범을 1)-5)에서 알아보겠다.

### 1) 솔로 앨범

빌 에번스가 1963년에 녹음한 3개의 솔로 앨범은 《The Solo Sessions, Vol. 1 & Vol. 2》, 《Conversations with Myself》이다. 《The Solo Sessions, Vol. 1 & Vol. 2》는 1963년 1월 마일스톤 레코드의 기획으로 뉴욕에서 녹음되었으며 Vol. 1, Vol. 2는 그의 첫 번째 솔로 연주곡이다. Vol. 1은 두 번째 트랙 메들리로 〈My Favorite Things〉을 연주하였는데 이것은 영화 사운드 오브 뮤직의 유명한 곡이다. 이 곡은 존 콜트레인도 녹음했지만 에번스가 더욱 아름답게 연주하였다. 에번스는 네 번째 트랙에서 메들리로 영화 "Spartacus"의 〈Love Theme〉와 〈Nardis〉를 연주하였다. Vol. 2 두 번째 트랙에서 〈Santa Claus is Coming to Town〉 캐롤곡을 연주하였고 세 번째 트랙에서는 거쉬인의 포기와 베스에 나오는 〈I Loves You Porgy〉, 일곱 번째 트랙

---

70) Paula Berardinelli, "Bill Evans: His Contributions as a Jazz pianist and an analysis of his musical style", (Doctor of Philosophy, New York University, 1992).

71) Henry A. Darragh, "Bill Evans: Harmonic Innovator in Jazz Piano", (Doctor of Musical Arts, University of Houston, 2015).
  William J. Murray, "Billy's Touch: An Analysis of the Compositions of Bill Evans, Billy Strayhorn, and Bill Murray", (Towson University, 2011).

72) Peter Pettinger, 『빌 에반스』, 디스코그래피, 495-543.

에서는 메들리로 〈Autumn in New York〉을 연주하였다.

《Conversations with Myself》는 1963년 2월, 5월에 녹음하였고 1963년에 발표한 43분 49초 연주는 그에게 첫 번째 그래미상 수상의 영광을 가져다주었다. 1-10곡에 수록된 연주곡은 1. Round Midnight, 2. How About You, 3. Spartacus-Love Theme, 4. Blue Monk, 5. Stella By Starlight, 6. Hey There, 7. N.Y.C.'S No Lark, 8. Just You, Just Me, 9. Bemsha Swing, 10. A Sleeping Bee이다. 솔로 앨범으로는 두 번째 그래미상을 받은 1968년 《Alone》이며 1975년 《Alone Again》, 1978년 《New Conversations》가 있다. 그는 1960년대에 활발한 솔로 및 트리오 연주 활동을 하였다.

〈표 1〉 빌 에번스 솔로 앨범

| 빌 에번스 솔로 앨범 | |
|---|---|
| 년도 | 앨범 제목 |
| 1963 | 《솔로 세션, Vol. 1》 (The Solo Sessions, Vol. 1) |
| | 《솔로 세션, Vol. 2》 (The Solo Sessions, Vol. 2) |
| | 《나 자신과의 대화》 (Conversations with Myself) |
| 1967 | 《나 자신과의 추가 대화》 (Further Conversations with Myself) |
| 1968 | 《혼자》 (Alone) |
| 1975 | 《다시 혼자》 (Alone Again) |
| 1978 | 《새로운 대화》 (New Conversations) |

2) 오케스트라 협연 앨범

《The Gary McFarland Orchestra》는 게스트 솔리스트 재즈 피아니스트 에번스와 함께 1963년 버브(Verve) 레이블을 위해 녹음한 앨범이다. 《Plays the Theme from The V.I.P.s and Other Great Songs》는 빌 에번스가 1963

년 MGM 레이블을 위해 클로스 오거맨(Claus Ogerman)이 지휘하는 오케스트라와 함께 녹음한 테마 앨범이다. 더글라스 페인(Douglas Payne)의 올뮤직(Allmusic) 리뷰는 이 앨범은 대도시 원더랜드의 축제를 축하하는 사운드트랙과 같다고 하였다. 작곡은 최고였으며 맥팔랜드(McFarland)의 간헐적인 바이브(vibe)는 단순하고 완벽했으며 에번스의 연주는 우아한 자신의 스타일로 행사에 활력을 불어넣었다고 하였다. 《Bill Evans Trio with Symphony Orchestra》는 에번스와 그의 트리오가 1966년에 발표한 앨범이다. 이 그룹에는 당시 클로스 오거맨이 편곡 및 지휘하는 오케스트라와 연주한 에번스는 이 앨범을 매우 자랑스럽게 생각했다. 《From Left to Right》는 1971년 발매인데 보너스 트랙과 함께 1998년 11월 13일 버브 레이블에서 CD로 재발매 되었고 2020년에 Universal에서 CD로 재발매 되었다. 《Living Time》은 1972년에 녹음, Columbia 레이블에서 발매된 에번스와 조지 러셀 오케스트라의 앨범으로, 러셀이 지휘하는 오케스트라와 에번스의 공연이 특징이다. 독일의 지휘자이자 작곡가인 클로스 오거맨이 작곡한 《Symbiosis》는 다악장 재즈 협주곡이다. 〈표 2〉는 그의 유명한 오케스트라 협연 앨범이다.

〈표 2〉 빌 에번스 오케스트라 협연 앨범

| 빌 에번스의 오케스트라 협연 앨범 | |
| --- | --- |
| 년도 | 앨범 제목 |
| 1963 | 《게리 맥팔랜드 오케스트라》(The Gary McFarland Orchestra), 《The V.I.P.s의 주제곡과 다른 위대한 곡 들을 연주하다》 (Plays the Theme from The V.I.P.s and Other Great Songs) |
| 1965 | 《빌 에번스 트리오와 심포니오케스트라》 (Bill Evans Trio with Symphony Orchestra) |
| 1970 | 《왼쪽에서 오른쪽으로》 (From Left to Right) |
| 1972 | 《생활시간》 (Living Time) |
| 1974 | 《공생》 (Symbiosis) |

## 3) 그래미상 수상

1963년 《나 자신과의 대화》(Conversations with Myself)는 《나 자신과의 추가 대화》(Further Conversations with Myself)와 곡별로 최대 세 개 트랙의 피아노를 오버 더빙한 획기적인 앨범이다. 1968년에 발매된 3개의 앨범 《Bill Evans at the Montreux Jazz Festival》, 《Alone》이다. 1971년 《빌 에번스 앨범》(The Bill Evans Album)은 어쿠스틱 피아노와 전자 피아노(팬더 로즈) 연주에서 한 손은 코드 진행, 다른 한 손은 선율을 동시에 연주하며 전자 피아노의 음색을 활용하여 신중한 모험심으로 가득찬 작품이다. 연주자와 감상자 모두에게 도전장을 내미는 이 음반은 그에게 네 번째와 다섯 번째 그래미상[73]을 안겨주었는데 하나는 최고 재즈 연주 독주자 부문, 다른 하나는 그룹 부문이었다.[74] 1979년 8월, 에번스는 그의 마지막 스튜디오 앨범 《We Will Meet Again》을 녹음했으며 이 음반은 1977년 녹음앨범 《I Will Say Goodbye》와 함께 에번스 사후 1981년에 그래미상을 수상했다. 에번스는 총 31번의 그래미상 후보에 올랐으며 6개의 앨범 목록에서 총 7번 그래미상을 수상하였으며 다운비트(Downbeat) 재즈 명예의 전당에 헌액되었다. 에번스 사후 1994년에 평생 공로상을 받았다. 다음 〈표 3〉은 그래미상 및 평생 공로상 수상 앨범이다.

〈표 3〉 빌 에번스 그래미상 수상과 평생 공로상

| 빌 에번스 그래미상 수상과 평생 공로상 | | | | |
|---|---|---|---|---|
| 6개의 앨범 목록에서 그래미상 수상 7번 | | | | |
| 년도 | 앨범 제목 | 연주자 | 음반사 | 그래미상 |
| 1963 | Conversations with Myself | Solo - Bill Evans(p) Grammy Award winner | Verve 821984-2 (V6-8526) | 6회-솔로 및 소그룹 부문 |
| 1968 | Bill Evans at | Bill Evans(p), Eddie Gomez(b), | Verve | 11회-그룹 |

---

73) 1959년 1회 시상식, 1년에 1번 시상식 개최, 2023년 2월 5일 65회 시상식이 개최되었다.
74) Peter Pettinger, 『빌 에반스』, 355-356.

| | | | | |
|---|---|---|---|---|
| | the Montreux Jazz Festival | Jack DeJohnette(dr) - Grammy Award winner | 827844-2 (V6-8762) | |
| 1968 | Alone | Solo - Bill Evans(p), Grammy Award winner | Verve 833801-2 (V6-8792) | 13회-솔로 |
| 1971 | The Bill Evans Album | Bill Evans(p & el-p), Eddie Gomez(b), Marty Morell(dr) - Solo & Group Grammy Award winner | Columbia CK 64963 | 14회 - 솔로, 그룹 \*1972년 솔로 및 퍼포먼스 그룹 부문에서 그래미상 수상 2개 (전자 피아노 사용) |
| 1977 | I Will Say Goodbye | Bill Evans(p), Eddie Gomez(b), Eliot Zigmund(dr) - 1981 Grammy Award winner | Fantasy F-9593 | 23회-그룹 \*1981년에(1979년 8월 녹음한 앨범 'We Will Meet Again'과 함께) 그래미상 수상 |
| 1979 | We Will Meet Again | Bill Evans(p & el-p), Tom Harrell(tr), Larry Schneider(ts, ss & afl), Marc Johnson(b), Joe LaBarbera(dr) - 1981 Grammy Award winner | Warner Bros Hs 3411-Y | 23회-그룹 \*1981년(1977년 5월 녹음한 앨범 'I Will Say Goodbye'와 함께) 그래미상 수상 |
| 평생 공로상 | | | | |
| 1994 | Lifetime Achievement Grammy Award, Instrumental Soloist Lifetime Achievement | | | 기악 솔리스트 |

## 4) 대위적인 연주의 전환점이 된 리버사이드 4부작 앨범

1959년 가을부터 베이시스트 스콧 라파로와 드러머 폴 모티안과 함께한 에번스의 트리오는 재즈밴드 가운데 극찬을 받은 그룹 중 하나였다. 스콧 라파로와 인터플레이한 리버사이드 4부작 1959년《Portrait in Jazz》, 1961년 《Explorations》, 1961년《Sunday at the Village Vanguard》, 1961년《Waltz for Debby》이 네 장의 앨범은 현대까지 역사상 가장 위대한 재즈 음반으로 불린다. 또한 2005년에《The Complete Village Vanguard Recordings》(1961)

이 CD로 발매되었다. 이 그룹에서 에번스는 동시에 펼쳐지는 즉흥연주에서 솔로 주자와 반주자의 경계를 약하게 하고, 밴드 멤버들 간의 인터플레이에 중점을 둔 고전 재즈 스탠더드 곡 구성에 초점을 맞추었다. 에번스와 스콧 라파로의 협주는 대중들로부터 상당한 음악적 공감을 이끌어낼 정도로 매우 성공적이었다. 〈표 4〉 트리오 앨범은 베이시스트 스콧라파로와 대위적인 선율로 연주한 마지막 앨범, 멤버들간 인터플레이한 리버사이드 4부작 음반 목록이다.

〈표 4〉 인터플레이 전환점이 된 트리오 앨범

| 년도 | 앨범 제목 | 연주자 | 음반사 |
|------|-----------|--------|--------|
| 1959 | 《Portrait in Jazz》 | Bill Evans)(p), Scott LaFaro(b), Paul Motian(dr) | Riverside OJCCD 088-2 (RLP 12-315) |
| 1961 | 《Explorations》 | Bill Evans)(p), Scott LaFaro(b), Paul Motian(dr) | Riverside OJCCD 037-2 (RLP 351) |
| 1961 | 《Sunday at the Village Vanguard》 | Bill Evans)(p), Scott LaFaro(b), Paul Motian(dr) | Riverside (RLP 376) |
| 1961 | 《Waltz for Debby》 | Bill Evans)(p), Scott LaFaro(b), Paul Motian(dr) | Riverside (RLP 399) |
| * 2005 《The Complete Village Vanguard Recordings》 (1961). CD로 발매 | | | |

5) 1968년에 녹음된 《Alone》 앨범 곡 배경

빌 에번스의 앨범 《Alone》은 1968년 가을에 녹음되었다. 1970년에 발표된 이 앨범은 스트라이드(Stride)[75], 스윙(Swing), 비밥(Bebop)[76]등 과거의 두드

---

75) Mark Gridley, 『재즈 총론』, 심상범 역, 110-111.
   왼손이 낮은음과 높은음을 교대로 반주하는 형태로 전개된다. 다소 딱딱한 리듬

러진 피아노 스타일에서 벗어나 무반주 연주를 하는 현대적인 접근 방식으로의 전환점을 나타내었다.[77]

그의 연주에 나타난 프레이징의 미묘한 차이와 감정은 채보된 악보와 함께 녹음된 음원을 통하여 온전히 느낄 수 있다. 실제로 에번스의 연주에서 템포와 리듬적인 감정에 미묘한 변화가 있었으며, 이는 에번스가 그의 솔로 공연을 언급했던 1976년 'Downbeat Magazine'[78]과의 인터뷰와도 일치한다. "솔로 연주에 대한 나의 생각은 '음악은 곧 움직인다는 것입니다.' 스트레이트 어헤드 재즈(Straight-ahead Jazz)[79]의 간주를 갖는 좀 더 열광적인 컨셉에 대해 얘기해 보죠. 키와 분위기 사이에서 매우 자유롭게 움직이는 오케스트라적 개념일 수도 있겠어요. 그룹으로는 할 수 없는데, 어떻게 말하면 한 차원이 더 추가된 거라고 할 수 있지요"[80]

《Alone》에 나오는 다섯곡은 〈Here's That Rainy Day〉, 〈A Time for Love〉, 〈Midnight Mood〉, 〈On a Clear Day (You Can See Forever)〉, 〈Never Let Me Go〉이다. 이 곡들은 투명하고 맑은 음색과 엄선한 음들의 조합으로 풍부한 보이싱의 색채감, 서정성과 감성을 담아내는 낭만적이고 아름다운 즉흥 연주곡이다. 다섯곡을 통틀어 〈Never Let Me Go〉는 가장 길고 풍부한 선율과 보이싱의 변형을 보여준다. 에번스는 선율의 변형을 위해 많은 프레이즈에 나오는 음들의 움직임을 반음계적으로 나타내었다. 특정한 코드의 보이싱에서 근음을 포함한 보이싱에 이어 두 번째 보이싱은 근음을

---

에 분산화음의 멜로디들과 행진곡풍인 래그타임에서의 베이스를 적절히 조화시켰다.

76) Mark Gridley, 『재즈 총론』, 210-227.
   1930년대 유행한 상업적인 스윙재즈에 대항하여 1940년대 중반 미국에서 발생한 보다 자유분방한 연주 스타일이다.
77) Aaron Prado, *Alone* (Milwaukee: Hal·Leonard Corporation), 2015. Transcription.
78) www.downbeat.com (accessed March 10, 2019).
   미국 시카고에서 1935년부터 발행된 '다운비트'는 현존하는 최고의 공신력 있는 재즈 매거진 중 하나이다. 'Blindfold Test' 칼럼과 같은 특화된 기사들과 독자와 평론가들이 뽑는 '올해의 음반' 등 많은 정보와 자료를 제공하고 있다. 다운비트에서 뽑은 All Time Best 100곡에 Bill Evans의 음반이 많이 실려있다.
79) 1960년대 후반 재즈에 나타나기 시작한 록 음악의 영향을 기피 하는 재즈 음악.
   Anthony Belfiglio, "Fundamental rhythmic characteristics of improvised straight-ahead jazz" (Doctor of Philosophy, The University of Texas at Austin, 2008.
80) Aaron Prado, *Alone*, Transcription, (Milwaukee: Hal·Leonard Corporation), 2015.

생략하거나 근음이 없는 보이싱을 사용하여 전체적으로 모호한 느낌이 들도록 하였다. 〈Never Let Me Go〉의 음원에서 빌 에번스는 16분음표와 32분음표를 스윙과 스트레이트의 각기 다른 리듬으로 연주하는데 이는 본 곡의 감상에 있어 매우 중요하다고 할 수 있다. 본 곡을 감상할 때 그의 손에서 나오는 음의 색채에 주목할 필요가 있다. 이것이야말로 그의 음악을 이해하는 핵심이라 할 수 있다.

마지막으로 왼손에서 분명하게 보이는 성부들의 확장된 사용에 주목하여야 한다. 그의 연주는 보이싱의 투명도를 극대화하기 위해 서스테인 페달을 자제하였고, 이를 통하여 왼손의 음 지속시간이 정교한 균형감을 낳게 하는 효과를 가져오는 것을 볼 수 있다.[81]

본 연구에서 분석할 《Alone》 다섯곡 형식은 〈표 5〉와 같으며 Ⅲ.에서 순서대로 분석할 것이다.

〈표 5〉 빌 에번스의 연주 1-5곡

| 연주곡-《Alone》 1968년 앨범(5곡) | 연주형식-(음악 구분: 발라드) |
| --- | --- |
| 〈Here's That Rainy Day〉 | ABAB′ |
| 〈A Time for Love〉 | AA′BAA″ |
| 〈Midnight Mood〉 | ABB′ (헤드4-B″추가) |
| 〈On a Clear Day(You Can See Forever)〉 | AA′BA″ |
| 〈Never Let Me Go〉 | AA′AA″ |

---

81) Aaron Prado, *Alone* (Hal·Leonard Corporation, 2015) Transcription 인용.

# III. 《Alone》1968년 앨범 5곡 분석

## 1. 연주곡 분석

포스트밥[82] 연주는 기존의 비밥 피아니스트들[83]의 연주에 나타났던 화성 사용이 빌 에번스의 무대에 현대 재즈 피아노 보이싱으로 연결되어 포스트밥으로 발전하게 된다. 포스트밥 피아노 연주의 어법은 코드 보이싱, 스케일 및 모드와 화성이 선율과 리듬에 적용되어 나타난다.[84] 에번스는 비밥 또는 이전 재즈의 작풍과는 다른 식의 보이싱, 선율과 리듬을 변화시켰다. 에번스의 연주에 나타난 화성 진행은 엄선한 음들의 재배열로 모호하고 미묘한 음색을 만들어 사용하였다. 이러한 음색을 만드는 기법은 논다이어토닉 코드들을 사용함으로 화성 사용의 폭이 넓어져 반음계적인 코드 진행이 다양한 색채감으로 더 높은 예술적 감각을 표현할 수 있게 하였다.

따라서 본 연구에서는 스윙과 비밥 음악이 현대적인 감각과 기술을 더하여 발전한 빌 에번스의 음악을 통하여 기존의 음악과 어떻게 다르게 나타나는지 고찰하고자 한다. 빌 에번스가 연주한 《Alone》 앨범 전곡 〈Here's That

---

82) 시대적으로 포스트밥 재즈는 비밥이나 스윙만큼 쉽게 정의되지 않는다. 포스트밥은 일반적으로 비밥 후에 나온 스타일로 생각되지만 그 설명에 맞는 여러 스타일이 있다. 비밥은 1940년대와 1950년대에 발전했으며 현대 재즈의 시작을 나타낸다. 쿨재즈와 하드 밥은 1950년대에 발전했던 비밥의 파생물로 비밥의 어법을 다양하게 다듬었지만 여전히 비밥이라는 범주 안에 들어 있다. 포스트밥 재즈는 비밥 이후, 1960년대에 진화한 재즈이며 음악가 자신들의 개성과 창의성으로 기존의 음악과 다른 예술성과 독창성이 높아진 음악으로 발전하게 되었다. 시대적인 상황과 깊은 연관성이 있었던 포스트밥은 스윙과 비밥을 포함할 수도 있고, 이전의 재즈 스타일과는 다르게 볼 수도 있다.

83) John Valerio, *Post-Bop Jazz Piano* (Milwaukee: Hal·Leonard Corporation), c2005. 냇 콜(Nat Cole, 1919-1965), 밀트 버크너(Milt Bunkner, 1915-1977), 에롤 가너(Erroll Garner, 1921-1977), 오스카 피터슨(Oscar Peterson, 1925-2007), 조지 쉬어링(George Shearing, 1919-2011), 레드 갈란드(Red Garland, 1923-1984), 아마드 자말(Ahmad Jamal, 1930-2023) 등.

84) John Valerio, *Post-Bop Jazz Piano* ((Milwaukee: Hal·Leonard Corporation), c2005. 빌 에번스(Bill Evans, 1929-1980), 허비 핸콕(Herbie Hancock, 1940-    ), 맥코이 타이너(McCoy Tyner, 1938-2020), 칙 코리아(Chick Corea, 1941-1921), 키스 재릿(Keith Jarrett, 1945-    ) 등.

Rainy Day〉, 〈A Time for Love〉, 〈Midnight Mood〉, 〈On a Clear Day(You Can See Forever)〉, 〈Never Let Me Go〉의 순서대로 분석[85]하겠다.

## 1) 〈비 내리는 날이네요〉(Here's That Rainy Day)

### (1) 구조 분석

---

85) 분석의 기보는 다음과 같은 기준으로 정리되었다. 첫째, 즉흥연주 시 원곡의 코드와 비교하여 코드가 확장되거나 다른 코드가 사용된 부분은 바뀐 코드를 분석하여 표기함으로써 연주자 자신의 색깔로 즉흥연주 하는 것을 알 수 있도록 하였다. 즉 원곡에 나오는 코드들은 연주자에 의해 다양하게 변형되었다. 둘째, 분석시 경우에 따라 실선 브래킷(solid bracket)과 점선 브래킷(dotted bracket), 실선 화살표(solid arrow)와 점선 화살표(dotted arrow)를 사용하였다. 이에 따라 근음이 완전5도 하행하거나 혹은 반음 하행하는 경우 이에 맞는 각각의 브래킷과 화살표로 분석하였다. 또한 코드 스케일에서 대부분의 다이어토닉 코드는 제외하되 필요한 경우에만 스케일의 명칭을 표기하였다.
① 실선 브래킷을 하는 3가지 조건: 앞에 오는 코드는 m7 혹은 m7($^b$5) 코드이어야 하고, 앞의 코드에서 뒤에 나오는 코드의 근음까지 완전5도 하행해야 하며, 뒤에 나오는 코드는 dom7 코드이어야 한다.
② 점선 브래킷을 하는 3가지 조건: 앞에 오는 코드는 m7 혹은 m7($^b$5) 코드이어야 하고, 앞의 코드에서 뒤에 나오는 코드의 근음까지 단2도 하행해야 하며, 뒤에 나오는 코드는 dom7 코드이어야 한다.
③ 실선 화살표를 하는 2가지 조건: 앞에 오는 코드는 dom7 코드이어야 하고, 앞의 코드에서 뒤에 나오는 코드의 근음까지 완전5도 하행해야 한다.
④ 점선 화살표를 하는 2가지 조건: 앞에 오는 코드는 dom7 코드이어야 하고, 앞의 코드에서 뒤에 나오는 코드의 근음까지 단2도 하행해야 한다.
⑤ 세컨더리 도미넌트, 도미넌트 얼터드, 씨메트릭 도미넌트, 서브스티튜트 도미넌트, 디미니쉬드 세븐스, 씨메트릭 디미니쉬드 세븐스, 모드 스케일 등이다.
*분석에 등장하는 여러 가지 코드는 다음과 같다. 다이어토닉 세븐스 코드 (7개): Ⅰmaj7, Ⅱm7, Ⅲm7, Ⅳmaj7, Ⅴ7, Ⅵm7, Ⅶm7($^b$5) ∥ 세컨더리 도미넌트 세븐스 코드 (5개): Ⅴ7/Ⅱ, Ⅴ7/Ⅲ, Ⅴ7/Ⅳ, Ⅴ7/Ⅴ, Ⅴ7/Ⅵ ∥ 서브스티튜트 도미넌트 세븐스 코드 (6개): subⅤ7, subⅤ7/Ⅱ, subⅤ7/Ⅲ, subⅤ7/Ⅳ, subⅤ7/Ⅴ, subⅤ7/Ⅵ ∥ 자주 사용되는 모달 인터체인지 코드 (14개): Ⅰm7, $^b$Ⅱmaj7, Ⅱm7($^b$5), $^b$Ⅲmaj7, Ⅳm7, Ⅳ7, $^\#$Ⅳm7($^b$5), Ⅴm7, Ⅴ7($^b$9,$^b$13), Ⅴmaj7, $^b$Ⅵ7, $^b$Ⅵmaj7, $^b$Ⅶ7, $^b$Ⅶmaj7 ∥ 디미니쉬드 세븐스 용법: 어센딩 4개, 디센딩 2개, 보조적 2개 등이다. 이 외에도 연주자마다 약간의 변화를 주기도 하고 창의적으로 만들어 사용하기도 하였다.

<표 6> <Here's That Rainy Day> 구조 1-129마디

| <Here's That Rainy Day> [86] 구조 1-129마디 | | | | |
|---|---|---|---|---|
| 곡의 형식 | 각 섹션별 마디의 구성 | 마디 수 | 조성 | 비고 |
| 인트로 | 1-2 | 2 | B♭장조 | |
| 1절 헤드 1 | A : 3-10 | 8 | - | 33-34(2)마디 G장조로 전조 하기 위한 트랜지션 [87] |
| | B : 11-18 | - | - | |
| | A : 19-26 | - | - | |
| | B′ : 27-34 | - | B♭→G장조 | |
| 2절 솔로 1 | A : 35-42 | - | G장조 | |
| | B : 43-50 | - | - | |
| | A : 51-58 | - | - | |
| | B′ : 59-66 | - | - | |
| 3절 솔로 2 | A : 67-74 | - | - | 97-98(2)마디 E♭장조로 전조 하기 위한 트랜지션 |
| | B ; 75-82 | - | - | |
| | A ; 83-90 | - | - | |
| | B′ : 91-98 | - | G→E♭장조 | |
| 4절 헤드 2 | A : 99-106 | - | E♭장조 | *107-110(4)마디 헤드1 1-18(8)마디가 1/2 축소 *111(1)마디 B♭장조로 신조 하기 위한 트랜지션 |
| | B : 107-111 | 5 | E♭→B♭장조 | |
| | A : 112-119 | 8 | B♭장조 | |
| | B′ : 120-125 | 6 | - | |
| 아웃트로 | 126-129 | 4 | - | |

<표 7> <Here's That Rainy Day> 곡의 구조 특징

| <Here's That Rainy Day> 1-129마디, 곡의 구조 특징 | | | |
|---|---|---|---|
| 곡의 구조와 형식: A(8)-B(8)-A(8)-B′(8)/ 1-4절; 헤드 1, 솔로 1, 2, 헤드 2 | | | |
| 인트로; 1-2(2) | 마디의 축소; 107-110(4)마디는 헤드 11-18(8)마디가 1/2로 축소 * 4절 B(5), B′(6) | 트랜지션; 33-34(B♭→G), 97-98(G→E♭), 111(E♭→B♭) | 아웃트로; 126-129(4) |

---

86) Aaron Prado, *Alone* (Milwaukee: Hal·Leonard Corporation, 2015), 4-12.

87) Transition, 보통 트랜지션은 한 섹션(section A, B, A′등)이 끝나고 1-2마디로 구성되어 짧게 나오는데 에번스는 B′의 7, 8마디에 해당하는 33-34마디에서 2마디를 통해 G장조로 전조 하기 위한 트랜지션을 만들었다. 보통의 경우 B′가 | 1 | 2 | 3 | 4 | 5 | 6 | 7 | 8 ‖(9 | 10)‖으로 8마디가 끝나고 2마디가 트랜지션으로 나오는데 에번스는 B′를 | 1 | 2 | 3 | 4 | 5 | 6 ‖(7 | 8)‖ 8마디 안에 트랜지션을 포함하여 만들었다. 이 곡 외에도 분석한 곡 중에서 <A Time for Love>에서 39-40마디에 한번, A″를 | 1 | 2 | 3 | 4 | 5 ‖(6)‖ 6마디에서 1마디의 트랜지션으로 118마디에 한번, <On a Clear Day (You Can See Forever)>에서 28-31, 66-67, 100-101, 136-137마디에 4번 나온다. 이 곡은 A″가 12마디인데 2마디가 트랜지션으로 포함되었다. | 1 | 2 | 3 | 4 | 5 | 6 | 7 | 8 | 9 | 10 ‖(11 | 12)‖

(2) 화성 분석

〈악보 1〉 〈Here's That Rainy Day〉 1-6마디

1-2마디 인트로 부분에서는 양손 포스(4도) 보이싱이 사용되어 모달 재즈
의 특징인 조성감이 느껴지지 않는 모호한 음색을 만들어냈다. 1-6마디를 보
면 에번스는 양손 포스 보이싱 사용으로 비오는 날의 감성을 더욱 모호하게
나타내었다. 왼손 포스 보이싱에서는 세 번의 겹꾸밈음이 사용되었고 페달톤

과 지속음을 유지하였다. 내성에서 1-2마디 9, 11, (#5, #9), ♭9 음, 3-6마디 13, #11, 9, 13, (11, 13), 9, ♭13 음들을 사용하여 음색이 대조적이지 않게 선율과 리듬을 유기적인 방식으로 연결하였다. 이러한 연주는 이전 시대와는 결이 다른 에번스만의 독창성으로 볼 수 있고 고전음악과 재즈 음악의 통합, 감성적인 면과 감각적인 면을 연주에 적용하였다는 것을 알 수 있다.

〈악보 2〉 〈Here's That Rainy Day〉 36-38, 73-74마디

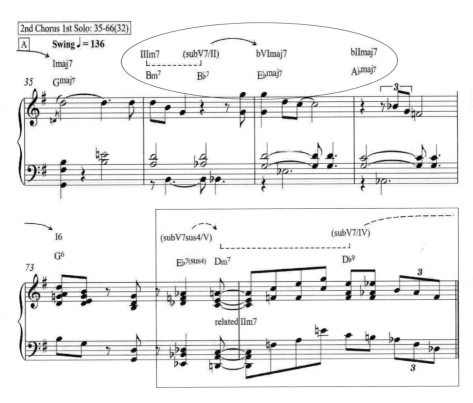

36마디 Ⅲm7은 subⅤ7/Ⅱ으로 반음 하행, subⅤ7/Ⅱ은 모달 인터체인지 코드 ♭Ⅵmaj7으로 완전 5도 하행함으로 위장 해결하였다. ♭Ⅵmaj7에서 또 한 번 모달 인터체인지 코드 ♭Ⅱmaj7으로 완전5도 하행하여 연장한 진행을 하였다. 73-74마디 셋째박부터 E♭sus4, Dm7, D♭7의 진행에서 대위적인 선율과 리듬으로 연주한 것은 에번스가 고전음악을 연구한 결과로 보여지며 이러한 연주방식은 에번스 이전에 볼 수 없었던 연주방식이다.

<악보 3> 〈Here's That Rainy Day〉 75-78, 81-82마디

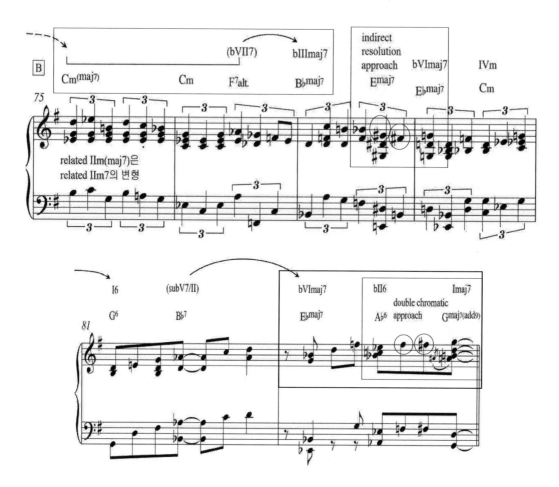

75-78마디 대위적인 선율과 리듬은 종적 또는 횡적으로 구성되는 진행이며 그의 다성부 연주는 실내악 또는 오케스트라의 대변자로서 기술적인 방식이다. 이러한 대위적인 선율과 리듬은 본 저서의 악보 여러 곳에서 포착되고 있다. 75마디의 Cm(maj7)은 릴레이티드 Ⅱm7의 변형이다. ♭Ⅶ7은 으뜸화음인 Ⅰmaj7로 진행하지 않고 ♭Ⅲmaj7인 B♭maj7으로 위장 해결하였다. 75-78마디에서 ♩의 「3」잇단음이 진행되는 가운데 77마디 셋째박에서 발생한 특색있는 어프로치 Emaj7은 그 뒤에 나오는 E♭maj7으로 해결하는 어프로치 코드이다. Emaj7에 나오는 선율 중 'G#'과 'F#'은 E♭maj7에 나오는 'G'로 해결하는 간접적인 해결(indirect resolution) 어프로치 혹은 딜레이드 리졸브(delayed

- 32 -

resolve) 어프로치는 지연 해결로 두 개의 어프로치가 상하 반대 방향으로부터 타깃 노트로 해결되는 어프로치이다. 82마디에서 선율은 ‖ ⌐ B♭, D, F, E♭, F, F#, G↑G ⌐ ⌐ → ‖의 리듬 ‖ ⌐♪♪♪♪♪↑♪ ⌐ ⌐ → ‖ 은 ‖ ⌐♪♪♪♪ ♪♪ ♪ ⌐ ~ ~ ‖ 의 변형된 리듬으로써 '3 and'부터 나오는 두 개의 8분음표 'F', 'F#'은 '4 and'에 나오는 'G' 음으로 해결하는 더블 크로메틱 어프로치이다. 셋째박의 A♭6는 모달 인터체인지 코드인 ♭IImaj7이 변형된 코드이다. 82마디의 마지막 음인 'G'는 붙임줄로 연결되어 83마디로 이어지는 선율과 리듬의 변화를 가져온 앤티시페이션(anticipation)이다.

〈악보 4〉 〈Here's That Rainy Day〉 126-129마디

- 33 -

아웃트로의 악보는 G장조로 표기되었지만 실제로 이러한 코드 진행을 음원으로 들어보면 B장조에서 나오는 코드 진행이라는 것을 알 수 있다. 마지막 마디의 Ⅰm7인 Bm13은 모달 인터체인지 코드이며 Bm13의 선율을 분석하면 Ⅰm7(9,11,13)이므로 코드 스케일로 B 도리안을 사용하였음을 알 수 있다. 126-129마디에서 Ⅳm7-Ⅰ/3-릴레이티드 Ⅱm6-(Ⅴ7/Ⅴ)-♭Ⅱmaj7-Ⅰm7은 반음 하행의 코드 진행은 모달 인터체인지 코드인 Ⅳm7을 포함함으로써 기존과는 다른 코드 진행이다. 이는 반음 하행의 코드 진행 시 다이어토닉 코드와 다양한 논다이어토닉 코드를 포함하여 반음 하행을 보여준다. 코드들을 나열해 보면 Em9, B/D#, Dm6, D♭9(#11), Cmaj7(#11), Bm13의 코드 베이스음이 E-D#-D-D♭-C-B로 반음 간격으로 하행 진행하였다. 모달 인터체인지 코드 Em9인 Ⅳm7에서 B/D#인 Ⅰ/3으로의 진행은 뒤의 베이스 음과 연결되는 반음 하행을 목적으로 하였고 코드마다 다른 위치에 베이스 음이 배치되어 하행하는 베이스 선율 라인이 형성되었다. 이 곡의 99-100마디에서도 이와 같이 근음의 배치와 반음씩 상행과 하행하는 라인을 만들었다. 127마디 B장조에서 세컨더리 도미넌트 세븐 D♭9(#11)인 (Ⅴ7/Ⅴ)이 모달인터체인지 코드 Cmaj7(#11)인 ♭Ⅱmaj7으로 반음 하행하여 위장 해결하였다. 이와 같이 유사한 진행은 〈악보 2〉의 73마디 셋째박부터 75마디, E♭sus4인 (subⅤ7/sus4/Ⅴ), Dm7인 릴레이티드 Ⅱm7, D♭7인 (subⅤ7/Ⅳ), Cm(maj7)인 릴레이티드 Ⅱm(maj7)으로 반음씩 하행하는 연주를 하였다. 그리고 위에서 제시하지 않은 악보 95-96마디 Bm7인 Ⅲm7, B♭7인 subⅤ7/Ⅱ, Am7인 Ⅱm7의 진행에서도 반음씩 하행하는 코드 진행으로 리하모니제이션한 에번스의 화성 진행 방식을 볼 수 있다.


(3) 화성 진행과 리하모니제이션

〈비 내리는 날이네요〉(Here's That Rainy Day) 조성은 B → G → E♭ → B 장조로 전조 되며 1-129마디로 구성되어있다.

화성 분석에서 나타난 특징들은 ① 페달톤 진행, ② ③ subⅤ7의 반음 하행 속성-예상 해결과 위장 해결, ④ 세컨더리 도미넌트 세븐이 모달 인터체인지 코드로 위장 해결, ⑤ 직접 전조, ⑥ 릴레이티드 Ⅱm7과 함께 사용된 도미넌트의 위장 해결, ⑦ 어센딩, 디센딩 디미니쉬드 세븐스 코드의 진행, ⑧ 어프로치 코드의 진행, ⑨ 더블 크로메틱 어프로치, ⑩ 장조곡에서 모달 인터체인지 코드인 Ⅰm13의 진행은 이 곡에서 에번스의 리하모니제이션 하는 기술적인 특징으로 나타났다. 다음 〈표 8〉은 분석한 〈Here's That Rainy Day〉를 도식화한 표이다.

〈표 8〉 〈Here's That Rainy Day〉 화성 진행과 리하모니제이션

| 〈Here's That Rainy Day〉 1-129마디, 에번스 연주에 나타난 화성 진행과 리하모니제이션 조성; B장조(1-32(32마디)), G장조(33-96(64마디)), E♭장조(97-110(14마디)), B장조(111-129(19마디)) | | |
|---|---|---|
| 분석 명칭 | 분석 기호 | 마디 |
| ① 페달톤 진행 | F#7은 Ⅴ7이고 G9/F#은subⅤ7/Ⅴ/F# 페달 | 1-2 |
| ② ③ subⅤ7의 반음 하행 속성 -예상 해결과 위장 해결 | ② 완전5노와 반음 하행 Ⅴ7-subⅤ7-Ⅰmaj7 | 8-9, 24-25, 117-118 |
| | ②-1 반음 하행: subⅤ7/Ⅴ-Ⅴ7, subⅤ7/Ⅳ-Ⅳmaj7 | 1-2, 32, 34 3, 19, 112 |
| | ③ 완전5도 하행 (subⅤ7/Ⅱ)-♭Ⅵmaj7 : 4-5, 20-21, 36-37, 52-53, 68 | 81-82, 84, 100-101, 113-114 |
| | ③-1 두 번 반음 하행 (subⅤ7/Ⅵ)-(Ⅴ7/Ⅱ)-♭Ⅵmaj7 | 13-14 |
| ④ 세컨더리 도미넌트 세븐이 모달 인터체인지 코드, 위장 해결 | ④ 반음 하행 (Ⅴ7/Ⅴ)-♭Ⅱmaj7 : 127-128 | 5-6, 21-22, 69, 85 |
| | ④-1 (Ⅴ7/Ⅲ)-(♭Ⅶ7)-♭Ⅲmaj7 | 12-13 |
| | ④-2 반음 하행과 완전5도 하행 (♭Ⅶ7)-♭Ⅲmaj7 | 44-45, 76-77 |
| ⑤ 직접 전조 | 트랜지션: Ⅱm7-Ⅴ7-Ⅰmaj7 : 33-35 | 97-99, 111-112 |
| ⑥ 릴레이티드 Ⅱm7과 함께 사용된 도미넌트의 위장 해결 *릴레이티드 Ⅱm7을 동반한 도미넌트 진행 3가지 | *세컨더리 도미넌트 세븐 사용 | 10, 42, 106, 127 |
| | *두 번 완전5도 하행 릴레이티드 Ⅱm7-(Ⅴ7/Ⅳ)-Ⅳm7, *(subⅤ7/Ⅴ-Ⅱm7-(Ⅴ7/Ⅳ)-Ⅳm7 | 106-107, *9-11 |
| | *두 번 반음 하행 릴레이티드 Ⅱm6-(Ⅴ7/Ⅴ)-♭Ⅱmaj7 | 127-128 |
| | 모달 인터체인지 코드(♭Ⅶ7) | 12, 44, 76 |
| | *두 번 완전5도 하행: | 43-45, |

| | | |
|---|---|---|
| | 릴레이티드 Ⅱm6-(♭Ⅶ7)-♭Ⅲmaj7, 릴레이티드 Ⅱm(maj7)-(♭Ⅶ7)-♭Ⅲmaj7 | 75-77 |
| | 서브스티튜트 도미넌트 세븐 코드 | 36, 74, 84 |
| | *반음 하행과 완전5도 하행: 릴레이티드 Ⅱm7(Ⅲm7)-(subⅤ7/Ⅱ)-♭Ⅵmaj7, *두 번 반음 하행: 릴레이티드 Ⅱm7-(subⅤ7/Ⅳ)- Ⅰm(maj7) | 36-37, 73-75 |
| ⑦ 어센딩, 디센딩 디미니쉬드 세븐스 코드의 진행 (스케일은 같음) | *어센딩 용법: #Ⅱdim7-Ⅲm7(Ddim7 - D#m7) (스케일: #Ⅱdim7의 코드톤+Ⅲm7의 코드톤) | 30-31, 94-95, 123-124 |
| | 디센딩 용법: ♭Ⅲdim7 - Ⅱm7 (스케일: ♭Ⅲdim7 코드톤과 Ⅲm7의 코드톤이 텐션) | 65-66 |
| ⑧ 어프로치 코드의 진행 | Emaj7 - E♭maj7의 코드 진행: 선율에서 타깃 노트는 G음이며 두 개의 어프로치 G#, F#음 (*인다이렉트 리졸루션 어프로치(=딜레이드 리졸브 어프로치) | 77-78 |
| | 하행하는 페싱 코드: Cm9 - Bm9-B♭m7 | 105-106 |
| | 하행 어프로치 코드 C#maj7 - Cmaj13 *상행 어프로치 선율 D# → E | 114-115 |

⑨ 더블 크로메틱 어프로치:
82마디 ♭Ⅱ6 코드와 Ⅰmaj7의 사이에서 선율은 ‖ ♪ B♭, D, F, E♭, F, F#, G↑G ♪ ♪ → ‖의 리듬 ‖ ♪♩♩♩♩♩↑♩ ♪ ♪ → ‖ 은 ‖ ♪♩♩♩ ♩♩ ♩ ♪ ~ ~ ‖ 의 변형된 리듬으로써 '3 and'부터 나오는 두 개의 8분음표 'F', 'F#'은 '4 and'에 나오는 'G'음으로 해결하는 어프로치코드가 사용되었다.

⑩ 장조곡에서 모달 인터체인지 코드인 Ⅰm13 : 마지막 코드(129마디)로 사용하여 조성의 정체성을 모호하게 만든 것을 볼 수 있고, Bm7(9,11,13)에 나오는 선율은 B 도리안 스케일을 사용했음을 알 수 있다.

(4) 원곡과 비교분석

원곡[88] 〈Here's That Rainy Day〉 Words by Johnny Burke(1908-1964) Music by Jimmy Van Heusen(1913-1990)의 곡이다. 〈악보 5〉의 원곡 분석을 보겠다.

---

[88] 원곡: The Real Book에 나오는 Standard Jazz. * 에번스 연주곡과 원곡 1-5곡을 사보하고 그 곡의 구조와 분석 기호, 작은 글자를 넣어 표시하였다.

〈악보 5〉 〈Here's That Rainy Day〉 원곡 1

다음 〈표 9〉는 위에서 화성 분석한 〈Here's That Rainy Day〉의 헤드 1 을 도식화한 표이다.

<표 9> 〈Here's That Rainy Day〉 원곡과 비교분석

| 〈Here's That Rainy Day〉 1절(1st Chorus)-헤드(Head) 1 | | | | |
|---|---|---|---|---|
| | 원곡 〈F장조〉 | | 에번스 연주곡(B장조) | |
| 형식 | 마디 | 분석 기호 | 마디 | 분석 기호 |
| 인트로 | | | 1-2 | Ⅴ7sus4, subⅤ7/Ⅴ, |
| | | | | Ⅴ7sus4, subⅤ7/Ⅴ, |
| | | | | Ⅴ7($^{#}$9,$^{#}$5), Ⅴ7($^{b}$9) |
| A | 1-4 | I maj7 | 3-6 | I maj7, subⅤ7/Ⅳ, Ⅳmaj7 |
| | | (subⅤ7/Ⅱ) | | I/3, subⅤ7sus4/Ⅱ, |
| | | | | (subⅤ7/Ⅱ) |
| | | $^{b}$Ⅵmaj7, | | $^{b}$Ⅵmaj7, (Ⅴ7/Ⅴ) |
| | | $^{b}$Ⅱmaj7 | | $^{b}$Ⅱmaj7 |
| | 5-8 | Ⅱm7 | 7-10 | Ⅱm7, I/3 |
| | | Ⅴ7 | | Ⅳmaj7, Ⅴ7, subⅤ7 |
| | | I maj7 | | I maj7, (subⅤ7/Ⅴ) |
| | | 릴레이티드 Ⅱm7, (Ⅴ7/Ⅳ) | | 릴레이티드 Ⅱm7, (Ⅴ7/Ⅳ) |
| B | 9-12 | 릴레이티드 Ⅱm7 | 11-14 | 릴레이티드 Ⅱm7 |
| | | ($^{b}$Ⅶ7) | | (Ⅴ7/Ⅲ), ($^{b}$Ⅶ7) |
| | | $^{b}$Ⅲmaj7 | | $^{b}$Ⅲmaj7, (subⅤ7/Ⅵ), (Ⅴ7/Ⅱ) |
| | | $^{b}$Ⅵmaj7 | | $^{b}$Ⅵmaj7 |
| | 13-16 | Ⅱm7 | 15-18 | Ⅱm7, I sus4/3 |
| | | Ⅴ7 | | Ⅳadd2, Ⅴ7($^{b}$9), Ⅴ7($^{#}$9) |
| | | I maj7 | | I maj7, Ⅵm7 |
| | | Ⅱm7, Ⅴ7 | | Ⅳmaj7, Ⅱm7, Ⅴ7 |
| A | 17-20 | I maj7 | 19-22 | I maj7, subⅤ7/Ⅳ, Ⅳmaj7 |
| | | (subⅤ7/Ⅱ) | | I/3, subⅤ7sus4/Ⅱ, |
| | | | | (subⅤ7/Ⅱ) |
| | | $^{b}$Ⅵmaj7, | | $^{b}$Ⅵmaj7, (Ⅴ7/Ⅴ) |
| | | $^{b}$Ⅱmaj7 | | $^{b}$Ⅱmaj7 |
| | 21-24 | Ⅱm7 | 23-26 | Ⅱm7, I/3 |
| | | Ⅴ7 | | Ⅳmaj7, Ⅴ7, subⅤ7 |
| | | I maj7 | | I maj7, (subⅤ7/Ⅴ) |
| | | 릴레이티드 Ⅱm7, (Ⅴ7/Ⅳ) | | 릴레이티드 Ⅱm7, Ⅴ7/Ⅳ |
| B′ | 25-28 | Ⅳmaj7 | 27-30 | Ⅳmaj7 |
| | | Ⅱm7, Ⅴ7/$^{b}$7 | | $^{b}$Ⅶ7 |
| | | Ⅲm7, Ⅵm7 | | I/3, Ⅵm7 |
| | | Ⅴ7/Ⅴ | | (Ⅴ7sus4/Ⅴ), $^{#}$Ⅱdim7 |
| | 29-32 | Ⅱm7 | 31-34 | Ⅲm7, Ⅵm7 |
| | | Ⅴ7 | | Ⅳ, subⅤ7/Ⅴ, (Ⅴ7) |

| | I 6<br>(IIm7, V7) | [트랜지션 33-34] 〈G장조〉 IIm7<br>subV7/V, V7 |
|---|---|---|
| 리듬 | ballad rubato, 4/4박자<br>♩♩ ♩ ∣♩∣♩♩♩♩∣ ♩ ♩. ♪∣♩. ♪ ∥<br>♩♩♩ ♩ ♪♪♪ ♪♪ ∣∣ ♩ ♩ ∥<br>♩♩♩♩∣ ♩。⌐⌐ ♩. ♪ ∥<br>*잇단음을 사용하지 않았다. | 발라드 루바토 ♩ = 65, 4/4박자<br>*1절 헤드 1: 잇단음 사용하지 않음<br>*1-129마디에서 ♩의 「³」 80번, ♪의<br>「³」 4번, ♩의 「³」<br>25번(*75-78마디-연속으로 양손에서<br>16번 사용)의 잇단음과 싱코페이션을<br>사용하여 다양한 리듬 |
| 스케일 | 리디안 ♭7, 믹소리디안, 홀 톤,<br>도리안, 로크리안 | 믹소리디안, 리디안, 리디안 ♭7, 홀 톤,<br>도리안, 로크리안, 디미니쉬드 세븐 |
| 코드<br>변주 | *다이어토닉,<br>논다이어토닉 코드톤과 텐션<br>*서브스티튜트 도미넌트<br>세컨더리 도미넌트 세븐 코드와<br>모달 인터체인지 코드 사용으로<br>모호한 음색 연출,<br>*릴레이티드 IIm7<br>*다이어토닉 코드 VIm7의<br>릴레이티드 IIm7 이중 기능<br>사용,<br>*다이어토닉 코드 IIm7의<br>릴레이티드 IIm7 이중 기능<br>사용과 인터폴레이티드 IIm7 | *다이어토닉, 논다이어토닉 코드톤과<br>텐션, 직접 전조로 인한 코드의 전환<br>*서브스티튜트 도미넌트, 세컨더리<br>도미넌트 세븐 코드와 모달<br>인터체인지 사용으로 모호한 음색<br>연출<br>*어프로치, 디미니쉬드 세븐스 용법의<br>어센딩, 디센딩, 릴레이티드 IIm7,<br>릴레이티드 IIm7 이중 기능,<br>인다이렉트 어프로치 코드, 더블<br>어프로치, 경과적, 보조적 코드<br>*보이싱: 2노트, 루트리스 2노트,<br>락드 핸즈, 4웨이 클로스의 드롭 2,<br>포스(4도), 클러스터<br>*선율과 리듬; 리피티드 노트 형태,<br>리드믹 아이디어, 블록 코드 |
| 페달링 | 연주자 임의대로 | D.P, T.P, 지속음, 연주자 임의대로 |
| 표현 | 갖춘마디, F장조,<br>싱코페이션 | 슬로우, 자유롭게, 못갖춘마디,<br>인트로, B장조에서 전조하기 위한<br>트랜지션으로 B→G→E♭→B 장조로<br>3번의 직접 전조, 일정한 마디 1/2로<br>축소, 아웃트로, 싱코페이션, 늘임표,<br>꾸밈음(홑앞꾸밈, 겹앞꾸밈,<br>더블어프로치, 크로메틱 어프로치,<br>인다이렉트 리졸루션 어프로치 노트),<br>8<sup>va</sup>, rit, rall, 셈여림 |

2) 〈사랑의 시간〉(A Time for Love)

(1) 구조 분석

〈표 10〉 〈A Time for Love〉 구조 1-161마디

| 〈A Time for Love〉 89)구조 1-161마디 | | | | |
|---|---|---|---|---|
| 곡의 형식 | 각 섹션별 마디의 구성 | 마디 수 | 조성 | 비고 |
| 1절 헤드 1 | A : 1-8 | 8 | D장조 | A″는 ① 원곡에서 6마디이지만 트랜지션 2마디 포함하여 8마디로 확대 ② 39-40마디 B♭장조로 전조 하기 위한 트랜지션 |
| | A′ : 9-16 | – | – | |
| | B : 17-24 | – | – | |
| | A : 25-32 | – | – | |
| | A″ : 33-40 | – | D→B♭장조 | |
| 2절 솔로 1 | A : 41-48 | – | B♭장조 | A″는 원곡에서 6마디지만 2마디 늘어나 8마디로 확대 |
| | A′ : 49-56 | – | – | |
| | B : 57-64 | – | – | |
| | A : 65-72 | – | – | |
| | A″ : 73-80 | – | – | |
| 3절 솔로 2 | A : 81-88 | – | – | A″는 ① 113-118마디 원곡의 마디 수(6)와 같음 ② 118마디 D장조로 전조 하기 위한 트랜지션 |
| | A′ : 89--96 | – | – | |
| | B : 97-104 | – | – | |
| | A : 105-112 | – | – | |
| | A″ : 113-118 | 6 | B♭→D장조 | |
| 4절 헤드 2 | A : 119-126 | 8 | D장조 | A″는 원곡의 6마디에서 2마디 축소 |
| | A′ : 127-134 | – | – | |
| | B : 135-142 | – | – | |
| | A : 143-150 | – | – | |
| | A″ : 151-154 | 4 | – | |
| 아웃트로 | 155-161 | 7 | – | |

---

89) Aaron Prado, *Alone* (Milwaukee: Hal·Leonard Corporation, 2015), 13-22.

<표 11> <A Time for Love> 곡의 구조 특징

| <A Time for Love> 1-161마디, 곡의 구조 특징 | | |
|---|---|---|
| 곡의 구조와 형식: A(8)-A′(8)-B(8)-A(8)-A″(8)<br>1-4절: 헤드 1, 솔로 1, 솔로 2, 헤드 2 | | |
| 마디의 축소와 확대: 1절 헤드 1, 2절 솔로 1의 A″는 원곡 6마디 → 2마디 확대(8), 3절 솔로 2의 A″는 원곡 6마디와 같고(6) 4절 A″는 원곡 6마디 → 2마디 축소(4) | 트랜지션:<br>39-40(D→B♭),<br>118(B♭→D) | 아웃트로:<br>155-161(7) |

(2) 화성 분석

<악보 6> <A Time for Love> 1-8마디

1-3마디 Dmaj9, E♭/D, Dmaj9은 Ⅰmaj7, ♭Ⅱ, Ⅰmaj7의 토닉 페달 진행이

- 42 -

다. E♭은 D 프리지안에서 만들어진 모달 인터체인지 코드이다. 7마디 F♯(add2) 인 Ⅰ로 전조되며 공통화음을 활용한 전조 방식이다. 이는 8마디 D장조로의 직접 전조는 짧게 전조 되었다가 원래 진행되던 조성으로 돌아가는 방식으로 에번스의 특징적인 연주기법이다. C♯7(♯9)의 스케일은 믹소리디안 ♭9, ♯9, ♭13 을 사용하였다. F♯7의 릴레이티드 Ⅱm7의 기능을 하는 (C♯m7(♭5))인 Ⅶm7(♭5) 는 D장조 일곱 번째 코드로써 릴레이티드 Ⅱm7(♭5)의 이중 기능을 갖는다.

〈악보 7〉〈A Time for Love〉117-118, 127-130마디

118마디, B♭장조에서 D장조로 직접 전조 방식을 취했다. 이와 비슷한 33-40 마디 A″의 7-8마디에 해당하는 39-40마디의 두 마디를 8마디 안에 포함하 여 직접 전조 하였다. 두 번째 113-118마디 A″의 6마디에서 118마디의 한 마디를 포함한 에번스만의 직접 전조 방식을 볼 수 있다. 127-130마디의 코드

는 Bm9, E♭/B♭, Dmaj7/A, G#m7(♭5), 131마디 Gmaj9인 Ⅳmaj7, F#m7인 Ⅲm7
이다. 여기서 E♭/B♭, Dmaj7/A에서 2전위를 하여 베이스 선율을 B, B♭, A,
G#, G, F#으로 순차적 반음 하행을 유도하였다. 이러한 방식의 반음 하행진행
은 에번스가 창의적으로 만들어 사용한 연주기법이다.

〈악보 8〉〈A Time for Love〉150-152, 157-161마디

150마디 F#7, G13(#11), F#7(b9add11)의 진행은 V7/VI과 V7/VI 사이에 sub V7/III인 보조적 코드가 사용되었다. G13(#11), F#7(b9add11)의 보이싱은 에번스가 ⟨So What⟩ 곡에서 처음 사용한 포스 보이싱이다. 그러나 그 후 10년이 지나 연주한 이 곡에서는 G13(#11)의 보이싱에서 13음이 중복되었고, F#7 (b9,add11)의 보이싱에서는 b9음과 13음이 중복된 점이 다르게 변화되었다. 넷째박 F#(#5)/D는 V/VI/(#5)의 구성음은 F#7의 변형으로 볼 수 있다.

159마디의 Dmaj9인 I maj7의 사이에 bII는 D 페달 포인트를 가진 보조적 코드이다. 160마디의 둘째박 C#m7(b9)은 VIIm7(b9)인데 이것은 VIIm7(b5)가 변칙적으로 VIIm7(b9)로 진행된 것으로 볼 수 있다. 넷째박 Am9인 Vm7은 161마디 G#m9으로 마치게 되는데 보통의 경우에는 V7에서 I로의 종지가 이루어진다. 그러나 160마디 넷째박 Am9, 161마디 G#m7(9)은 기존의 원칙적인 종지와 비교했을 때 두 가지의 독특한 점이 있다. 첫째, D장조의 V7인 A7으로 진행하지 않고 모달 인터체인지 코드 Vm7으로 진행했다는 것과 둘째, 마지막에 끝나는 코드가 I가 아닌 위송지(deceptive cadence)로 끝난 점이다. 보통은 G#m7(b5) 즉, 모달 인터체인지 코드로써 리디안 스케일의 네 번째 음에서 만들어진 코드 #IVm7(b5)를 많이 쓰는데 #IVm7의 도리안으로 끝난 경우는 에번스만의 창의적인 코드 진행기법 중 하나로 볼 수 있다.

   (3) 화성 진행과 리하모니제이션

   두 번째 곡 ⟨사랑의 시간⟩ (A Time for Love) 조성은 D → Bb → D장조이며 1-161마디로 구성되어있다.
   화성 분석에서 나타난 특징들은 ① 페달톤 진행 ② 라인 클리셰 진행 ③ 공통화음 전조 ④ 직접 전조 ⑤ 조성안에서 직접 전조(이중 기능) ⑥ (sub V7/IV)이 릴레이티드 IIm7으로의 진행 ⑦ 인터폴레이티드 IIm7 진행 ⑧ 세컨더리 도미넌트와 서브스티튜트 도미넌트 진행 ⑨ 서브스티튜트 도미넌트와 세컨더리 도미넌트의 진행 ⑩ 경과적 코드, ⑪ 보조적 코드 ⑫ 어센딩 디미니쉬드 용법 ⑬ 근음이 순차 하행하는 진행, dim7의 디센딩 용법과 모달 인터체인지 코드의 진행 ⑭ 베이스음이 순차 상행하는 진행 ⑮ 베이스음이 2전위 하여 순차 하행하는 진행 ⑯ 엔딩 부분의 진행은 이 곡에서 에번스의 리하모니제이션 하는 기술적인 특징으로 나타났다. 〈표 12〉는 위에서 화성 분석한 〈A Time for Love〉를 도식화한 표이다.

〈표 12〉 〈A Time for Love〉 화성 진행과 리하모니제이션

| 〈A Time for Love〉 1-161마디,<br>에번스 연주에 나타난 화성 진행과 리하모니제이션<br>조성: D장조(1-38(38)), B♭장조(39-118(80)), D장조(119-161(43)) | | |
|---|---|---|
| 분석 명칭 | 분석 기호 | 마디 |
| ① 페달톤 진행 | Dmaj7 - ♭Ⅱ/D 페달-Dmaj7과 같은 ♭Ⅱ/D의 페달톤 사용: 1-3의 중간 2마디와 같은 패턴 | 120, 156, 159 |
| | Ⅰmaj7-subⅤ7/B♭ 페달- Ⅰmaj7: 41-43의 중간 | 42마디 |
| ② 라인 클리셰 진행 | Ⅱm-Ⅱm(♯5)-Ⅱm6-Ⅱm(maj7): 17-18, 57-58,135-136 | 17-18,<br>57-58, |
| ③ 공통화음 전조 | (Ⅴ7/Ⅲ)Ⅴ7-Ⅰ: 6-7(D→F♯), 124-125(D→F♯) | 6-7, 124-125 |
| | (Ⅴ7/Ⅲ)Ⅴ7-Ⅰmaj7: 46-47(B♭→D), 86-87(B♭→D) | 46-47, 86-87 |
| | (Ⅴ7/Ⅲ)Ⅴ7/Ⅴ-Ⅴ7-Ⅰmaj7 | 140(A→F♯) |
| | (Ⅴ7/Ⅵ)Ⅴ7-Ⅰmaj7 : 102-103(F→D) | 102-103 |
| | (Ⅵm7)Ⅱm7-Ⅴadd2-Ⅰmaj7<br>17-18(D→A), 57-58(B♭→F), 135-136(D→A) | 17-18, 57-58,<br>135-136 |
| | (♯Ⅳm7(♭5))Ⅱm7(♭5)-Ⅴ7-Ⅰmaj7:118-119(B♭→D)(트랜지션 118마디) | 118마디 |
| | (Ⅶ7(♭5))Ⅱm7(♭5)-Ⅴ7-Ⅰmaj7 | 22-23(A→F♯) |
| | (♭Ⅵ)Ⅰ-♭Ⅱ-Ⅴ7-Ⅰmaj7 | 24-25(F♯→D) |
| | (*서브스티튜트 도미넌트에서 공통화음을 잡고 Ⅱm7-Ⅴ7-Ⅰmaj7으로 전조)<br>(subⅤ7/Ⅲ/5)subⅤ7/Ⅴ/5-Ⅱm7(♭5)-Ⅴ7-Ⅰ6 | 61-63(F→D) |
| ④ 직접 전조 | Ⅱm7-Ⅴ7-Ⅰmaj7, | 39-41, |

| | | | |
|---|---|---|---|
| | 39-41(D→B♭), 104-105(D→B♭), 142(F#→D) | 104-105, 142 | |
| | V7- I maj7 | 64-65(D→B♭) | |
| ⑤ 조성안에서 직접 전조 (이중 기능) | *VIIm7(♭5)는 다이어토닉 코드와 릴레이티드 IIm7 의 이중 기능 → VII7(♭5)-V7/VI-VIm7 8-9(F#→D), 15-17(D→A), 48-49(D→B♭), 55-579(B♭ →F), 95-97(D→B♭),126-127(F#→D), 133-135(D→A) | 8-9, 15-17, 48-49, 55-57, 95-97, 126-127... | |
| | VIIm7(♭5)-(sub V7/III)-V7/VI-VIm7 | 144-145 | |
| ⑥ (sub V7/IV)이 릴레이티드 IIm7 으로의 진행 | (sub V7/IV)-릴레이티드 IIm7-V7/VI-VIm7 *(sub V7/IV)이 반음 하행한 IIm7은 완전5도 하행하여 세컨더리 도미넌트 세븐으로 진행 후 예상 해결 | 65-67 | |
| ⑦ 인터폴레이티드 IIm7 진행 | V7/V-IIm7-V7의 진행으로 중간에 위치한 II m7이 두 개의 도미넌트 사이에서 뒤의 도미넌트 세븐을 꾸밈 | 69, 75, 80, 109 | |
| | V7/V-IIm7-V7- I maj7 | 75, 109 | |
| | V7/V-IIm7-(V7) | 69 | |
| | sub V7/V-V7/V-IIm7-V7- I maj7 | 80 | |
| ⑧ 세컨더리 도미넌트와 서브스티튜트 도미넌트 진행 | *(sub V7/III)이 보조적 코드 V7/VI-(sub V7/III)-V7/VI-VIm7 | 32-34, 150-151 | |
| | (sub V7/III)-V7/VI-VIm7 | 71-73 | |
| ⑨ 서브스티튜트 도미넌트와 세컨더리 도미넌트의 진행 | (sub V7/IV)-(sub V7sus4/III)-(sub V7/III)-V 7sus4/VI-V7/VI-sub V7/VI-VIm7 - sub V7/V -(V7): * sub V7/IV의 경과 코드로 시작하여 113 마디 VIm7만 다이어토닉 코드 | 110-115 | |
| ⑩ 경과적 코드, ⑪ 보조적 코드, ⑫ 어센딩 디미니 쉬드 용법 | ⑩ A7-A♭9(#5)(sub V7/IV)-G9(#11), A7-A♭9(#5)(sub V7/IV)-G13(#11), F7-E7(sub V7/IV)-E♭7, E7-E♭7(sub V7/III)-D7 | 30, 148, 110, 111, | |
| | A♭7-Gm7(♭VIIm7-VIm7) | 43 | |
| | ⑪ F#7-G7sub V7/III)-F#(♭9,13) | 32, 150 | |

| | ⑫ #I dim7- Ⅱm7 | 100-101 |
|---|---|---|
| ⑬ 근음이 순차 하행하는 진행 ⑬-1 dim7(디센딩) 용법 | ⑬ Ⅵm7 - subⅤ7/5(bⅡ/5)- I maj7/5-#Ⅳm7(b5)-Ⅳmaj7- Ⅲm7-Ⅱm7-Ⅱm7/b7-Ⅶ-7(b5) : (B-Bb-A-G#-G-F#-E-D-C#) | 9-15, 127-133, |
| | ⑬-1 Ⅵm-bⅥdim7- I maj7/5-#Ⅳm7(b5)-Ⅳmaj7 | 89-93 |
| ⑭ 베이스음이 순차 상행 진행 | ⑭ *Ⅱm7, Ⅲm7, Ⅳmaj7, Ⅴ7, *Ⅱm7, Ⅲm7, Ⅳmaj7, (Ⅴ7), *I maj7, Ⅱm7, Ⅲm7, Ⅳmaj7, (Ⅴ7), Ⅵm7 | 29-30,35-36, 37-38,53-54, 85-86,147-148, 153-154 |
| ⑮ 베이스음이 2전위 하여 순차 하행진행 | ⑮-1 Ⅵm7-subⅤ7/5- I maj7/5: B-Bb-A | 10-1 |
| | ⑮-2 Ⅵm7-(subⅤ7/5-bⅥdim7)- I maj7/5: G-Gb-F | 50-51 |
| | ⑮-3 Ⅵm7-bⅡ/5- I maj7/5 | 127-129 |

⑯ 엔딩 부분의 진행: I maj7-Ⅶm7(b9)-Ⅵm7-Ⅴm7-#Ⅳm7은 160-161마디에서 Dmaj7-C#m7(b5)-Bm7-Am9-G#m9이 사용되었다. 근음은 반음-온음-온음-반음의 간격으로 순차진행 하고 있다. 160마디의 넷째박 Ⅴm7의 활용은 에번스만의 창의적인 진행이다. Ⅴ7으로 진행되는 게 일반적이지만 모달 인터체인지 코드 Ⅴm7으로 진행되었으며 이어서 161마디에서도 #Ⅳm7(b5)가 아닌 #Ⅳm7으로 진행된 것이 매우 특이한 점이다.


(4) 원곡과 비교분석


원곡 〈A Time For Love〉 Music by Johnny Mandel(1925-    ) Words by Paul Francis Webster(1907-1984))의 곡이다. 다음 〈악보 9〉 분석에서 작곡자의 화성 진행을 볼 수 있다.

〈악보 9〉 〈A Time For Love〉 원곡 2

다음 〈표 13〉은 위에서 화성 분석한 〈A Time For Love〉의 헤드 1을 원곡
과 에번스 연주곡을 도식화한 표이다.

<표 13> 〈A Time for Love〉 원곡과 비교분석

| 〈A Time for Love〉 1절(1st Chorus)-헤드(Head) 1 | | | |
|---|---|---|---|
| | | 원곡 〈B♭→Gm→F→D→B♭장조〉 | 에번스 연주곡 〈D→F#→D→A→F#→D장조〉 |
| 형식 | 마디 | 분석 기호 | 분석 기호 |
| A | 1-4 | <B♭장조> I maj7 | <D장조> I maj7 |
| | | ♭Ⅶ7 | ♭Ⅱ/D |
| | | I maj7 | I maj7 |
| | | (Ⅴ7/Ⅴ) | (Ⅴ7/Ⅴ) |
| | 5-8 | Ⅱm7 | Ⅱm7, Ⅲm7 |
| | | Ⅳmaj7/5 | Ⅳmaj7, <F#장조>(Ⅴ7/Ⅲ)Ⅴ7 |
| | | 릴레이디드 Ⅱm7, (Ⅴ7/Ⅵ) | I add2 |
| | | Ⅶm7(♭5), Ⅴ7/Ⅵ | <D장조>Ⅶm7(♭5), Ⅴ7/Ⅵ |
| A′ | 9-12 | Ⅵm7 | Ⅵm7 |
| | | ♭Ⅶ7/♭7 | subⅤ7/5 |
| | | I 6/5 | I maj7/5 |
| | | (Ⅴ7/Ⅴ) | #Ⅳm7(♭5) |
| | 13-16 | Ⅱm7 | Ⅳmaj7, Ⅲm7 |
| | | Ⅳmaj7/5 | Ⅱm7, Ⅱm7/♭7 |
| | | <G단조>(Ⅶm7(♭5))Ⅱm7(♭5) | Ⅶm7(♭5) |
| | | Ⅴ7 | Ⅴ7/Ⅵ |
| B | 17-20 | I m7, Ⅱm7, (Ⅴ7) | <A장조>(Ⅵm7)Ⅱm7, Ⅱm(#5) |
| | | <F장조>(I m7)Ⅱm7, Ⅴ7 | Ⅱm6, Ⅱm7, Ⅱm(maj7), Ⅴadd2 |
| | | I maj7, Ⅴ7/Ⅵ | I maj7, Ⅴ7/Ⅵ |
| | | Ⅵm7, Ⅴ7/Ⅱ | Ⅵm7, Ⅴ7/Ⅱ |
| | 21-24 | Ⅱm7, Ⅱm7(♭7) | Ⅱm7, Ⅱm7(♭7) |

| | | <D장조><br>(Ⅶm7(♭5))Ⅱm7(♭5), Ⅴ7 | <F#장조><br>(Ⅶm7(♭5))Ⅱm7(♭5), Ⅴ7 |
|---|---|---|---|
| | | Ⅰmaj7, Ⅵm7 | Ⅰmaj7 |
| | | <B♭장조>Ⅱm7, Ⅴ7 | <D장조>(♭Ⅵ)Ⅰ, ♭Ⅱ, Ⅴ7sus4, Ⅴ7 |
| A | 25-28 | Ⅰdim7, Ⅰmaj7 | Ⅰmaj7 |
| | | Ⅶm7(♭5), Ⅴ7/Ⅵ | Ⅶm7(♭5), Ⅴ7/Ⅵ |
| | | Ⅵm7 | Ⅵm7 |
| | | (Ⅴ7/Ⅵ) | (Ⅴ7/Ⅴ) |
| | 29-32 | Ⅱm7 | Ⅱm7, Ⅲm7 |
| | | Ⅳmaj7/5 | Ⅳmaj7, (Ⅴ7), (subⅤ7/Ⅳ) |
| | | 릴레이티드 Ⅱm7 | (Ⅳ7) |
| | | Ⅴ7/Ⅵ | Ⅴ7/Ⅵ, (subⅤ7/Ⅲ), Ⅴ7/Ⅵ |
| A″ | 33-36 | Ⅵm7 | Ⅵm7 |
| | | (Ⅴ7/Ⅴ) | (Ⅴ7/Ⅴ) |
| | | Ⅱm7 | Ⅱm7, Ⅲm7 |
| | | Ⅴ7sus4, Ⅴ7 | Ⅳmaj7, Ⅴ7 |
| | 37-38 | Ⅰ6(B♭6) | Ⅰ/5(Dadd2/5), Ⅰmaj7, Ⅱm7 |
| | | | Ⅲm7, Ⅳmaj7, (Ⅴ7), Ⅵm7(Bm7) |
| | | – | [트랜지션 39-40]<B♭장조>Ⅱm7 |
| | | – | Ⅴ7 |
| 리듬 | Ballad, 4/4<br>→ 특징적인 리듬<br>♩ ♪♪♪♪♩. ♩ ♩♪♪♩ ♩ ♩♪♪♩ ♩ ┃<br>♪♪♩ ♩ ♩♪♪♩ ♩ ┃ 。 ‖ | | Ballad Rubato, 4/4박자,<br>스트레이트와 스윙<br>*1절 헤드 1: ♩의 「3」 1번 사용<br>*1-161마디에서 ♩의 「3」 42번, ♪의<br>「3」 3번, ♩의 「3」 18번(131-133마디<br>연속 10번 사용)과 싱코페이션 사용<br>으로 다양한 리듬을 사용. |

| | | *컴핑 → 주로 둘째박과 넷째박에서 컴핑, 첫박과 셋째박에서도 컴핑 하였다. |
|---|---|---|
| 스케일 | *다이어토닉, 논다이어토닉 코드 도리안, 로크리안, 리디안, 리디안 ♭7, 믹소리디안, 믹소리디안, 디미니쉬드 세븐 | *다이어토닉, 논다이어토닉 코드 도리안, 로크리안, 리디안, 리디안 ♭7, 믹소리디안, 디미니쉬드 세븐 |
| 코드 변주 | *다이어토닉, 논다이어토닉 코드톤 과 텐션, 공통화음 전조, 직접 전 조로 인한 코드의 전환<br><br>*릴레이티드 Ⅱm7, 다이어토닉 코 드 Ⅱm7, Ⅵm7, Ⅶm7의 릴레이티드 Ⅱm7 이중 기능 | *다이어토닉, 논다이어토닉 코드톤 과 텐션, 공통화음 전조, 직접 전조<br>*라인 클리셰, 보조적 코드, 경과적 코드, 디미니쉬드 세븐스 용법의 어 센딩, 디센딩 진행, 모달 인터체인 지, 서브스티튜트 도미넌트, 세컨더 리 도미넌트, 근음이 순차 상행과 하행하는 코드, 전위 코드, 릴레이티 드 Ⅱm7, 인터폴레이티드 Ⅱm7, 어 프로치 코드, 오른손 블록 코드<br>*2노트(가이드톤), 루트리스 2·4노 트, 클러스터, 포스, 드롭 2, 락드 핸 즈 보이싱, 강박에서 비화성음 사용, 시퀀스 형태, 프래그먼트 선율 형태 |
| 페달링 | 연주자 임의대로 | T.P, 지속음, 연주자 임의대로 |
| 표현 | 못갖춘마디, 싱코페이션 | 못갖춘마디, 마디 확대와 축소, 조성 의 변화, 셈여림, 싱코페이션, $8^{va}$, 마 르카토와 레가토로 연주, 이음줄, 꾸 밈음, 엔딩 부분의 스케일과 아르페 지오 |

3) 〈한밤의 분위기〉(Midnight Mood)

(1) 구조 분석

〈표 14〉 〈Midnight Mood〉 구조 1-232마디

| 〈Midnight Mood〉[90]구조 1-232마디 | | | | |
|---|---|---|---|---|
| 곡의 형식 | 각 섹션별 마디의 구성 | 마디 수 | 조성 | 비고 |
| 1절<br>헤드 1 | A : 1-8 | 8 | D♭장조 | 원곡의 마디 수<br>와<br>같음 |
| | B : 9-16 | - | - | |
| | B′ : 17-24 | - | - | |
| 간주 1 | 25-32 | - | - | |
| 2절<br>헤드 2 | A : 33-40 | - | - | B′에서 2마디<br>축소 |
| | B : 41-48 | - | - | |
| | B′ : 49-54 | 6 | - | |
| 간주 2 | 55-62 | 8 | - | |
| 3절<br>솔로 1 | A : 63-70 | - | F장조 | B′에서 2마디<br>축소 |
| | B : 71-78 | - | - | |
| | B′ : 79-84 | 6 | - | |
| 간주 3 | 85-92 | 8 | - | |
| 4절<br>솔로 2 | A : 93-100 | - | - | B′에서 2마디<br>축소 |
| | B : 101-108 | - | - | |
| | B′ : 109-114 | 6 | - | |
| 간주 4 | 115-122 | 8 | - | |
| 5절<br>솔로 3 | A : 123-130 | - | - | B′에서 2마디<br>축소 |
| | B : 131-138 | - | - | |
| | B′ : 139-144 | 6 | - | |
| 간주 5 | 145-152 | 8 | - | |
| 6절<br>헤드 3 | A : 153-160 | - | - | B′에서 2마디<br>축소 |
| | B : 161-168 | - | - | |
| | B′ : 169-174 | 6 | - | |
| 간주 6 | 175-182 | 8 | - | |
| 7절<br>헤드 4 | A : 183-190 | - | D♭장조 | B는 헤드 1의<br>마디 수와 같음<br>B″에서 2마디<br>축소 |
| | B : 191-198 | - | - | |
| | B′ : 199-206 | - | - | |
| | B″ : 207-212 | 6 | - | |
| 아웃트로 | 213-232 | 20 | - | |

---

90) Aaron Prado, *Alone* (Milwaukee: Hal·Leonard Corporation, 2015), 23-34.

<표 15>  <Midnight Mood> 곡의 구조 특징

| <Midnight Mood> 1-232마디, 곡의 구조 특징 | | | |
|---|---|---|---|
| 곡의 구조와 형식: A(8)-B(8)-B′(8)<br>1-7절: 헤드 1(24), 헤드 2, 솔로 1, 솔로 2, 솔로 3, 헤드 3, 헤드 4(32) | | | |
| 못갖춘마<br>디: 3/4의<br>1박 | 마디의 축소: 1절 원곡과 같은 각 8마<br>디(24), 2-6절 B′에서 8마디가 아닌 6마<br>디로 2마디 축소됨(각각 22마디) * 7절<br>B″ 6마디 추가되었으며 B′는 1절 헤<br>드의 마디 수(8)와 같음(32). | 간주(interlude):<br>6번의 간주는<br>각각 8마디 | 아웃트로:<br>213-232(20) |

(2) 화성 분석

<악보 10>  <Midnight Mood> 9-12, 21-24마디

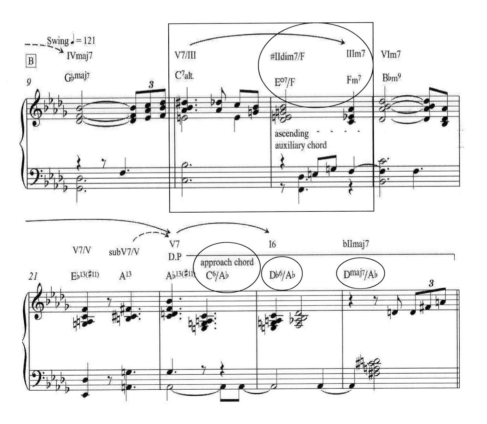

11마디 페달톤과 보조적 코드로 분석한 내용이다. 조성은 D♭장조 11마디에 나오는 Edim7/F는 #Ⅱdim7/F이며 #Ⅱdim7의 F 페달 역할이다. Edim7/F인 #Ⅱdim7/F 페달이 Fm7인 Ⅲm7으로 진행하여 근음이 같은 보조적 코드이며 디미니쉬드 세븐의 어센딩 진행을 하였다. Edim7/F는 베이스 F음이 3전위 이상인 4전위에 해당되는 텐션 9음이 적용된 F 페달로 다음에 이어지는 코드가 그 음과 같은 근음을 가진 Fm7 코드로 사용되었다. 이는 다음 코드를 꾸미기 위한 보조적 코드로 사용된 것을 볼 수 있다. 이와 같이 디미니쉬드 세븐 코드에 텐션 9음을 사용한 Edim7/F 페달, Fdim7/F# 페달, F#dim7/G 페달 등의 사용은 11, 19, 51, 165, 193, 201마디에서 찾아볼 수 있다. 이와 같이 뒤에 오는 코드의 베이스 음과 같은 페달톤으로 연결된 진행은 에번스의 베이스 음 진행기법의 특이점이다.

22마디 V7인 A♭13(#11)은 20마디 '2 and'부터 V7/V와 21마디 subV7/V의 꾸밈을 받고 23마디의 D♭6/A♭인 Ⅰ6/A♭으로 완전5도 하행하여 예상된 해결을 하였다. 22마디 두 번째 코드 C6/A♭은 23마디 D♭6/A♭으로 진행되는데 이것은 C6가 D♭6로 자연스럽게 상행하는 어프로치 코드를 사용하였다. 23마디의 D♭6/A♭인 Ⅰ6/A♭, 24마디의 Dmaj7/A♭인 ♭Ⅱmaj7/A♭의 진행에서 도미넌트 페달톤 A♭이 유지되었다.

〈악보11〉 〈Midnight Mood〉 25-33마디

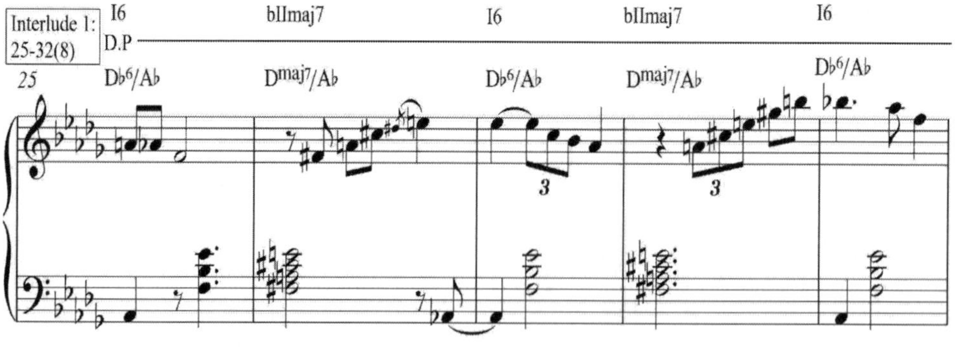

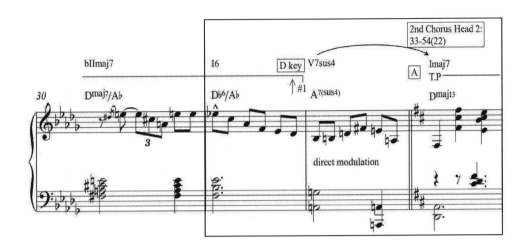

25마디 간주 1은 A♭ 페달, 즉 도미넌트 페달로 진행되었다. D♭6(I6)로 시작하여 Dmaj7(♭IImaj7), D♭6(I6)이 세 번 진행되고 32마디 D♭장조에서 단2도 상행하는 D장조 A7(sus4)인 V7sus4에서 완전5도 하행하여 33마디 Dmaj13인 Imaj7으로 직접 신조 된다. 31-32마디에서는 강박에서 코드톤이 아닌 텐션이 먼저 사용되어 아르페지오로 선율이 시작되었다. D♭6/A♭의 E♭이 9음, A7sus4의 B♭이 ♭9음이다. 이 음들은 사용 가능한 텐션으로 강박에 연주되었다. 일반적으로는 강박에 코드톤을 먼저 연주하게 되는데 에번스는 비화성음을 사용한 것이 특징적이다.

〈악보 12〉 〈Midnight Mood〉 61-64, 109-112마디

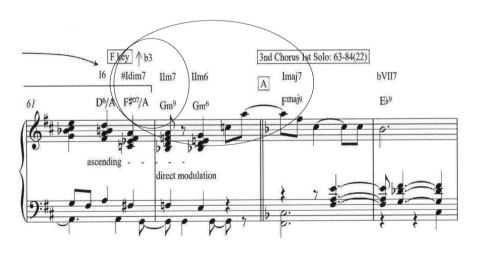

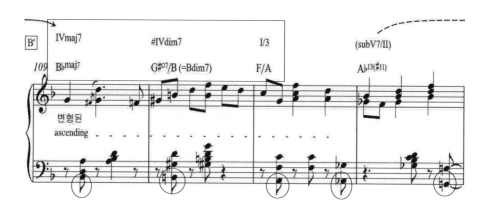

61-63마디 Ⅰ6/A 페달-#Ⅰdim7/A 페달-Ⅱm7-Ⅱm6-Ⅰmaj7의 직접 전조
는 두 번째 코드가 F#dim7/A인데 63마디 F장조로 전조 하기 위해 미리 등
장시켜 사용하였다. D장조에서 D6/A인 Ⅰ6/A 페달이며 단3도 상행하여 F
장조로 전조 된다. 셋째박 F#dim7/A인 #Ⅰdim7/A 페달은 62마디 Gm9인 Ⅱ
m7, Gm6인 Ⅱm6로 진행하여 63마디 Fmaj7으로 진행된다. 이는 디미니쉬
드 세븐스 코드의 어센딩 용법이 사용된 에번스의 특징적인 직접 전조 방식
이다.

109-111마디는 F장조에서 Bᵇmaj7인 Ⅳmaj7, G#dim7/B(=Bdim7)인 #Ⅳdim7,
F/A는 Ⅰ/3가 된다. 원래 #Ⅳdim7 다음에는 Ⅴ7이나 Ⅰ/5로 진행되는 것이 보
통의 경우이나 110마디 #Ⅳdim7에서 111마디 Ⅰ/3의 진행이다. Ⅳmaj7-#Ⅳdim7-
Ⅰ/3로의 진행은 디미니쉬드 세븐스 용법의 변칙적인 진행이며 139-141마디의
진행에서도 같게 나타난다. 이 진행에서 베이스 선율은 Bᵇ, B 다음에 Ⅰ/5인 C
로 진행하지 않고 Ⅰ/3인 A로 하행하는 선율로 만들기 위한 에번스의 창의
적인 진행으로 볼 수 있다.

<악보 13> <Midnight Mood> 153-160, 165마디

156마디 Eᵇmaj7/F=F7sus4(9,13)는 Ⅰ7sus4로 분석되고 153-154마디 도미넌트 페달, 155-160마디 토닉 페달이 사용되었다. 160마디에서 헤드 1의 8마디와 다른 진행은 릴레이티드 Ⅱm7의 꾸밈이 없는 B9(ᵇ5)인 subⅤ7/Ⅳ의 진행이다. 165마디 F#dim7/G 페달 코드는 뒤에 오는 코드와 근음이 같은 보조적 코드로 사용되었고 Gm로 진행하는 디미니쉬드 세븐의 어센딩 진행이다.

<악보 14> <Midnight Mood> 181-188마디

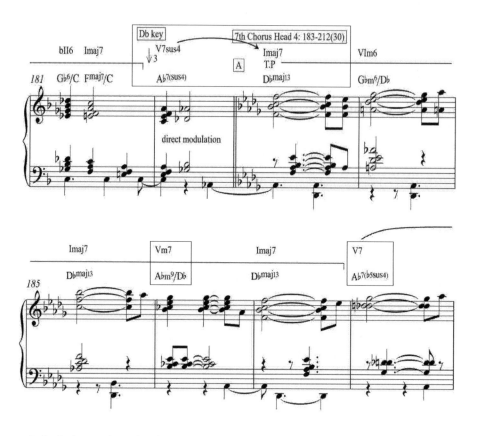

182마디에서는 헤드에 나타난 독창적인 전조의 아이디어가 적용되었다. 32-34마디의 V7sus4- I maj7의 아이디어가 182-183마디에도 적용되어 반복되었다. F장조에서 장3도 하행하여 D♭장조에서 A♭7(sus4)인 V7sus4, D♭maj7인 I maj7으로 같은 패턴의 전조 방식을 볼 수 있다. 또한 183-187마디까지 D♭의 토닉 페달(T.P)이 사용되었는데 중간에 A♭m9/D♭은 뒤의 코드와 근음이 같은 보조적 코드이며 모달 인터체인지 코드를 활용하였다. 188마디 A♭7(♭5sus4)인 V7(♭5sus4)는 V7에 ♭5와 sus4를 내성에 배치하고 외성은 ♭7음을 배치하여 불협화적인 미묘한 음색으로 표현하였다. 그리고 그 울림이 있는 가운데 넷째박에서 근음인 A♭을 사용하여 불협화적이고 미묘한 음색을 감쌌다. 이러한 부분에서 에번스의 특징적인 보이싱 기법과 선율과 베이스 음 사용하는 방식을 볼 수 있다.

<악보 15> <Midnight Mood> 197-200마디

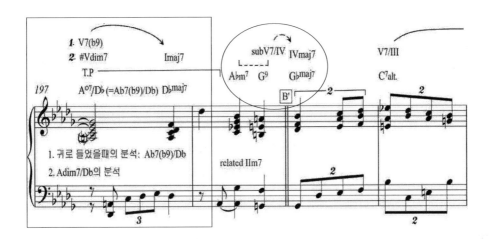

197마디 Adim7/D♭은 #Vdim/D♭이지만 앞에 마디의 영향을 받아 실제 귀에 울리는 화성은 A♭7(♭9)으로 들리고 Adim7/D♭과 D♭maj7은 V7(♭9)에서 Imaj7으로의 진행으로 볼 수 있다. 196마디에 첫 번째 코드 A♭7(♭9)에 이어 나오는 Adim7/A♭이 이미 A♭7(♭9)으로 인식되어 A♭에서 D♭으로 완전5도 하행하는 진행으로 느끼게 하는 것은 에번스의 연주방식 중 하나로 볼 수 있으며 이때 토닉 페달(T.P)을 사용하였다.

198-199마디에서 IVmaj7으로 해결되는 D♭장조에서 릴레이티드 IIm7-subV7/IV-IVmaj7의 진행을 8-9, 16-17, 190-191마디에서 볼 수 있다. D장조에서 subV7/IV-IVmaj7의 진행은 48-49, 160-161, 168-169마디에서도 볼 수 있다. F장조에서 릴레이티드 IIm7-V7/IV-IVmaj7의 진행은 70-71마디, V7/IV-IVmaj7의 진행은 78-79, 100-101, 130-131, 138-139마디에서 같은 진행을 하였다. subV7/IV에서 IVmaj7으로의 진행은 반음 하행하였으며 V7/IV에서 IVmaj7의 진행은 완전5도 하행하였다. 이러한 진행들은 서정적이며 안정감 있는 감성적인 선율을 표현하는 에번스만의 방식으로 볼 수 있다. <표 16>은 반음 또는 완전5도 하행하여 IVmaj7으로의 해결을 도식화한 표이다.

<표 16> <Midnight Mood> 198-199마디-Ⅳmaj7으로의 해결

| 조성 | 198-199마디와 같은 Ⅳmaj7으로 해결되는 진행 | |
|---|---|---|
| D♭ | 릴레이티드 Ⅱm7-subⅤ7/Ⅳ-Ⅳmaj7의 진행(A♭m7-G7-G♭maj7) | 8-9, 16-17, 190-191, 198-199마디 |
| D | subⅤ7/Ⅳ-Ⅳmaj7의 진행 (A♭7-Gmaj7) | 48-49, 160-161, 168-169마디 |
| F | 릴레이티드 Ⅱm7-Ⅴ7/Ⅳ-Ⅳmaj7 (Cm7-F7-B♭maj7) | 70-71마디 |
| F | Ⅴ7/Ⅳ-Ⅳmaj7의 진행 (F7-B♭maj7) | 78-79, 100-101, 130-131, 138-139마디 |

서브스티튜트 도미넌트 세븐과 세컨더리 도미넌트 세븐의 기능은 비슷하지만 예상되는 음정의 도수와 해결되는 코드가 다른 진행이다. 이 두 가지는 ① subⅤ 7/Ⅳ은 Ⅳmaj7으로 반음 하행하여 해결하고 ② Ⅴ7/Ⅳ은 Ⅳmaj7으로 완전5도 하행하여 해결하는 진행이다.

<악보 16> <Midnight Mood> 201-212마디

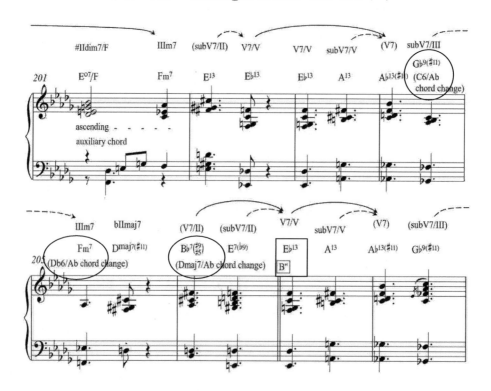

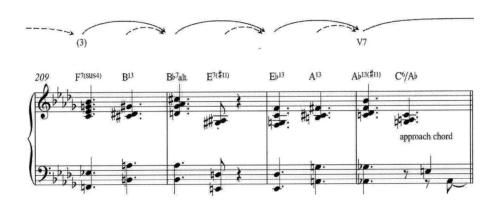

　204-206마디의 코드 진행은 22-24마디의 코드 진행을 바꿈으로서 반복되는 코드 안에서 즉흥연주를 펼쳤던 기존의 연주방식과는 차별된 에번스만의 독창성이 잘 나타난 연주방식이다. 7절 헤드 4의 B´부분 204-206마디의 G♭9(♯11), Fm7, B♭7(♯5,♯9) 코드는 1절 헤드 1의 B´부분 6-8마디 부분이며 22, 23, 24마디에 해당된다. 이 부분의 진행은 D♭장조이며 코드 진행은 C6/A♭, D♭6/A♭, Dmaj7/A♭이다. 이 진행은 204마디 둘째박 G♭9(♯11), 205마디 첫째박 Fm7인, 206마디 첫째박 B♭7(♯5,♯9)으로 코드체인지 되었다.

　이 곡에서는 각 절 마다 A(8마디), B(8마디), B´(8마디)로 구성되었지만 207마디는 7절 헤드 4에서 B″부분이 추가되는데 8마디가 아닌 6마디로 2마디 축소하여 추가되었음은 곡의 형식에서 자유로운 구성을 보여준 것이다. 207-208마디는 203-204마디와 동일한 진행이고 208마디 두 번째 코드 G♭9(♯11)은 subV7/Ⅲ으로 209마디 익스텐디드 도미넌트가 시작되는 F7(sus4)로 반음 하행하였다.

　익스텐디드 도미넌트가 시작되는 209-212마디 F7(sus4)는 조성의 근음에서 세 번째 음부터 시작되어 도미넌트 세븐 코드가 완전5도의 간격으로 하행 진행하여 4번 연장되었다. 도미넌트 세븐 코드 사이에서 서브스티튜트 도미넌트 세븐 코드가 추가되어 반음 아래로 하행하여 다음의 도미넌트 세븐 코드를 꾸몄다. 212마디 첫 박 A♭13(♯11)인 Ⅴ7은 어프로치 코드 C6/A♭을 지나 완전5도 하행하여 213마디 D♭/A♭인 Ⅰ/5로 예상된 해결을 하므로 분석 기호를 표기하였다. 실선 화살표는 완전5도 하행, 점선 화살표는 단2도 하행하는 그림 표기는 분석한 것을 바로 식별하는 장점이 있다. 211, 212, 213마디의 코드 진행이 1절 헤드 1의 21, 22, 23마디의 코드 진행과 같다. 또한 23-24마디의 코드와 같은 2개의 코드 Ⅰ6/A<sup>b</sup> 페달, <sup>b</sup>Ⅱmaj7이 213-221마디에서 Ⅰ의 2전위가 사용되었고 간주 1의 두 마디 전부터 7마디까지 같은 코드가 활용되었다.

〈악보 17〉 〈Midnight Mood〉 213-216, 220-223, 228-232마디

213-215마디 Ⅰ/5-ᵇⅡmaj7-Ⅰ6/5의 진행이 한번, 216-221마디 ᵇⅡmaj7-Ⅰ6/5의 진행이 세 번 진행되고, 222-227마디 subⅤ7-Ⅰ6/5가 세 번 진행되었다. 228-229마디에서도 Ⅳ7(sus4)-Ⅰmaj7/5로 진행되는 것은 곡이 끝나지 않은 느낌을 주기 위해서이다. 230-231마디 D9(♯11)은 subⅤ7으로 Dᵇmaj13인 Ⅰmaj7으로 곡을 마쳤다. 이 곡에서는 3가지의 단순한 코드 패턴으로 각 코드를 2전위하여 연장한 에번스의 특징적인 아웃트로 진행을 볼 수 있다.

다음 〈표 17〉〈Midnight Mood〉곡의 213-232마디의 곡의 연장을 도식화한 표이다.

<표 17> 〈Midnight Mood〉곡의 연장을 위한 아웃트로 Ⅰ6/5의 진행

| 213-232마디 아웃트로 20마디에서 Ⅰ/5,<br>Ⅰ6/5을 사용한 곡의 연장 / D♭장조 | | | | 연주<br>횟수 |
|---|---|---|---|---|
| ① 213-215마디-(3마디) | | | | 1 |
| 분석 | Ⅰ/5-♭Ⅱmaj7- Ⅰ6/5 | 코드 | D♭/A♭-Dmaj7-D♭6(9)/A♭ | |
| ② 216-217, 218-219, 220-221마디-(각각 2마디) | | | | 3 |
| 분석 | ♭Ⅱmaj7- Ⅰ6/5 | 코드 | Dmaj7-D♭6(9)/A♭ | |
| ③ 222-223, 224-225, 226-227마디-(각각 2마디) | | | | 3 |
| 분석 | subⅤ7- Ⅰ6/5 | 코드 | D7(♯9)-D♭6(9)/A♭,<br>D9-D♭6(9)/A♭), D7-D♭6(9)/A♭ | |
| ④ 228-229마디-(2마디) | | | | 1 |
| 분석 | Ⅳ7sus4- Ⅰmaj7/5 | 코드 | G♭7(sus4)-D♭maj9/A♭ | |
| ⑤ 230-231마디에서 232마디 | | | | 1 |
| 분석 | subⅤ7- Ⅰmaj7 | 코드 | D9(♯11)-D♭maj7(9,13) | |

(3) 화성 진행과 리하모니제이션

분석한 다섯곡 중 세 번째 곡 〈한밤의 분위기〉(Midnight Mood) 조성은 D♭ → D → F → D♭장조로 전조 되며 1-232마디로 구성되어있다.

화성 분석에서 나타난 특징들은 ① 페달톤 진행 *①-1, ①-2 D♭ 페달(T.P), ①-3 A♭ 페달(D.P), ①-4 C 페달(D.P), ①-5 A 페달(D.P), ①-6, ①-7 C 페달(D.P) ② 직접 전조 *단2도 위 Ⅴ7을 활용한 전조 *디미니쉬드 세븐의 어센딩 용법을 활용한 전조 ③ 섹션이 바뀔 때 사용한 화성 진행 ④ subⅤ7/Ⅱ, subⅤ7/Ⅲ, subⅤ7/Ⅳ, subⅤ7/Ⅴ의 진행 ⑤ Ⅴ7/Ⅴ, Ⅴ7/Ⅳ, Ⅴ7/Ⅲ, (Ⅴ7/Ⅱ)의 진행 *익스텐디드 도미넌트 세븐스가 진행되기 전, 코드들의 움직임 ⑥ 익스텐디드 도미넌트 세븐스의 진행 *D♭장조에서 도미넌트의 연장이 세 번째 음부터 시작하므로 (3)을 표기함 ⑦ 보조적 코드의 진행 *♯Ⅱdim7/F 페달의 두 가지 내용 ⑧ 어센딩 용법의 진행 ⑨ 모달 인터체인지 코드 Ⅶdim7의 꾸밈 ⑩ 어보이드 노트 사용 ⑪

엔딩을 지연시키는 Ⅰ의 2전위 진행은 이 곡에서 에번스의 리하모니제이션 하는 기술적인 특징으로 나타났다. 다음 〈표 18〉은 위에서 분석한 〈Midnight Mood〉를 도식화한 표이다.

〈표 18〉 〈Midnight Mood〉 화성 진행과 리하모니제이션

| 〈Midnight Mood〉 1-232마디, 에번스 연주에 나타난 화성 진행과 리하모니제이션 조성: D♭장조 1-32(32), D장조33-62(30), F장조 63-182(120), D♭장조 183-232(50) | | |
|---|---|---|
| 분석 명칭 | 분석 기호 | 마디 |
| ① 페달톤 진행<br><br>*①-1, ①-2<br>D♭ 페달(T.P),<br>①-3<br>A♭ 페달(D.P),<br>①-4<br>C 페달(D.P),<br>①-5<br>A 페달(D.P),<br>①-6, ①-7<br>C 페달(D.P) | ①-1 Ⅰmaj7 - Ⅳm6/D♭- Ⅰmaj7-Ⅴm7/D♭- Ⅰmaj7-♭Ⅱmaj7/D♭- Ⅰmaj7<br>①-2 Ⅰmaj7-Ⅳm6/D♭- Ⅰmaj7-Ⅴm7/D♭- Ⅰmaj7 ①-3 Ⅰ6/A♭-♭Ⅱmaj7/A♭- Ⅰ6/A♭-♭Ⅱmaj7/A♭- Ⅰ6/A♭-♭Ⅱmaj7/A♭ - Ⅰ6/A♭<br>①-4 Ⅰ6/C-♭Ⅱmaj7/C- Ⅰmaj7/C-♭Ⅱmaj7/C- Ⅰmaj7/C-♭Ⅱmaj7/C-♭Ⅱmaj7/C- Ⅰmja7/C<br>①-5 Ⅶdim7/A- Ⅰ6/A-Ⅳm7/A-Ⅳm/A- Ⅰmaj7/A- Ⅰmaj7/A-Ⅳm7/A- Ⅴ7- Ⅰ6/A-♯Ⅰdim7/A ①-6 Ⅵm/C-♭Ⅶm7/C-Ⅵm/C-♭Ⅶm7/C-Ⅵm/C-♭Ⅶm7/C-Ⅵm/C-Ⅴ7sus4-Ⅴ7<br>①-7 Ⅵm/C - Ⅱm7(♭5)/C Ⅰmaj7-subⅤ7/B♭ 페달- Ⅰmaj7 | ①-1 1-7, 33-39<br>①-2 183-187<br>①-3 25-31<br><br><br>①-4 175-181<br>①-5 55-61<br><br><br>①-6 85-92<br>115-122,<br>145-152<br>①-7 153-160 |
| ② 직접 전조<br>*단2도 위 Ⅴ7을 활용한 전조 *디미니쉬드 세븐의 어센딩 용법 활용한 전조 | *단2도 위 Ⅴ7을 활용한 직접 전조 또한 이 아이디어가 182-183에도 적용함 Ⅴ7sus4- Ⅰmaj7 | 32-33마디(D♭→ D), 182-183마디 (F→D♭) |
| | *♯Ⅰdim7에서 Ⅱm7이 어센딩 용법 활용 ♯Ⅰdim7/A 페달-Ⅱm7-Ⅱm6- Ⅰmaj7 | 61-63마디(D→F) |
| ③ 섹션이 바뀔 때 사용한 화성 진행 | 릴레이티드 Ⅱm7-subⅤ7/Ⅳ-Ⅳmaj7 : 8-9 | 16-17, 40-41, 190-191, 198-199 |
| ④ subⅤ7/Ⅱ, | subⅤ7/Ⅳ-Ⅳmaj7 *160-161 | 168-169, 197-198 |

| | | |
|---|---|---|
| subⅤ7/Ⅲ,<br>subⅤ7/Ⅳ,<br>subⅤ7/Ⅴ의<br>진행 | subⅤ7/Ⅲ-Ⅲm7 | 204 |
| | subⅤ7/Ⅴ-Ⅴ7  *14, 46 | 53, 173, 196, 203 |
| | subⅤ7/Ⅱ-Ⅱm7 | 52, 142, 195 |
| | (subⅤ7/Ⅱ)-Ⅴ7/Ⅴ-(Ⅴ7) | 82-83, 112-114 |
| | (subⅤ7/Ⅱ)-Ⅴ7/Ⅴ | 202 |
| ⑤ Ⅴ7/Ⅲ, Ⅴ7/Ⅳ,<br>Ⅴ7/Ⅴ, (Ⅴ7/Ⅱ)의<br>진행 | Ⅴ7/Ⅲ-#Ⅱdim/F 페달-Ⅲm7<br>*192-193, 200-201 | 10-11, 18-19,<br>42-43, 50-51 |
| | Ⅴ7/Ⅳ-Ⅳmaj7  *130-131, 138-139 | 100-101, 108-109 |
| | Ⅴ7/Ⅴ-Ⅴ7 | 15, 166 |
| | Ⅴ7/Ⅴ- subⅤ7/Ⅴ-Ⅴ7: 173-174 | 173-174, 203-204 |
| | (Ⅴ7/Ⅱ)-(subⅤ7/Ⅱ)-Ⅴ7/Ⅴ-subⅤ7/Ⅴ-(Ⅴ7) | 206-208 |
| ⑥ 익스텐디드 도미<br>넌트 세븐의 진행 | *subⅤ7이 추가된 형태: 그림 기호 표시하는데 완전<br>5도 하행하는 도미넌트는 실선 화살표, subⅤ7은 단<br>2도 하행하므로 점선 화살표를 한다. 마지막 도미넌<br>트 세븐의 A♭13(#11)은 분석 기호로 나타냄<br>(3)F7(sus4)-B13-B♭7alt-E7(#11)-E♭13-A13-(A♭13(#1<br>1)-D♭/A♭)→(Ⅴ7-Ⅰ/5)) | *  연속되는<br>도미넌트 세<br>븐이 4번 진<br>행<br>209-212 |
| ⑦ 보조적 코드의<br>진행<br><br>*#Ⅱdim7/F 페달<br>의 두 가지 내용 | Ⅴ7/Ⅲ-#Ⅱdim7/F  페달-Ⅲm7은  E#dim7/F-Fm7의<br>디미니쉬 어센딩 진행이며 #Ⅱdim7/F 페달이 Ⅲm7<br>과 같은 근음 F 음으로 지속하는 보조적 진행 | 11, 19,<br>43, 51,<br>193, 201 |
| | Edim7-Fm7(#Ⅱdim7-Ⅲm7)으로 어센딩 진행 | 43 |
| | #Ⅰdim7/G 페달-Ⅱm7(F#dim7/G-Gm): #Ⅰdim7에서 G<br>페달이 Gm로 코드의 근음이 같은 보조적 코드의 진행 | 165 |
| ⑧ 어센딩 용법의<br>진행 | #Ⅰdim7/A 페달-Ⅱm7 | 61-62 |
| | #Ⅰdim7/dim7-Ⅱm7 | 13 |
| | #Ⅰdim7 -Ⅱm7 | 45 |
| | #Ⅱdim7-Ⅲm7 | 80-81 |

| | | |
|---|---|---|
| | <sup>#</sup>Ⅱdim7/C 페달-Ⅲm7 (＊ F장조의 D.P) | 171 |
| | Ⅳmaj7-<sup>#</sup>Ⅱdim7/<sup>b</sup>3-Ⅲm7은 G<sup>#</sup>dim7/B(<sup>#</sup>Ⅱdim7/<sup>b</sup>3)으로 근음이 1전위 되어 Am7인 Ⅲm7으로 온음 하행진행 | 132-133 |
| | Ⅳmaj7-<sup>#</sup>Ⅳdim7- Ⅰ/3 | 110-111, 139-141 |
| | Ⅳmaj7-<sup>#</sup>Ⅳdim7-Ⅴ7 | 101-103 |
| ⑨ 모달 인터체인지 코드 Ⅶdim7의 꾸밈 | ＊에올리안(=내추럴 마이너)의 일곱 번째 모달 코드 ⑨ <sup>b</sup>Ⅶ7- Ⅰmaj7 | 64-65, 94-95, 124-125, 126-127 |
| | ＊하모닉 마이너의 일곱 번째 Ⅶdim7 박을 달리하여 꾸밈 두 가지 ⑨-1 (subⅤ7)-Ⅴ7-Ⅶdim7- Ⅰmaj7 ⑨-2 (subⅤ7)-Ⅴ7-Ⅶdim7/A 페달- Ⅰ6/A 페달 | 46-47, 53-55 |
| | ＊믹소리디안의 첫 번째 모달 코드 Ⅰ7sus4- Ⅰmaj7 ＊128-129, 156-157 | 66-67, 68-69, 96-97, 98-99 |
| ⑩ 어보이드 노트 사용 | G7(<sup>b</sup>5,<sup>#</sup>9), G<sup>b</sup>/C=C7(<sup>b</sup>9,<sup>#</sup>11): Ⅴ7/Ⅴ, Ⅴ7 ＊C7(<sup>b</sup>9,<sup>#</sup>11)는 3음이 없는 하이브리드 코드 | 166 |
| ⑪ 엔딩을 지연시키는 Ⅰ의 2전위 진행 | Ⅰ/5 - <sup>b</sup>Ⅱmaj7- Ⅰ6/5-<sup>b</sup>Ⅱmaj7- Ⅰ6(9)/5 - <sup>b</sup>Ⅱmaj7- Ⅰ6/5 - <sup>b</sup>Ⅱmaj7- Ⅰ6(9)/5 | 213-221 |
| | subⅤ7- Ⅰ6/5-subⅤ7- Ⅰ6/5-subⅤ7- Ⅰ6/5 | 222-227 |
| | Ⅳ7sus4- Ⅰmaj7/5-subⅤ7- Ⅰ6/5 | 228-231 |

　다음은 익스텐디드 도미넌트 세븐의 진행은 에번스의 연주곡에서 사용한 익스텐디드 도미넌트 세븐의 진행이다. 다른 곡에서 에번스의 익스텐디드 도미넌트 세븐 진행의 사례를 좀 더 알아보겠다.

　⑥ 익스텐디드 도미넌트 세븐(extended dom7)의 진행: 분석한 다섯곡 중에서 한번 등장한 〈악보 18〉은 〈Midnight Mood〉 209-213마디이다.

<악보 18> <Midnight Mood> 209-213마디-익스텐디드 도미넌트의 진행

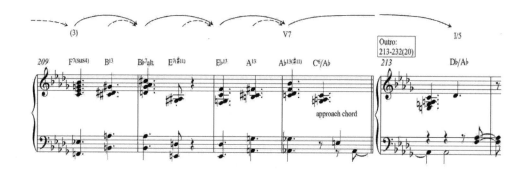

209-213마디의 익스텐디드 도미넌트 세븐의 진행 <표 19>와 그가 연주
한 다른 곡 <표 20>, <표 21>을 통해 비교해 볼 수 있도록 익스텐디드 도
미넌트의 진행을 도식화한 표이다.

<표 19> <Midnight Mood> 209-213마디-익스텐디드 도미넌트의 진행

| 구분 | <Midnight Mood> 209-213마디,<br>익스텐디드 도미넌트 세븐스의 진행 / D♭장조 | | | | |
|---|---|---|---|---|---|
| 마디 | 209 | 210 | 211 | 212 | 213 |
| 진행 | (3)<br>완전5도 하행 | 완전5도<br>하행 | 완전5도<br>하행 | 완전5도 하행 예상 해결 | |
| | | | | V7 | I /5 |
| dom7 | F7 | B♭7 | E♭7 | A♭7 | D♭/A♭ |
| 진행 | | 단2도<br>하행 | 단2도<br>하행 | 단2도<br>하행 | 단2도<br>상행<br>어프로치 | 213마디<br>해결 |
| subV7 | | B7 | E7 | A7 | C6/A♭ | |

익스텐디드 dom7 : ① 도미넌트 세븐이 완전5도 하행하여 연속적으로 4번 이상
진행하는 기본형, ② 릴레이티드 Ⅱm7이 추가된 형태, ③ subV7이 추가된 형태
가 있다. 여기서는 ③ 번이 사용되었다. 도미넌트 세븐이 4번 연속되었고 D♭ 장조
의 세 번째 음부터 시작되었다. *익스텐디드 도미넌트 세븐은 그 곡의 조성에서
시작 음을 표시하고 분석 기호를 쓰지 않고 그림 기호만 표시한다. *212마디 V7
은 같은 마디 C6/A♭인 어프로치 코드를 지나 213마디 I /5로 해결되었다.

<표 20> <Five> 47-51, 56-59, 63-74, 103-106마디-
익스텐디드 도미넌트의 진행

| 구분1 | <Five> [91]47-51 마디 익스텐디드 도미넌트 세븐의 진행/B♭장조 | | | | | | | | |
|---|---|---|---|---|---|---|---|---|---|
| 진행 | (♯5) 완전5도 하행 | 완전5도 하행 | 완전5도 하행 | 완전5도 하행 | 완전5도 하행 | 완전5도 하행 | 완전5도 하행 | 완전5도 하행 예상 해결 | |
| | | | | | | | | V 7 | I |
| dom7 | F♯7 | B7 | E7 | A7 | D7 | G7 | C7 | F7 | B♭ |

익스텐디드 dom7 : 도미넌트 세븐이 8번 연속되었고 B♭장조 다섯 번째 음을 반음 올린 ♯5음부터 도미넌트 세븐 코드가 시작되었다.

| 구분2 | <Five> [92]56-59마디 익스텐디드 도미넌트 세븐의 진행/B♭장조 | | | | | | |
|---|---|---|---|---|---|---|---|
| 진행 | (♯4) 완전5도 하행 | 완전5도 하행 | 완전5도 하행 | 완전5도 하행 | 완전5도 하행 | 완전5도 하행 예상 해결 | |
| | | | | | | V 7 | I |
| dom7 | E7 | A7 | D7 | G7 | C7 | F7 | B♭ |

익스텐디드 dom7 : 도미넌트 세븐이 6번 연속되었고 시작하는 코드가 B♭장조 네 번째 음을 반음 올린 ♯4음부터 도미넌트 세븐 코드가 시작되었다.

| 구분3 | <Five> [93]63-74마디 익스텐디드 도미넌트 세븐의 진행/B♭장조 | | | | | | | | |
|---|---|---|---|---|---|---|---|---|---|
| 진행 | (3) 완전5도 하행 | 완전5도 하행 | 완전5도 하행 | 완전5도 하행 | 완전5도 하행 | 완전5도 하행 | 완전5도 하행 | 단2도 하행 | |
| | | | | | | | | (subV 7/V) | V 7 |
| dom7 | D7 | G7 | C7 | F7 | B♭7 | E♭7 | A♭7 | D♭7 | G♭7 | F7 |

익스텐디드 dom7 : 도미넌트 세븐이 8번 연속되었고 익스텐디드 도미넌트 세븐 코드가 B♭장조 세 번째 음부터 시작되었다. *G♭7은 반음 하행하여 V7으로 진행하였다.

91) Bill Evans, FIVE, 『Bill Evans 재즈 명곡집 2』, (도서출판 다라, 1990), 32. 34. 36.
92) Bill Evans, FIVE, 『Bill Evans 재즈 명곡집 2』, (도서출판 다라, 1990), 33.
93) Bill Evans, FIVE, 『Bill Evans 재즈 명곡집 2』, (도서출판 다라, 1990), 33-34. 36-37.

| 구분4 | 〈Five〉[94] 103-106마디 익스텐디드 도미넌트 세븐의 진행/B♭장조 | | | | | | |
|---|---|---|---|---|---|---|---|
| 진행 | (5)<br>완전5도<br>하행 | 완전5도<br>하행 | 완전5도<br>하행 | 완전5도<br>하행 | 완전5도<br>하행 | 단2도 하행 | |
| | | | | | | (subⅤ7/<br>Ⅴ) | Ⅴ7 |
| dom7 | F7 | B♭7 | E♭7 | A♭7 | D♭7 | G♭7 | F7 |
| 익스텐디드 dom7 : 도미넌트 세븐이 5번 연속되었고 시작하는 코드가 B♭장조 다섯 번째 음부터 익스텐디드 도미넌트 세븐 코드가 시작되었다. | | | | | | | |

〈표 21〉〈B Minor Waltz〉6-14, 44-49마디-
익스텐디드 도미넌트의 진행

| 구분1 | 〈B Minor Waltz〉[95]6-14마디,<br>익스텐디드 도미넌트 세븐의 진행 / D장조 | | | | | | | | |
|---|---|---|---|---|---|---|---|---|---|
| 진행 | (2)<br>완전5도<br>하행 | 완전5도<br>하행 | 완전5도<br>하행 | 완전5도<br>하행 | 단2도<br>하행<br>(subⅤ<br>7/Ⅵ) | (6)<br>완전5도<br>하행 | 완전5도<br>하행 | 완전5도<br>하행 | (Ⅴ7<br>/Ⅳ) |
| dom7 | E7 | A7 | D7 | G7 | C7 | B7 | E7 | A7 | D7 |
| 익스텐디드 dom7 : 도미넌트 세븐이 4-9마디까지 4번 진행 후, 10마디의 C7의 분석은 서브스티튜트 도미넌트 세븐이므로 단2도 하행하고 다시 11-14마디에서 4번의 도미넌트 세븐이 연속되었다. 익스텐디드 도미넌트 세븐 코드의 시작음은 D장조 2번째 음에서 시작되었다. | | | | | | | | | |

| 구분2 | 〈B Minor Waltz〉[96]44-49마디-<br>익스텐디드 도미넌트 세븐의 진행 / D장조 | | | | | |
|---|---|---|---|---|---|---|
| 진행 | (6)<br>완전5도<br>하행 | 완전5도<br>하행 | 완전5도<br>하행 | 완전5도<br>하행 | 완전5도<br>하행 | 단2도 하행<br>(subⅤ7/Ⅵ) |
| dom7 | B7 | E7 | A7 | D7 | G7 | C7 |
| 익스텐디드 dom7 : 도미넌트 세븐이 5번 연속되었고 도미넌트 세븐 코드의 시작 음은 D장조 6번째 음부터 시작되었다. 49마디 C7의 분석은 서브스티튜트 도미넌트 세븐이므로 단2도 하행하는 진행을 하게 된다. | | | | | | |

---

94) Bill Evans, *Five* 『Bill Evans 재즈 명곡집 2』, (도서출판 다라, 1990), 35.
95) Bill Evans, *Minor Waltz*, 『Bill Evans 재즈 명곡집 2』, (도서출판 다라, 1990), 16.

(4) 원곡과 비교분석

원곡 〈Midnight Mood〉 by Joe Zawinul(1932-2007)의 곡이다.

〈악보 19〉 〈Midnight Mood〉 원곡 3

96) Bill Evans, *Minor Waltz*, 『Bill Evans 재즈 명곡집 2』, (도서출판 다라, 1990), 18.

다음 〈표 22〉는 위에서 화성 분석한 〈Midnight Mood〉의 헤드 1을 원곡과 에번스 연주곡을 도식화한 표이다.

〈표 22〉 〈Midnight Mood〉 원곡과 비교분석

| 〈Midnight Mood〉 1절(1st Chorus)-헤드(Head) 1 | | | |
|---|---|---|---|
| | | 원곡 〈D♭장조〉 | 에번스 연주곡 〈D♭장조〉 |
| 형식 | 마디 | 분석 기호 | 분석 기호 |
| A | 1-4 | I maj7/5 | I maj7 |
| | | ♭VImaj7 | IVm6/D♭ |
| | | VIm7 | I maj7 |
| | | ♭VImaj7 | V m7/D♭ |
| | 5-8 | I maj7/5 | I maj7 |
| | | ♭VImaj7 | ♭II maj7/D♭ |
| | | VIm7 | I maj7 |
| | | (V7/IV/♭7) | 릴레이티드 IIm7, subV7/IV |
| B | 9-12 | IIm7 | IVmaj7 |
| | | (V7) | V7/III |
| | | IIIm7 | #IIdim7/F, IIIm7 |
| | | V7/II | VIm7 |
| | 13-16 | IIm7 | #Idim7/♭♭7, IIm7 |
| | | (V7) | subV7/V, V7sus4 |
| | | V7sus4/IV | V7, I6 |
| | | (V7/IV) | 릴레이티드 IIm7, subV7/IV |
| B′ | 17-20 | IIm7 | IVmaj7 |
| | | (V7) | V7/III |
| | | IIIm7 | #IIdim7/F, IIIm7 |
| | | V7/II | (subV7/II), V7/V |
| | 21-24 | IIm7 | V7/V, subV7/V |
| | | V7 | V7, C6/A♭(D♭6/A♭ 대한 어프로치) |

| | | I maj7/5 | I 6/A♭(D♭6/A♭) |
|---|---|---|---|
| | | ♭VImaj7(Amaj7) | ♭IImaj7/A♭(Dmaj7/A♭) |
| 리듬 | | Ballad, 3/4박자 ♩의 「³」 | 발라드, 3/4박자, 스윙과 스트레이트 *1절 헤드 1: ♩의 「³」 5번 사용 *1-232마디에서는 ♩의 「³」 29번, ♩.의 「²」 6번, ♩의 「³」 2번 사용 부분적으로 ㅣ♩. ♩. ㅣㅣ♩. ♩. ㅣ의 리듬 연속 사용(*20-22, 53, 93-97, 99-101, 173-174, 176-179, 202-212마디 등) |
| 스케일 | | 도리안, 로크리안, 믹소리디안, 이오니안, 리디안, 리디안 ♭7 | 도리안, 로크리안, 리디안, 리디안 ♭7, 믹소리디안, 이오니안, 디미니쉬드 세븐, 멜로딕 마이너 |
| 코드 변주 | | 다이어토닉, 논다이어토닉 코드톤과 텐션 *세컨더리 도미넌트, 모달 인터체인지, 전위 코드, 릴레이티드 IIm7(* 다이어토닉 코드 IIm7, IIIm7 → 릴레이티드 IIm7의 이중 기능) | *다이어토닉, 논다이어토닉 코드톤과 텐션, 전위, 포스, 전위, 포스, 하이브리드 코드(166-167), 디미니쉬드 세븐스의 어센딩 용법을 활용한 전조와 어센딩, 익스텐디드 도미넌트 세븐스(209-212), 어프로치, 보조적 코드, 릴레이티드 IIm7 *선율과 리듬; 선율에서 아치 형태, 특정한 음형이 시작하는 음을 달리하며 반복(220-225, 226-229마디), 모티빅 매니플레이션(71-84마디), 리드믹 디스플레이스먼트(62-68마디), 스텝와이즈 모션(123-130마디), 아르페지오의 강박에서 비화성음 사용(31, 32마디) |
| 페달링 | | 연주자 임의대로 | T.P, D.P, 지속음, 연주자 임의대로 |
| 표현 | | 갖춘마디, 싱코페이션, 간주와 아웃트로 없음 | 못갖춘마디, 간주 6번, 마디 축소와 추가, 아웃트로(20마디). 늘임표, 싱코페이션, 꾸밈음(홑앞꾸밈음), |

4) 〈맑은 날 (당신은 영원히 볼 수 있어요)〉 (On a Clear Day 〈You Can See Forever〉)

(1) 구조 분석

〈표 23〉〈On a Clear Day (You Can See Forever)〉 구조 1-177마디

| 〈On a Clear Day (You Can See Forever)〉 [97]구조 1-177마디 | | | | |
|---|---|---|---|---|
| 곡의 형식 | 각 섹션별 마디의 구성 | 마디 수 | 조성 | 비고 |
| 1절<br>헤드 1 | A : 1-6 | 6 | G장조 | ①원곡에서는 A, A′가<br>각각 8마디<br>②28-31(4)마디 E♭장조로<br>전조 하기 위한 트랜지션 |
| | A′ : 7-11 | 5 | - | |
| | B : 12-19 | 8 | - | |
| | A″ : 20-31 | 12 | G→E♭장조 | |
| 2절<br>솔로 1 | A : 32-39 | 8 | E♭장조 | 66-67(2)마디<br>G장조로 전조 하기<br>위한 트랜지션 |
| | A′ : 40-47 | 8 | - | |
| | B : 48-55 | 8 | - | |
| | A″ : 56-67 | 12 | E♭→G장조 | |
| 3절<br>솔로 2 | A : 68-75 | 8 | G장조 | ①원곡에서 A″는 12마<br>디인데 2마디 축소<br>②100-101(2)마디 E♭장조<br>로 전조 하기 위한 트랜<br>지션 |
| | A′ : 76-83 | 8 | - | |
| | B : 84-91 | 8 | - | |
| | A″ : 92-101 | 10 | G→E♭장조 | |
| 4절<br>솔로 3 | A : 102-109 | 8 | E♭장조 | 136-137(2)마디<br>G장조로 전조 하기<br>위한 트랜지션 |
| | A′ : 110-117 | 8 | - | |
| | B : 118-125 | 8 | - | |
| | A″ : 126-137 | 12 | E♭→G장조 | |
| 5절<br>헤드 2 | A : 138-145 | 8 | G장조 | |
| | A′ : 146-153 | 8 | - | |
| | B : 154-161 | 8 | - | |
| | A″ : 162-173 | 12 | - | |
| 아웃트로 | 174-177 | 4 | G♭장조 | G♭장조로 전조 되어 Ⅳ7<br>에서 Ⅰmaj7으로 마침 |

97) Aaron Prado, *Alone* (Milwaukee: Hal·Leonard Corporation, 2015), 35-45.

〈표 24〉 〈On a Clear Day (You Can See Forever)〉 곡의 구조 특징

| 〈On a Clear Day (You Can See Forever)〉 1-177마디, 곡의 구조 특징 | | | |
|---|---|---|---|
| 곡의 구조와 형식: A-A′-B-A″ 1-5절: 헤드 1, 솔로 1, 솔로 2, 솔로 3, 헤드 2 | | | |
| 못갖춘마디:<br>4/4의<br>2박 | 마디의 축소: 1절 헤드 1, A(6)-A′(5)-B(8)-A″(12)에서 A, A′가 원곡 각각 8마디이며 2마디, 3마디 축소, 2-4절 A-A′-B가 각각 8마디, A″ 1, 2, 4, 5절 12마디, 3절은 10마디 | 트랜지션:<br>1절 A″ 28-31(4),<br>2절 A″ 66-67(2),<br>4절 A″ 136-137(2) | 아웃트로:<br>174-177(4) |

(2) 화성 분석

〈악보 20〉 〈On a Clear Day (You Can See Forever)〉 12-27마디

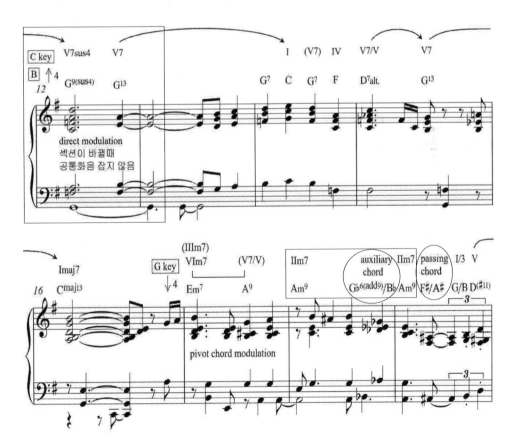

- 77 -

　12마디의 전조는 섹션이 바뀌는 부분의 앞부분 10-11마디는 G장조에서 Ⅲ
m7, Ⅲm6(경과적), Ⅱm7, #Ⅰdim7(보조적,어센딩), Ⅱm7까지의 진행과 D9인
(Ⅴ7)에서 B부분 C장조로 전조 되는 G9sus4로의 진행이다. 18-20마디에서
Am9 사이에 위치한 Gb6 (9)/Bb은 보조적 코드, F#/A#은 G/B인 Ⅰ/3으로 진
행하는 경과적 코드, D(#11)는 Gmaj7인 Ⅰmaj7로 완전5도 하행하는 사이에
Eb7 (#11)/G인 bⅥ7/3는 G 로크리안 스케일에서 만들어진 여섯 번째인 모달
인터체인지 코드이다. Eb7(#11)을 1전위 하여 뒤에 오는 코드와 근음이 같은
변형된 보조적 코드 역할로 Gmaj7인 Ⅰmaj7을 꾸몄다. 10-11마디 경과적,
보조적, 어센딩 진행과 18-20마디 첫 박에서 3마디 동안 보조적, 경과적, 보
조적 어프로치 코드가 3번 진행된 것은 상황에 맞는 특징적인 연주기법으로
볼 수 있다.
　25마디 두 번째 코드 Bm7(b9,11)인 Ⅲm7은 b9이 어보이드 노트이다. 24마

디의 Gmaj9/B를 재배열하면 Bm7($^\flat$9,11)이다. 실제 보이싱에서 근음 B와 $^\flat$9인 오른손의 C 음의 관계는 단 9도이므로 두 음을 같이 연주할 때는 반음 간격의 부딪힘이 일어나므로 이를 감소시키기 위해 오른손과 왼손을 교대로 연주하고 한 옥타브를 넘어서 연주하였다. 24-27마디는 코드의 화성이 먼저 연주된 뒤에 근음이 나중에 연주되며 온음과 반음 간격으로 베이스라인을 만든 독창적인 연주방식이다.

〈악보 21〉 〈On a Clear Day (You Can See Forever)〉 47-49마디

48마디는 47마디 셋째박과 같은 코드로 진행되고 48마디 셋째박에서는 B7인 subV7/V은 49마디 A$^\flat$장조로 전조가 시작되는 B$^\flat$m7으로 반음 하행하였다. 여기서 B7인 subV7/V은 V7으로 진행하지 않고 공통화음으로 모달 인터체인지 코드 Vm7인 B$^\flat$m7으로 진행하였고 B$^\flat$m7은 A$^\flat$장조의 IIm7이 된다.

49마디의 B$^\flat$m7, Bm7, B$^\flat$m7의 진행에서 중간에 Bm7은 보조적 코드로 볼 수 있다. 48마디에서 B$^\flat$m7으로 진행되어야 하는데 실제로는 한마디 뒤인 49마디에 나오고 있어서 A$^\flat$장조의 조성감은 49마디부터 느껴진다. 이러한 진행은 원곡에서의 마디 진행을 의도적으로 바꾼 것이다. 이는 같은 코드 진행의 반복에서 발생할 수 있는 지루함을 방지하며 원곡과는 다른 변화를 주기 위한 것으로 볼 수 있다.

〈악보 22〉 〈On a Clear Day (You Can See Forever)〉 84-85마디

84-85마디 Dm9, E♭m9, Dm9, E♭m7, Dm7이 진행되는데 여기서 E♭m9과 E♭m7은 Ⅱm7의 사이에서 연속하여 2번 보조적 코드로 사용되었다.

〈악보 23〉 〈On a Clear Day (You Can See Forever)〉 118-121마디

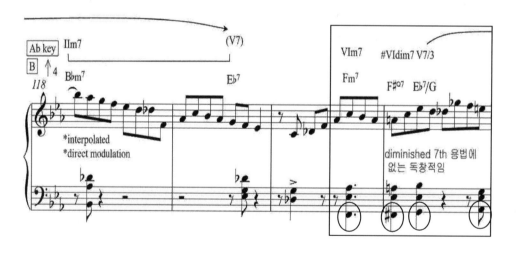

120-121마디 A♭장조에서 Fm7인 Ⅵm7, F#dim7인 #Ⅵdim7, E♭7/G인 Ⅴ7/3 이122마디 I maj7으로 진행한다. #Ⅵdim7은 에번스가 dim7 코드를 만들어 사용한 자신만의 독특한 코드 진행이다.

<악보 24> <On a Clear Day (You Can See Forever)> 130-136마디

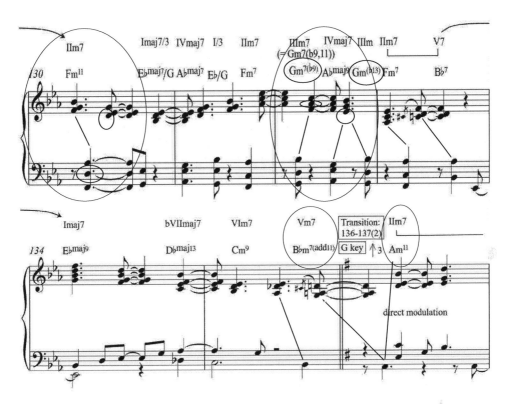

130-136마디는 한 박자 반의 선율 리듬을 가지고 있다. 130마디와 132마디에서 어보이드 노트가 사용(도리안: S6, 프리지안: S♭2, S♭6 = ♭9, ♭13)되었다. Fm11인 Ⅱm7의 'D'가 S6, Gm7(♭9,11)은 Ⅲm7의 A♭이 ♭9, Gm(♭13)은 Ⅲm의 E♭이 ♭13이며 반음 간격으로 부딪히는 텐션 음이다. 에번스는 이와 같은 어보이드 노트 리듬을 교차시키며 시간 차이를 두어 연주하므로 거슬리는 소리를 상당히 감소시키는 새로운 연주기법을 구사하였다. 130, 133, 135마디에서는 코드의 일부 화성이 먼저 나온 다음에 근음이 나중에 연주되며 130-133, 135마디에서 크로스 리듬이 사용되었다. 이는 코드를 인식하는 것에 혼동을 주기도 하지만 동시에 진행되지 않으므로 코드의 부딪힘을 줄여 사용한 것이 독창적인 방식이다.

135마디의 B♭m7(11)은 Ⅴm7으로 분석되는 모달 인터체인지 코드이며 스케일은 B♭ 도리안이다. B♭m7(11)은 8분음표의 싱커페이션은 136마디 첫 박으로 G, A, D 음은 다음 136마디 Am11에서 ♭7, 근음, 11음으로 들린다. 따라서

- 81 -

135마디 셋째박 Aᵇ, Dᵇ, Eᵇ 음과 왼손 베이스에 있는 Bᵇ 음은 Bᵇm7(11)이고 코드 바로 아래 G, A, D 음은 136마디 베이스 A 음과 Am11의 코드이다.

〈악보 25〉 〈On a Clear Day (You Can See Forever)〉 148-153마디

150마디 Bm7(Ⅲm7), C♯m11, Cm11, Bm11(Ⅲm7)의 진행에서 실제 음악을 들어보면 C♯m11, Cm11, Bm7(11)으로 이어지는 더블 크로메틱 어프로치 코드, 크로메틱 보조적 코드로 들린다. C♯m11, Cm11이 Bm11을 꾸며주는 느낌이 강하게 든다. 151-152마디를 보면 Bm7에서 Am7의 중간에 진행된 Bᵇ6의 경과적 코드 진행되고 ♯Ⅰdim7은 보조적 역할과 어센딩의 두 가지로 볼 수 있는 진행을 하였다. Bm7, Bᵇm7, Am7의 진행을 해야 하지만 중간의 Bᵇm7이 아닌 Bᵇ6로 진행한 것은 다른 음색으로 바꿔주기 위한 에번스의 연주방식으로 볼 수 있다.

〈악보 26〉 〈On a Clear Day (You Can See Forever)〉 161-168마디

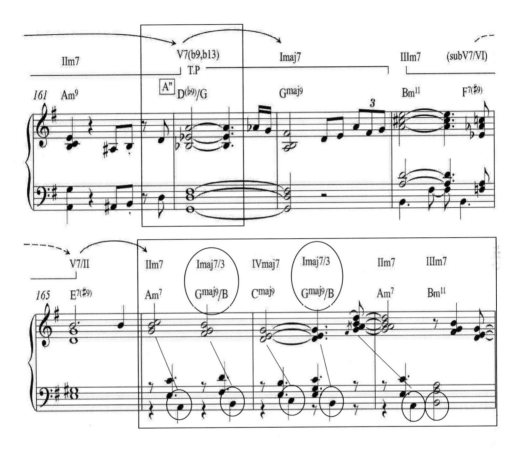

162마디는 A″부분이 시작되는 부분으로 D(ᵇ9)/G는 V7(ᵇ9,ᵇ13)/G 페달이다. 이 코드는 매우 독특한 코드로서 V7에 텐션(ᵇ9,ᵇ13)/G의 페달 진행이다. 이 코드의 구성음은 G, D, F#, Bᵇ, Eᵇ, A이다. 이 음들로만 이루어진 보이싱은 소리의 부딪힘이 일어난다. Eᵇ이 ᵇ9의 어보이드 노트이므로 D 음과 충돌이 일어난다. 하지만 앞뒤의 코드 진행을 미루어 보아 에번스는 불협화적인 보이싱을 사용한 것임을 알 수 있다. 왼손과 오른손의 보이싱 중간에 위치한 근음 D와 ᵇ9인 Eᵇ 음을 한 옥타브 넘어서 연주한 것은 부딪히는 코드를 의도적으로 사용한 후 Gmaj7인 I maj7으로 예상된 해결로 안정감을 준 에번스의 연주방식을 볼 수 있다. 166-167마디 셋째박 Gmaj9인 I maj7/3의 진행에서 코드의 1전위 음을 사용하여 순차 진행하는 베이스라인을 만들었으며 오른손의 선율 화성과 베이스 음들이 크로스 리듬으로 반 진행하였다.

〈악보 27〉 〈On a Clear Day (You Can See Forever)〉 172-177마디

173마디에서 D7인 (Ⅴ7), 174마디 G♭장조 G♭maj9인 Ⅰmaj7으로 단2도 하행하는 직접 전조를 하였다. 이러한 전조 방식은 에번스의 즉흥적인 독창성에서 나온 전조로 볼 수 있다. 이 부분의 진행은 D7(13)이 완전5도 하행하여 G장조의 Ⅰ인 Gmaj7으로 해결되어야 하지만 G장조의 Ⅰ가 아닌 174마디에서 단2도 아래 G♭장조로 전조된 것은 특이한 점이다. 175마디는 폴리 코드 F⁺/B[98]인데 컨벤셔널 코드로 쓰면 B9(♯11)이다. 오른손에서의 음이 텐션의 구

___

98) 분수 코드(compound chord)는 전위(inversion), 폴리(poly) 코드, 하이브리드(hybrid) 코드, 지속음(pedal tone)일 때 사용되는데 이 중에서 폴리 코드(upper structure/

성음을 가진 분자의 F⁺ 코드가 어퍼 스트록쳐이고 왼손은 코드톤으로 만들어진 분모 B 코드가 로우어 스트록쳐이다. B9(#11)은 G♭ 도리안에서 만들어진 네 번째 모달 코드 Ⅳ7이다. 이 부분에서는 B9(#11)의 코드 스케일 B 리디안 ♭7 에서 나오는 보이싱과 선율 그리고 177마디 G♭maj13으로 곡을 마치게 되는 에번스의 폴리 코드 활용에서 에번스의 특징적인 엔딩 방식을 볼 수 있다.

(3) 화성 진행과 리하모니제이션

분석한 다섯곡 중 네 번째 곡 〈On a Clear Day (You Can See Forever)〉 조성은 G → E♭ → G → E♭ → G → G♭장조로 전조 되며 1-177마디로 구성 되어있다. 화성 분석에서 나타난 특징들은 ① 페달톤 진행 ② 모달 인터체인지 코드의 진행 ③ #Ⅵdim7의 창의적인 진행 ④ 세컨더리 도미넌트, 서브스티튜트 도미넌트의 진행 ⑤ 직접 전조 ⑥ 공통화음을 활용한 전조, Ⅱm7-Ⅴ7-Ⅰmaj7 직접 전조 * 인터폴레이드 Ⅱm7, 보조적 코드, 디미니쉬드 세븐스의 어센딩 용법 사용 ⑦ 인터폴레이티드 Ⅱm7의 진행 ⑧ Ⅲm7으로 시작하여 Ⅴ7/Ⅱ, subⅤ7/Ⅱ, subⅤ7/Ⅵ로 연결된 진행 ⑨ 더블 어프로치 코드의 진행 ⑩ 어보이드 노트 사용 ⑪ 경과적, 보조적, 디미니쉬드 세븐의 어센딩 진행 ⑫ 보조적 코드의 진행 ⑬ 디미니쉬드 세븐스 보조적, 어센딩 용법이 동시에 진행 ⑭ 엔딩을 지연시키는 Ⅱm7-Ⅰmaj7/3의 진행 ⑮ 폴리 코드 F⁺/B의 진행은 이 곡에서 에번스의 리하모니제이션 하는 기술적인 특징으로 나타났다.

다음 〈표 25〉는 위에서 분석한 〈On a Clear Day (You Can See Forever)〉를 도식화한 표이다.

---

lower structure)는 수평으로 가로줄을 긋는 것이 맞으나 편의상 슬래시(slash=빗금)로 표기하였다.

<표 25> <On a Clear Day (You Can See Forever)> 화성 진행과
리하모니제이션

| <On a Clear Day (You Can See Forever)> 1-177마디, 에번스 연주에 나타난 화성 진행과 리하모니제이션 조성: G장조 1-27(27), E♭장조 28-64(38), G장조 65-99(34), E♭장조 100-135(36), G장조 136-173(38)이며 아웃트로(4마디)에서 단2도 하행하여 G♭장조로 전조하고 IV7으로 진행하여 Imaj7으로 곡을 마침 | | |
|---|---|---|
| 분석 명칭 | 분석 기호 | 마디 |
| ①페달톤 진행 | 토닉 페달(T.P) → V7(♭9,♭13)/G- Imaj7 | 162-163 |
| ② 모달 인터체인지 코드의 진행 | *원곡에 없는 ♭VI7/3, IV7은 텐션 추가: 1마디와 3마디 ♭VI7/3- Imaj7(1마디), IV7- Imaj7(3마디), ♭VII7(9마디), 원곡에 없는 모달 인터체인지 코드 ♭VI7/3, IV7 이며 텐션이 추가된 IV7(C7(9,13), C13(#11)) | 34-36, 104-106, 140-141, 175-177 |
| ③ #VIdim7의 창의적인 진행 | VIm7-#VIdim7-V7/3: 이 진행과 비슷한 VIm7로 시작하는 dim7의 디센딩 용법은 VIm7-♭VIdim7-V7이다. 해당 마디의 코드 진행은 반대 방향의 진행이며 에번스의 독창적인 화성 진행기법 | 120-121 -122 |
| ④ 세컨더리 도미넌트, 서브스티튜트 도미넌트의 진행 | subV7/III-IIIm7-V7/II-subV7/II-II-7 | 5-6 |
| | subV7/III-IIIm7-V7/II-II-7 *107-108,127-128 | 73-74 |
| | (subV7/IV)-IV7, subV7/V-V7, V7/V-V7 *157, 15 | 69, 79, 103-104 |
| ⑤ 직접 전조 | (V7)-V7sus4-I: (G→C) | 12-14 |
| | *G 조(V7) → C 조(V7), (V7)D7- Imaj7(G♭maj7): (G→G♭) | 173-174 |
| ⑥ 공통화음을 활용한 전조, IIm7-V7-Imaj7 직접 전조 *인터폴레이드 II | (IIIm7)VIm7-(V7/V): (C→G) | 17 |
| | (IIIm7)VIm7-V7/V-IIm7-#Idim7-IIm7-V7-Idim7- Imaj7: (C→G) | 89-93 |
| | (IIIm7)VIm7-V7/V-IIm7-#IIdim7-V7/G 페달- Imaj7: (C→G) | 159-163 |
| | (IIIm7)VIm7-V7/V-IIm7-V7-Imaj7: (A♭→E♭) | 123-126 |

| | | |
|---|---|---|
| m7, 보조적 코드, 디미니쉬드 세븐스의 어센딩 용법 사용 | (Ⅴ7/Ⅱ)Ⅴ7/Ⅴ-Ⅱm7-Ⅴ7sus4-Ⅰmaj7: (A$^b$→E$^b$) | 53-56 |
| | (Ⅴm7)Ⅱm7-Ⅴ7-Ⅰmaj7: (E$^b$→A$^b$) | 49-52 |
| | Ⅱm7-Ⅴ7-Ⅰmaj7: (G-E$^b$): 100-102 | 28-32, |
| | Ⅱm7-Ⅴ7sus4-Ⅰmaj7: (E$^b$→G) | 66-68 |
| | Ⅱm7-Ⅴ7-Ⅰdim7-Ⅰmaj7: (E$^b$→G) | 136-138 |
| | Ⅱm7-(Ⅴ7)-(Ⅴ7): (G→C): 152-154 | 82-84, |
| | Ⅱm7-(Ⅴ7)-Ⅱm7-(Ⅴ7): (E$^b$→A$^b$) | 117-119 |
| ⑦ 인터폴레이티드 Ⅱm7의 진행 | Ⅴ7/Ⅴ-Ⅱm7-Ⅴ7: 중간에 Ⅱm7 *54, 90, 118, 124, 160마디에서 사용 | 53-55, 123-125 |
| | Ⅴ7/Ⅴ-Ⅱm7-#Ⅰdim7-Ⅱm7-Ⅴ7-Ⅰdim7-Ⅰmaj7: Ⅴ7/Ⅴ와 Ⅴ7의 사이에 나오는 인터폴레이티드 Ⅱm7, ⑥-1 Ⅱm7-#Ⅰdim7-Ⅱm7에서 #Ⅰdim7 보조적 코드 ⑥-2 #Ⅰdim7-Ⅱm7은 디미니쉬드 세븐스의 어센딩 진행, ⑥-3 Ⅱm7-Ⅴ7-Ⅰ의 진행 ⑥-4 Ⅰdim7은 Ⅰmaj7로 진행하는 보조적 코드이다. ⑥-5 Ⅰdim7의 스케일은 Ⅰdim7의 코드톤과 Ⅲm7의 코드톤의 3전 위의 텐션을 가짐 | 89-93 |
| | Ⅴ7/Ⅱ-Ⅱm7-(Ⅴ7)-Ⅱm7-(Ⅴ7): Ⅴ7과 Ⅴ7의 중간에 Ⅱm7이 인터폴레이티드 Ⅱm7 | 116-119 |
| ⑧ Ⅲm7으로 시작하여 Ⅴ7/Ⅱ, subⅤ7/Ⅱ, subⅤ7/Ⅵ로 연결된 진행 | Ⅲm7-Ⅴ7/Ⅱ-Ⅱm7 * 58-60, 74-76, 108-110 | 38-40, |
| | Ⅲm7-Ⅴ7/Ⅱ-subⅤ7/Ⅱ-Ⅱm7 | 6-7 |
| | Ⅲm7-subⅤ7/Ⅱ-Ⅱm7 | 144-146 |
| | Ⅲm7-(subⅤ7/Ⅵ)-Ⅴ7/Ⅱ-Ⅱm7: 164-166 | 22-24, |
| ⑨ 더블 어프로치 코드의 진행 | *하행하는 더블 어프로치 코드: C#m11, Cm11(#Ⅳm7-Ⅳm7) → Ⅲm7(Bm11) | 150 |
| ⑩ 어보이드 노트 사용 | Gmaj9/B를 재배열→ Bm7($^b$9,11): $^b$9 어보이드 노트 | 24 |
| | Bm7($^b$9,11)인 Ⅲm7: $^b$9 어보이드 노트 | 25 |
| | *(도리안: S6, 프리지안: S$^b$2, S$^b$6 = $^b$9, $^b$13) Fm7: Ⅱm7의 S6, Gm7($^b$9,11): Ⅲm7의 $^{tb}$9, Gm($^b$13): Ⅲm이므로 $^b$13→ 엇 박으로 진행하므로 (S6), $^b$9, | 130, 132 |

| | | |
|---|---|---|
| | $^b$13의 어보이드 노트의 부딪힘을 최소화한 코드 사용 | |
| | 130, 133, 135마디에서는 코드의 일부 화성이 먼저 나온 다음에 근음이 나중에 연주되는 코드 사용으로 코드를 인식하는 것에 혼동을 주기도 하지만 동시에 진행되지 않으므로 코드의 부딪힘을 줄여 사용하는 독창적인 방식 *130-133, 135마디에서 크로스 리듬 | 130, 133, 135 |
| ⑪ 경과적, 보조적, 디미니쉬드 세븐의 어센딩 진행 *3마디 동안 3번의 어프로치 진행 | Ⅲm7 - B$^b$m6- Ⅱm7-$^#$Ⅰdim7-Ⅱm7: B$^b$m6은 경과적 코드, $^#$Ⅰdim7은 보조적 코드와 디미니쉬드 세븐스 어센딩 코드, Ⅲm7 - B$^b$6-Ⅱm7: B$^b$6이 경과적 코드 | 10-11, 151-152 |
| | Ⅱm7 - G$^b$6(9)-Ⅱm7-F$^#$/A$^#$- Ⅰ/3-$^b$Ⅵ7/3- Ⅰmaj7: G$^b$6(9)이 보조적 코드이며 F$^#$/A$^#$은 경과적 코드로써 Ⅰ/3인 G/B로 반음 하행하는 코드, $^b$Ⅵ7/3인 E$^b$7/G는 Ⅰmaj7와 같은 근음을 가진 보조적 코드 | 18-20 |
| ⑫ 보조적 코드의 진행 ⑬ 디미니쉬드 세븐스 보조적, 어센딩 용법이 동시에 진행 | *Ⅱm7 - Bm7-Ⅱm7: 가운데 Bm7 *Ⅱm7 - E$^b$m9-Ⅱm7: 가운데 E$^b$m9 *Ⅱm7 - $^#$Ⅰdim7-Ⅱm7: 가운데 $^#$Ⅰdim7 *Ⅱm7-$^#$Ⅱdim7-Ⅱm7: 가운데 $^#$Ⅱdim7 *Ⅱm7 - $^#$Ⅰdim7-Ⅱm7-Ⅴ7- Ⅰdim7- Ⅰmaj7: *$^#$Ⅰdim7은 보조적, $^#$Ⅰdim7-Ⅱm7은 디미니쉬드 세븐스 어센딩이며 Ⅰdim7은 보조적 코드 | 49, 84-85, 90-93, 136-138, 152, 160-161 |
| ⑭ 엔딩을 지연시키는 1전위와 3전위 진행 | *Ⅱm7- Ⅰmaj7/3, *Ⅳmaj7- Ⅰ9/3, *Ⅳmaj7-Ⅳmaj7/7, *Ⅳmaj7- Ⅰmaj7/3의 진행에서 1전위한 코드와 3전위한 코드로 인하여 엔딩을 지연시키며 베이스 선율이 만들어짐 | 166, 167, 171 |

⑮ 폴리 코드 F$^+$/B$^{99)}$: 175마디, F$^+$/B은 분자에 나온 F$^+$은 어퍼 스트록쳐 코드이고 분모에 B는 로우어 스트록쳐 코드이며 컨벤셔널 코드로 쓰면 B7(9,$^#$11,13)이다. B7(9,$^#$11,13)은 G$^b$ 도리안 스케일에서 만들어진 네 번째 모달 코드 Ⅳ7이다. B9($^#$11)은 리디안 $^b$7의 스케일을 보이싱과 선율로 사용하였다. C$^b$7을 B7으로 볼 때 편함.

(4) 원곡과 비교분석

원곡 〈On a Clear Day (You Can See Forever)〉 Words by Alan Jay
Lerner(1918-1986) Music by Burton Lane(1912-1997)의 곡이다.

〈악보 28〉 〈On a Clear Day (You Can See Forever)〉 원곡 4

*17마디에서 Dm7을 공통화음으로 볼 수 있지만 B section이 나오면서 direct modulation으로 봄.

---

99) 폴리 코드 F⁺/B를 수평선(가로줄(-)) 대신 편의상 슬래시(/)를 사용하였다.

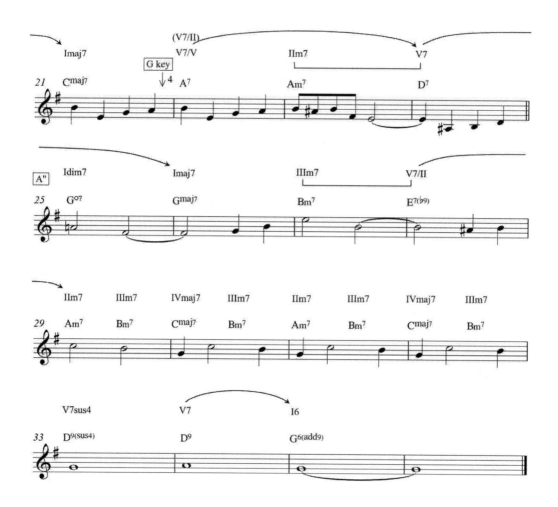

다음 〈표 26〉은 위에서 화성 분석한 〈On a Clear Day (You Can See Forever)〉의 헤드 1을 도식화한 표이다.

〈표 26〉 〈On a Clear Day (You Can See Forever)〉 원곡과 비교분석

| 〈On a Clear Day (You Can See Forever)〉 1절(1st Chorus) 헤드(Head)1 | | | |
|---|---|---|---|
| | | 원곡 〈G→ C→ G장조〉 | 에번스 연주곡 〈G→ C→ G→ E♭장조〉 |
| 형식 | 마디 | 분석 기호 | 분석 기호 |
| A | 1-4 | <G장조> I maj7 | <G장조>♭Ⅵ7/3, I maj7 |
| | | | |
| | | Ⅳ7 | Ⅳ7(C7(9,13), C13($^{\#}$11)) |
| | | | |
| | 5-8 | I maj7 | I maj7, Ⅱm7, Ⅲm7, subⅤ7/Ⅲ |
| | | | Ⅲm7, Ⅴ7/Ⅱ, subⅤ7/Ⅱ |
| | | Ⅲm7 | Ⅱm7 |
| | | Ⅴ7/Ⅱ | |
| A′ | 9-12 | Ⅱm7 | (♭Ⅶ7) |
| | | | Ⅲm7, ♭Ⅲm6 |
| | | Ⅳm(maj7) | Ⅱm7, $^{\#}$Idim7, Ⅱm7, (Ⅴ7) |
| | | (♭Ⅶ7) | <C장조>Ⅴ7sus4, Ⅴ7(G13) |
| | 13-16 | Ⅲm7 | |
| | | ♭Ⅲdim7 | Ⅴ7(G7), I, (Ⅴ7), Ⅳ |
| | | Ⅱm7, $^{\#}$Idim7(=Ⅴ7/Ⅱ) | Ⅴ7/Ⅴ, Ⅴ7 |
| | | Ⅱm7, (Ⅴ7) | I maj7 |
| B | 17-20 | <C장조>Ⅱm7 | <G장조>(Ⅲm7)Ⅵm7, (Ⅴ7/Ⅴ) |
| | | (Ⅴ7) | Ⅱm7, (보조적 코드 G♭6(9)/B♭) |
| | | Ⅱm7 | Ⅱm7,(경과적 코드 F#/A#), I/3, Ⅴ |
| | | Ⅴ7sus4, Ⅴ7 | ♭Ⅵ7/3, I maj7 |
| | 21-24 | I maj7 | |
| | | <G장조>(Ⅴ7/Ⅱ)Ⅴ7/Ⅴ | Ⅲm7, subⅤ7/Ⅵ |
| | | Ⅱm7 | Ⅴ7/Ⅱ |
| | | Ⅴ7 | Ⅱm7, I maj7/3 |

| | | | |
|---|---|---|---|
| A″ | 25-28 | I dim7 | Ⅳmaj7, Ⅲm7 |
| | | I maj7 | Ⅱm7, Ⅲm7 |
| | | Ⅲm7 | Ⅳmaj7, (Ⅴ7) |
| | | Ⅴ7/Ⅱ | [트랜지션 28-31] <E♭장조> Ⅱm7 |
| | 29-32 | Ⅱm7, Ⅲm7 | Ⅱm7 |
| | | Ⅳmaj7, Ⅲm7 | Ⅴ7sus4 |
| | | Ⅱm7, Ⅲm7 | Ⅴ7 |
| | | Ⅳmaj7, Ⅲm7 | I maj7 |
| | 33-36 | Ⅴ7sus4 | |
| | | Ⅴ7 | |
| | | I 6 | |
| | | | |
| 리듬 | 미디엄 스윙, 4/4 잇단음을 사용하지 않음 | | 미디엄 스윙, 4/4, 스트레이트와 스윙, 컴핑-모든 박, 크로스 리듬 *1절 헤드 1: ♩의 「3」 4번, ♪의 「3」 3번 사용되었고 *1-177마디에서는 ♩의 「3」 42번, ♪의 「3」 14번, ♩의 「3」 9번, ♪의 「5」 3번 사용. 잇단음과 싱코페이션으로 다양한 리듬 |
| 스케일 | *다이어토닉, 논다이어토닉, 도리안, 로크리안, 리디안 ♭7, 믹소리디안, 멜로딕 마이너 | | *다이어토닉, 논다이어토닉, 도리안, 로크리안, 리디안 ♭7, 믹소리디안, 멜로딕 마이너, 디미니쉬드 세븐스 용법 어센딩과 디센딩 |
| 코드 변주 | *다이어토닉, 논다이어토닉 코드톤과 텐션 *공통화음 전조, 직접 전조 *릴레이티드 Ⅱm7. 인터폴레이티드 Ⅱm7 *릴레이티드 Ⅱm7의 이중 기능→ Ⅱm7, Ⅲm7 *디미니쉬드 세븐스 용법의 어센딩과 디센딩 | | *다이어토닉, 논다이어토닉 코드톤과 텐션, 공통화음 전조, 직접 전조 *보조적 코드, 경과적 코드, 변형된 디미니쉬드 코드(B♭dim(maj7) → ♭Ⅲdim(maj7), 창의적인 디미니쉬드 세븐 코드(#Ⅵdim7), 디미니쉬드 세븐스 용법의 어센딩과 디센딩, 전위 코드, 더블 어프로치 코드, 인터폴레이티드 Ⅱm7, 폴리코드, |

| | | *포스, 루트리스 2노트, 클러스터<br>*4웨이 클로스의 드롭 2, 락드 핸즈, 스탭와이즈 모션(124-125마디), 선율의 강박에서 비화성음 사용(60, 62마디), 선율과 크로스 리듬이 교차하는 형태(130-133마디), 대위적인 선율, 지속음, 페달포인트 |
|---|---|---|
| 페달링 | 연주자 임의대로 | T.P, 지속음, 연주의 느낌대로 |
| 표현 | 못갖춘마디, 싱코페이션 | 못갖춘마디, 전조 하기 위한 4번의 트랜지션(G→E♭)(E♭→G)(G→E♭)(E♭→G), 아웃트로 G장조에서 G♭장조로 전조되어 IV7에서 I maj7으로 곡을 마침, 자유로운 슬로우 연주, 이음줄, 스타카토, 늘임표, 악센트, 홑앞꾸밈음, 겹앞꾸밈음, 싱코페이션, 포르타토 |

5) ⟨나를 보내지 마세요⟩ (Never Let Me Go)

(1) 구조 분석

⟨표 27⟩ ⟨Never Let Me Go⟩ 구조 1-229마디

| ⟨Never Let Me Go⟩ [100]구조 1-229마디 | | | | |
|---|---|---|---|---|
| 곡의 형식 | 각 섹션별 마디의 구성 | 마디 수 | 조성 | 특징 |
| 인트로 | 1-1 | 1 | G장조 | |
| 1절<br>헤드 1 | A : 2-9 | 8 | G→F→E♭→C장조 | |
| | A′ : 10-17 | 8 | C→B♭→D장조 | |
| | A : 18-25 | 8 | G→F→C장조 | |
| | A″ : 26-29 | 4 | C→G장조 | |
| 2절<br>헤드 2 | A : 30-37 | 8 | G→F→E♭→C장조 | |
| | A′ : 38-45 | 8 | C→B♭→D장조 | |
| | A : 46-53 | 8 | G→F→C장조 | |
| | A″ : 54-57 | 4 | C→G장조 | |
| 3절<br>솔로 1 | A : 58-65 | 8 | G→F→E♭→C장조 | |
| | A′ : 66-73 | 8 | C→B♭→D장조 | |
| | A : 74-81 | 8 | G→F→C장조 | |
| | A″ : 82-85 | 4 | C→G장조 | |
| 4절<br>솔로 2 | A : 86-93 | 8 | G→F→E♭→C장조 | |
| | A′ : 94-101 | 8 | C→B♭→D장조 | |
| | A : 102-109 | 8 | G→F→C장조 | |
| | A″ : 110-113 | 4 | C→G장조 | |
| 5절<br>솔로 3 | A : 114-121 | 8 | G→F→E♭→C장조 | |
| | A′ : 122-129 | 8 | C→B♭→D장조 | |
| | A : 130-137 | 8 | G→F→C장조 | |
| | A″ : 138-141 | 4 | C→G장조 | |
| 6절 | A : 142-149 | 8 | G→F→E♭→C장조 | |

| | | | | |
|---|---|---|---|---|
| 솔로 4 | A′ : 150-157 | 8 | C→B♭→D장조 | |
| | A : 158-165 | 8 | G→F→C장조 | |
| | A″ : 166-169 | 4 | C→G장조 | |
| 7절<br>솔로 5 | A : 170-177 | 8 | G→F→E♭→C장조 | A에 나오는<br>선율은 헤드<br>선율과 같음 |
| | A′ : 178-185 | 8 | C→B♭→D장조 | |
| | A : 186-193 | 8 | G→F→C장조 | |
| | A″ : 194-197 | 4 | C→G장조 | |
| 8절<br>헤드 3 | A : 198-205 | 8 | G→F→E♭→C장조 | ① 본격적인 헤드선율은 222마디부터 시작<br>② A″는 4마디에서 1마디 추가 |
| | A′ : 206-213 | 8 | C→B♭→D장조 | |
| | A : 214-221 | 8 | G→F→C장조 | |
| | A″ : 222-226 | 5 | C장조 | |
| 아웃트로 | 227-229 | 3 | B단조 | ① 227-228마디: 콘스턴트 스트럭처, 시퀀스 동시 진행 ③ 229마디 Bm13(C리디안:Ⅶm7) |

<표 28> 〈Never Let Me Go〉 곡의 구조 특징

| 〈Never Let Me Go〉 1-229마디, 곡의 구조 특징 | | |
|---|---|---|
| 곡의 구조와 형식: A(8)-A′(8)-A(8)-A″(4)<br>1-8절: 1절 헤드 1 - 7절까지 각 각 28마디이며 8절 헤드 3은 29마디 | | |
| 인트로:<br>1-1(1) | *1-8절까지 섹션의 마디의 구성은 같은데 8절의 A″(5)로 4마디가 아닌 1마디 추가된 5마디이며 7절 A에 나오는 선율은 헤드의 선율과 같다. 8절 A″ 222마디부터 본격적인 헤드의 선율 시작 | 아웃트로: 227-229(3)<br>콘스턴트 스트럭처와 시퀀스 동시 진행으로 끝부분 Cmaj7(♯11)에서 Bm13(C리디안: Ⅶm7)으로 진행 |

---

100) Aaron Prado, *Alone* (Milwaukee: Hal·Leonard Corporation, 2015), 46-70.

## (2) 화성 분석

〈악보 29〉 〈Never Let Me Go〉 1-11마디

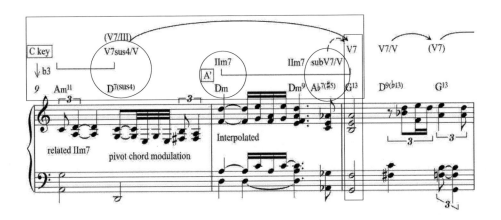

인트로의 코드 진행은 Dm6 - F7(♯9)-E7(♯9)으로 분석하면 Ⅴm6-(subⅤ7/Ⅵ)-Ⅴ7/Ⅱ의 진행으로 2마디 G장조 Am인 Ⅱm로 진행하였다. 이와 같은 화성 진행은 매우 독창적이다. 여기에 사용한 코드들은 모달 인터체인지 코드 Ⅴm6, 서브스티튜트 도미넌트 코드 (subⅤ7/Ⅵ), 세컨더리 도미넌트 코드 Ⅴ7/Ⅱ으로써 2마디 다이어토닉 코드 Ⅱm로 진행하기 위한 코드들이다. 그리고 논다이어토닉 코드들로 인트로 한마디를 만들어 연주한 것은 창의적인 에번스만의 수준 높은 화성 기법이다. 이 진행은 앞에 나온 곡에서 분석하였으나 두 번 연속되는 라인 클리셰는 선율에서 약간의 차이가 있다. Am는 5음이 상행하여 ♯5음을 거쳐 6음까지의 반음 간격으로 테너 파트 선율에서 E, F, F♯로 순차적 상행하는 라인 클리셰로 진행하였다. 4-5마디에도 같은 방법으로 Gm 코드는 Gm(♯5), Gm6, Gm7으로 진행되어 테너 파트 선율이 D, D♯, E, F로 상행한다. Am의 라인 클리셰 진행 후 Ⅴ7으로 연결되는 테너 라인에서 베이스음으로 연결되고 Gm의 라인 클리셰 진행 후 Ⅴ7인 C7(♯11)으로 반음 상행하고 다시 하행하는 테너 라인은 C7(♯11)의 F♯, C7sus4의 F, C7의 3음인 E로 순차진행 하는 것을 볼 수 있다. 이 곡의 뒤에 나오는 24마디 라인 클리셰는 Am, Am(maj7), Am7으로 A, G♯, G 음으로 순차적 하행하는 라인 클리셰를 보여준다. 또한 이 곡의 조성은 2, 3, 4, 5마디마다 전조 되고 있다. 7마디는 E♭장조로 전조 되는 첫 박 Bm7, 둘째박 E7이며, 8마디는 E♭maj7이다. Bm7은 릴레이티드 Ⅱm7으로 완전5도 하행하여 E7에서 공통화음 Ⅴ7/Ⅲ, E♭장조에서 subⅤ7으로 반음 하행하여 E♭maj7인 Ⅰmaj7으로 전조 하였다. 7-8마디와 같은 방법은 35-36, 63-64, 91-92, 119-120, 147-148, 175-176마디에서

각각 28마디 간격으로 릴레이티드 Ⅱm7 - (Ⅴ7/Ⅲ)subⅤ7- Ⅰmaj7으로 진행한 것을 볼 수 있다. 9-11마디 Am11은 릴레이티드 Ⅱm7, 두 번째 코드 D7(sus4)에서 공통화음 (Ⅴ7/Ⅲ)으로 E♭장조에서 단3도 아래 C장조로 전조 되었다. D7(sus4)와 Dm7은 완전5도 하행하고 A♭7(#5)는 반음 하행하여 11마디 G13으로 예상되는 진행을 하여 3가지로 꾸민 것을 볼 수 있다.

다음 〈표 29〉는 〈Never Let Me Go〉의 도미넌트 세븐에서 공통화음 연결을 도식화한 표이다.

〈표 29〉 〈Never Let Me Go〉 릴레이티드 Ⅱm7을 지나 도미넌트에서
공통화음 연결

| | 릴레이티드 Ⅱm7을 지나 도미넌트에서 공통화음 연결 | 마디 |
|---|---|---|
| ① | 릴레이티드 Ⅱm7-(Ⅴ7/Ⅲ)subⅤ7- Ⅰmaj7: 7-8, 35-36, 63-64, 91-92, 119-120,<br>*원곡 6-7마디와 같음　　　　　　　　　147-148, 175-176 | |
| ②-1 | 릴레이티드 Ⅱm7-(Ⅴ7/Ⅲ)Ⅴ7/Ⅴ-인터폴레이티드 Ⅱm7-Ⅱm9-Ⅴ7sus4-Ⅴ7 | 9-10 |
| ②-2 | 릴레이티드 Ⅱm7-(Ⅴ7/Ⅲ)Ⅴ7/Ⅴ-Ⅴ7sus4-(Ⅴ7) | 37-39 |
| ②-3 | 릴레이티드 Ⅱm7-(Ⅴ7/Ⅲ)Ⅴ7/Ⅴ-인터폴레이티드 Ⅱm7-Ⅴ7sus4-subⅤ7/Ⅴ-<br>(Ⅴ7) | 65-67 |
| ②-4 | 릴레이티드 Ⅱm7-(Ⅴ7/Ⅲ)Ⅴ7/Ⅴ-(Ⅴ7sus4) | 93-95 |
| ②-5 | 릴레이티드 Ⅱm7-(Ⅴ7/Ⅲ)Ⅴ7sus4/Ⅴ-Ⅴ7/Ⅴ-인터폴레이티드 Ⅱm7-(Ⅴ7) | 121-123 |
| ②-6 | 릴레이티드 Ⅱm7-(Ⅴ7/Ⅲ)Ⅴ7/Ⅴ-인터폴레이티드 Ⅱm7-(Ⅴ7)<br>*원곡 8-10마디와 같음 | 149-151 |
| ②-7 | 릴레이티드 Ⅱm7-(Ⅴ7/Ⅲ)Ⅴ7/Ⅴ-Ⅴ7sus4-subⅤ7/Ⅴ/G 페달-(Ⅴ7)<br>*65-67마디의 분석은 페달음만 다름 | 205-207 |

　릴레이티드 Ⅱm7은 그 조성에서 화성 분석하지 않는 코드이므로 분석이 가능한 도미넌트에서 공통화음으로 연결된다. 〈Never Let Me Go〉에서 자주 진행된 전조 방식이다. 각 절 마다 원곡의 ① 6-7마디 ②-1에서 ②-7은 8-10마디는 에번스의 연주곡과 원곡의 화성 진행의 변화이다. ①은 8절까지 진행되는 곡에서 7절까지 같은 진행이다. (*①의 위와 같은 위치의 8절은 203-204마디에서 릴레이티드 Ⅱm7을 사용하지 않고 첫 박에서 서브스티튜트 도미넌트 코드로 공통화음 잡고 전조 되었다.) ②-1-②-7의 진행은 7절까지 패턴이 같은 진행이지만 변화를 주어 리하모니제이션한 것을 볼 수 있다. (*②의 7절 177-178마디 릴레이티드 Ⅱm7을 사용하지 않고 세컨더리 도미넌트 세븐 코드로 첫 박에서 공통화음을 잡고 전조되었다.) ②의 화성 진행을 통하여 에번스의 연주에서 곡의 골격은 유지하면서도 자신의 화성을 추가하기도 하고 빼기도 하였다.

〈악보 30〉 〈Never Let Me Go〉 126-127, 140-141, 168-169마디

Bb장조에서 D장조로 직접 전조 되는 127마디 Em7($^b$5), F(add2)/A, A7($^b$13)
의 진행은 99마디와 같은 D장조이다. 99마디에서는 Em7($^b$5), A13의 진행이었
지만 127마디 IIm7($^b$5)-$^b$III/3-V7의 베이스 음의 진행은 E-A-A이다. 이 진
행에서 뒤의 도미넌트와 같은 근음을 가지고 있는 F(add2)/A의 1전위 한 베
이스 음과 함께 A13인 V7을 꾸몄다. F(add2)/A가 IIm7($^b$5)와 V7의 중간에
서 사용된 것은 코드의 진행이 변화된 부분으로 처음 등장한 것이다. 이는
성질이 다른 코드로 베이스음이 같은 보조적 코드를 사용한 것이 특징적이
다. 141, 169마디에서는 공통화음으로 전조 하는 비슷한 진행을 볼 수 있다.

169마디에서는 2박자 안에서 4개의 코드 적용 (subV7/VI)-V7/II-릴레이
티드 IIm7-V7/II으로의 진행은 셋째박에서 공통화음으로 C장조에서 G장조
로 전조 되는데 코드 진행이 매우 복잡하다. 이 마디에서 진행되는 2개의 코
드는 F7($^\sharp$9), E7($^\sharp$9)인데 이와 비슷한 45, 101, 141, 169, 185, 213마디가 있으
며 45, 101, 213마디는 셋째박, 141마디와 185마디는 넷째박에서 8분음표로
나뉘어 사용된다. 169마디는 다르게 진행되었다. 두 박자 동안에 4개의 코드
F7($^\sharp$9), E7 ($^\sharp$9), Fm7, E7($^\sharp$9)이 사용되었으며 공통화음으로 전조 되는 이 부
분에서의 코드 사용 방식이 특징적이다.

〈악보 31〉 〈Never Let Me Go〉 178-182마디

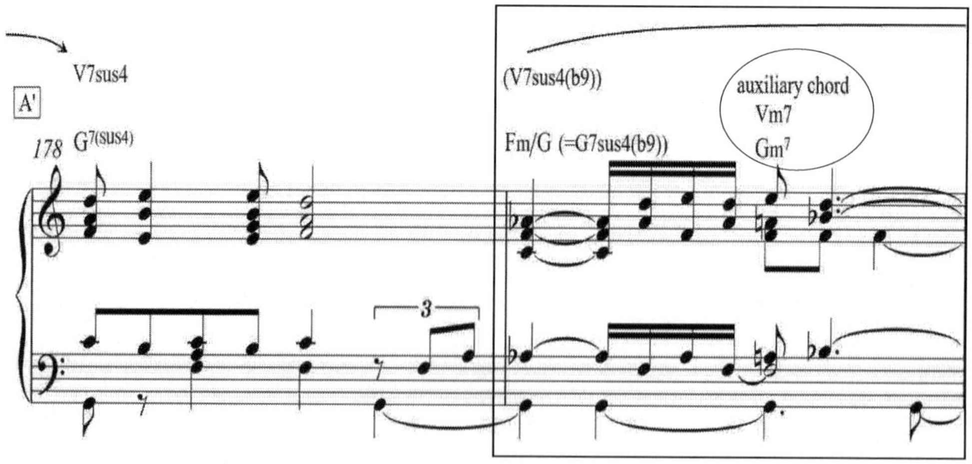

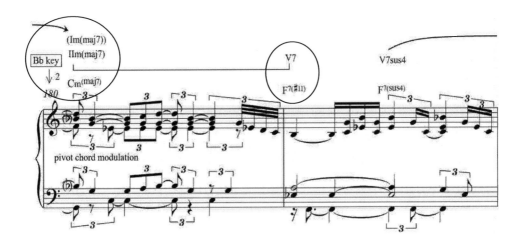

같은 부분에 해당하는 151마디에서는 G7이었지만 179마디에서는 Gm7인 Vm7
으로 변형시켰다. 이는 V7sus4($^b$9)과 180마디 Ⅰm(maj7)의 사이에 변화를 위
하여 사용된 보조적 코드이다. G7sus4($^b$9)은 Gm7을 지나 전조 되는 Cm(maj7)
으로 위장 해결되고 181마디 F7($^\#$11)인 V7의 코드 스케일은 리디안 $^b$7이다.

다음〈표 30〉과 같이 Cm(maj7)은 공통화음이며 C장조에서 Ⅰm(maj7) 그리
고 B$^b$장조에서 Ⅱm(maj7)이다.

〈표 30〉〈Never Let Me Go〉179-180마디-원곡과 부분 비교

| 변형 | V7이 공통화음(Ⅰm(maj7)으로의 진행( 원곡 ① 10-11마디) | |
|------|-----------------------------------------------|---|
| | 화성 분석과 변형 | 마디 |
| ① | (V7)-(Ⅰm(maj7)Ⅱm(maj7) | 11-12, 39-40, 67-68, 94-96, 151-152 |
| ①-1 | (V7sus4($^b$9))-Ⅰ7-(Ⅰm(maj7)Ⅱm(maj7) | 123-124 |
| ①-2 | (V7sus4)-Vm7-(Ⅰm(maj7)Ⅱm(maj7) | 179-180 |
| ①-3 | (V7sus4/V/G)-(V7)-(Ⅰm(maj7)Ⅱm(maj7) | 207-208 |

①의 진행은 원곡과 같은 진행이다. ①-1, ①-2, ①-3은 에번스의 리하모니제이션 부분
을 표를 통하여 볼 수 있다. 전조의 분석은 원래 Ⅱm7-V7의 진행이지만 Ⅱm(maj7)-V7
의 방식으로 변형되었다. 전조 되기 전 (V7)은 Ⅰmaj7으로 진행하지 않고 (Ⅰm(maj7)으
로 위장 해결하였고 공통화음으로 전조 하였다. ①-1의 진행은 첫 박이 C7인 Ⅰ7으로 진
행한 후에 둘째박에서 (Ⅰm(maj7)Ⅱm(maj7)으로 진행된 것은 특이한 진행이다. ①-2는
중간에 Vm7이 쓰인 것은 변화를 위하여 사용한 보조적 코드이다. ①-3은 V7sus4/V/G
페달은 (V7)에서 (Ⅰm(maj7)Ⅱm(maj7)으로 진행되었다.

<악보 32> <Never Let Me Go> 203-204마디

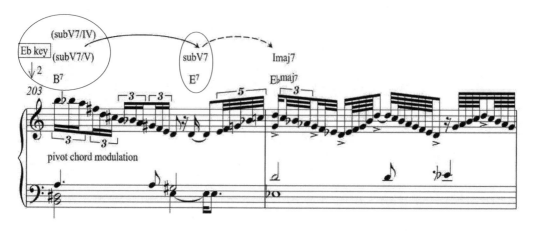

203-204마디 B7은 F장조에서 서브스티튜트 도미넌트(subV7/IV)를 공통화음으로 사용하였으며 전조 되는 코드도 서브스티튜트 도미넌트이다. V7으로 진행하지 않고 연속되는 코드도 완전5도로 하행하여 subV7으로 진행하였다. 이렇게 서브스티튜트 도미넌트로 진행하고 반음 하행하여 Imaj7으로의 진행은 에번스의 특징적인 전조 기법이다. 이 진행에서 특이한 점은 subV7/IV으로 공통화음을 잡고 전조 되는 조성에서 subV7/V로 전조되며 subV7/V이 V7이 아닌 subV7으로 진행된다는 점이다. 본격적인 헤드 선율은 204마디부터 시작된다.

<악보 33> <Never Let Me Go> 212-213, 222-229마디

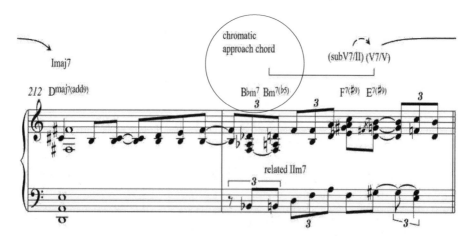

213마디의 B♭m7은 D장조에서 분석되지 않는 크로메틱 어프로치 코드이며 Bm7($^♭$5)을 타깃 코드로 했을 때 반음 아래에서 크로메틱 어프로치로 사용되었다.

225마디의 Cmaj7(add11)/E는 I maj7(add11/3)에서 Cmaj7 코드 C, E, G, B 음을 포함하고 있으며 add11은 F 음을 추가하는 코드이다. 원칙적으로는 E 음인 3음과 F 음인 11음의 간격은 단2도이기 때문에 어보이드 노트에 해당한다. 그러므로 서로 부딪히는 소리를 감소시키기 위해서 단2도로 쓰지 않고 한 옥타브를 넘어 사용하였다. 이러한 방식은 어보이드 노트를 활용하여 매우 특이하게 오른손 포스 보이싱 구성음으로 사용되었다.

아웃트로 227-228마디에서는 코드 F#maj7($^#$11), Emaj7($^#$11), Dmaj7($^#$11), Cmaj7($^#$11)의 모티브 선율을 사용하여 메이저 세븐스 코드의 근음이 장2도씩 하행하는 콘스턴트 스트록쳐와 시퀀스 진행을 동시에 보여주었다. 코드 스케일은 리디안의 구성음을 갖는다. 콘스턴트 스트록쳐에서는 같은 성질의 코드가 일정한 간격의 근음으로 진행되고 조성감이 느껴지지 않는데 마지막 코드가 Cmaj7($^#$11)으로 끝나기 때문에 다시 C장조로 돌아가려는 조성감을 가질 수 있다.

229마디 Bm7의 코드 보이싱을 보면 왼손에서는 Bm 코드톤이 사용되었고 오른손에서는 F#m7이 사용되었으므로 폴리 코드인 것을 알 수 있다. 폴리 코드는 분수 코드로써 오른손 F#m7은 어퍼 스트록쳐 코드이고 왼손 Bm는 로우어 스트록쳐 코드이다. F#m7/Bm을 자주 사용하는 컨벤셔널 코드로 표기하면 Bm7(9,11,13)이다. Bm7은 C 리디안에서 만들어진 VIIm7이므로 모달 인터체인지 코드이다. C 리디안에서 Bm7은 VIIm7이므로 구성음은 B 도리안의 스케일로 보이싱과 선율을 만들었다. 원본 코드가 Bm13인 것은 아르페지오의 선율에서 매 박 'G#'인 13음을 첫 음으로 시작하므로 Bm7으로 쓰지 않고 Bm13으로 쓴 것이다. 이와 같은 코드 심볼은 그 코드를 이루는 중요한 텐션음을 사용한 것으로 볼 수 있다.

(3) 화성 진행과 리하모니제이션

　분석한 다섯곡 중 다섯 번째 곡 〈Never Let Me Go〉 연주곡에서 나타나는 특징적인 편곡기술들을 구체적으로 살펴보면 인트로가 1마디이고 1절에서 8절과 아웃트로로 구성되어있다. 섹션별 구성은 A, A′, A, A″이며 마디의 구성과 조성은 A(8): (G→F→E$^b$→C장조)), A′(8): (C→B$^b$→D장조), A(8): (G→F→C장조), A″(8): (C→G장조)이다. 8절의 A″부분은 1마디 늘어나 원래의 구성 4마디에서 1마디가 추가된 5마디이며 C장조이다. 분석은 동일해도 선율과 리듬은 많은 변화가 있다. 화성 분석에서 나타난 특징들은 ① 모달 인터체인지 코드, 서브스티튜트 도미넌트, 세컨더리 도미넌트, 다이어토닉 코드로의 진행 ② 라인 클리셰 진행: 상행과 하행 ③ 어센딩 진행 ④ 릴레이티드 Ⅱm7를 지나 공통화음 진행 ⑤ 인터폴레이티드 Ⅱm7의 진행이다. 1-8절에서 1, 3, 5, 6, 7절에 인터폴레이티드 Ⅱm7이 사용되었으며 2, 4, 8절은 인터폴레이티드 Ⅱm7을 사용하지 않았다. ⑥ 공통화음을 활용한 전조, Ⅱm7-Ⅴ7-Ⅰmaj7 직접 전조 하였다. Ⅱm7($^b$5)은 모달 인터체인지 코드이지만 Ⅱm7의 자리에서 Ⅱm7과 같은 자격을 가진 코드로 사용된다. ⑦ 콘스턴트 스트록쳐와 시퀀스 동시 진행 ⑧ 폴리 코드 F$^#$m7/Bm의 진행은 이 곡에서 에번스의 리하모니제이션 하는 기술적인 특징으로 나타났다. 다음 〈표 31〉은 위에서 화성 분석한 〈Never Let Me Go〉를 도식화한 표이다.

<표 31> 〈Never Let Me Go〉 화성 진행과 리하모니제이션

| | 〈Never Let Me Go〉 1-229마디, | |
|---|---|---|
| | 에번스 연주에 나타난 화성 진행과 리하모니제이션 | |
| | 인트로가 1마디이고 1-8절의 연주에서 아웃트로가 비교적 긴 20마디, | |
| | 부분별 구성: A, A′, A, A″이며 조성: A(8): (G→F→E♭→C장조)), A′(8): (C→B♭→ D장조), A(8): (G→F→C장조), A″(4): (C→G장조), *1-7절은 각각 28마디, 8절(29마디)의 A″는 1마디 늘어나 원래의 구성 4마디에서 1마디가 추가된 5마디로 구성 | |

| 분석 명칭 | 분석 기호 | 마디 |
|---|---|---|
| ① 모달 인터체인지, 서브스티튜트 도미넌트, 세컨더리 도미넌트, 다이어토닉 코드로의 진행 | ① 인트로 1마디 Vm6-(subV7/VI)-V7/II-IIm의 진행: G 장조에서 모달 인터체인지 코드 Vm6로 시작하여 subV7/VI은 VIm7으로 진행하지 않고 V7/II으로 진행하여 IIm인 Am7으로 진행한 에번스의 수준 높은 화성 진행 기술 | 1-2 |
| | ①-2 subV7/V-(V7)-Im(maj7): A♭7이 G7으로 반음 하행하고 G7은 Cm(maj7)으로 위장 해결 | 67-68 |
| | ①-3 V7sus4-Vm7-Im(maj7): G7sus4(♭9)은 완전5도 하행하여 Cm(maj7)으로 위장 해결하고 중간에 Gm7은 보조적 코드로써 Cm(maj7)을 꾸밈 | 179-180 |
| | ①-4 subV7/V/G 페달-V7sus4-V7sus4(♭9)-I : A♭7/G 도미넌트 페달톤으로 연결되고 반음 하행하여 G7sus4, G7sus4(♭9)으로 진행하여 C로 해결 | 222-224 |
| | ①-5 I-IV-Imaj7(add11)/3-IIm-I6: 엔딩을 늦추어 주는 Imaj7(add11)/3의 1전위 진행 | 224-226 |
| ② 라인 클리셰 진행: 상행과 하행 | IIm7-IIm(♯5)-IIm6: 테너 라인 E, F, F♯의 상행, IIm7-IIm(♯5)-IIm6-IIm7: 테너 라인 D, D♯, E, F의 상행, VIm-VIm(maj7)-VIm7: A, G♯, G로 테너 라인에서 하행 | 2-3, 4-5, 24 |
| ③ 어센딩 진행 | *디미니쉬드 세븐스 용법: IIm7-♯IIdim7 | 162 |
| ④ 릴레이티드 IIm7을 지나 공통화음 진행 | 릴레이티드 IIm7 - (V7/III)subV7-Imaj7: 릴레이티드 IIm7으로 진행되는 마디 중에서 7, 9, 35, 37마디이며 F→E♭장조, 35마디(F→E♭), 37마디(E♭→C)에서도 같은 코드 위치와 방법으로 공통화음 전조 119, 147, 149, 175마디 | 63, 65, 91 |

| | | |
|---|---|---|
| | 릴레이티드 Ⅱm7 - (Ⅴ7/Ⅲ)Ⅴ7/Ⅴ-Ⅱm7 - subⅤ7/Ⅴ-Ⅴ7 | 9 |
| | 릴레이티드 Ⅱm7 - (Ⅴ7/Ⅲ)Ⅴ7/Ⅴ-Ⅱm7 - Ⅴ7 - Ⅰ7 | 65,121 |
| | 릴레이티드 Ⅱm7 - (Ⅴ7/Ⅲ)Ⅴ7/Ⅴ-Ⅱm7 - (Ⅴ7) | 149 |
| | 릴레이티드 Ⅱm7 - (Ⅴ7/Ⅲ)Ⅴ7/Ⅴ-Ⅴ7 | 37, 93 |
| | 릴레이티드 Ⅱm7-(subⅤ7/Ⅱ)-(Ⅴ7/Ⅴ)-(Ⅴm)Ⅱm: 185 | 45, 101 |
| | 릴레이티드 Ⅱm7 - (Ⅴ7/Ⅴ)-(subⅤ7/Ⅴ)-Ⅱm | 17-18 |
| | 릴레이티드 Ⅱm7 - (Ⅴ7/Ⅴ)-Ⅱm: 129, 157 | 73 |
| | 릴레이티드 Ⅱm7 - Ⅴ7/Ⅲ-(Ⅲm7)Ⅵm7: 79, 107, 135, 163, 191, 219 | 23, 51 |
| ⑤ 인터폴레이티드 Ⅱm7<br><br>\*1-8절에서 1, 3, 5, 6, 7절에 인터폴레이티드 Ⅱm7이 사용되었으며, 2, 4, 8절은 인터폴레이티드 Ⅱm7을 사용하지 않음 | (Ⅴ7/Ⅲ)Ⅴ7/Ⅴ-Ⅱm7-subⅤ7/Ⅴ-Ⅴ7: 9-11마디 중간 | 10 |
| | (Ⅴ7/Ⅲ)Ⅴ7/Ⅴ-Ⅱm7 - Ⅴ7: 65-67마디의 중간 | 66 |
| | (Ⅴ7/Ⅲ)Ⅴ7/Ⅴ-Ⅱm7 - (Ⅴ7): 121-123, 149-151마디 Ⅴ7/Ⅴ인 D7에서 Ⅴ7으로 완전5도 하행하고 중간에 Ⅱ ㎖7이 Ⅴ7으로 해결, 여기시 (Ⅴ7)에 필호를 한 깃은 완전5도 하행하였지만 Ⅰmaj7이 아닌 Ⅰ7인 모달인터체인지 코드로 진행하였기 때문이며 Ⅴ7/Ⅴ과 Ⅴ7의 중간에서 뒤의 Ⅴ7을 꾸미는 것은 인터폴레이티드 Ⅱm7 | 122, 150 |
| | Ⅴ7/Ⅴ-Ⅱm7 - subⅤ7/Ⅴ-Ⅴ7: 137-139마디의 중간 | 138 |
| | Ⅴ7/Ⅴ-Ⅱm7 - Ⅴ7: 193-195마디의 중간 | 194 |
| ⑥ 공통화음 활용한 전조, Ⅱm7-Ⅴ7-Ⅰmaj7 직접 전조<br><br>\*Ⅱm7(♭5)은 모달인터체인지 코드이지만 Ⅱm7의 자리에서 Ⅱm7과 같은 자격을 가진 코드로 사용 | (Ⅰm)Ⅱm7-Ⅴ7-Ⅰmaj7: 2-4(G→F), 20-22(G→F) | 2-4 |
| | (Ⅰm(maj7))Ⅱm(maj7)-Ⅴ7-Ⅰmaj7: 12-14(C→B♭) | 12-14 |
| | (Ⅴ7/Ⅲ)subⅤ7-Ⅰmaj7: 7-8(F→E♭) | 7-8 |
| | (Ⅴ7/Ⅲ)Ⅴ7/Ⅴ-Ⅱm - subⅤ7/Ⅴ-Ⅴ7: 9-11(E♭→C) | 9-11 |
| | (Ⅴm)Ⅱm-Ⅴ7-Ⅰmaj7: 18-19(D→G) | 18-19 |
| | (Ⅲm)Ⅵm-Ⅴ7/Ⅴ-Ⅴ7: 24-26(F→C) | 24-26 |
| | (Ⅲm7)Ⅵm-Ⅴ7/Ⅴ-Ⅱm7-Ⅴ7-Ⅰmaj7: 192-196(F→C) | 192-196 |
| | (Ⅶm7(♭5))Ⅲm7(♭5)-subⅤ7/Ⅱ-Ⅱm: 29-30(C→G) | 29-30 |
| | (Ⅶm7(♭5))Ⅲm7(♭5)-(subⅤ7/Ⅵ)-Ⅴ7/Ⅱ-Ⅱm: 141-142(C→G) | 141-142 |
| | (Ⅶm7(♭5))Ⅲm7(♭5)-Ⅴ7/Ⅱ-Ⅱm7 는 C장조에서 G장조로 전조 되었는데 Bm7(♭5)은 공통화음으로 C장조에서 | 85-86 197- |

| | | |
|---|---|---|
| | Ⅶm7(♭5), G장조에서는 Ⅲm7(♭5): 85-86(C→G), 197-198(C→G) | 198 |
| | (Ⅴ7/Ⅲ)(Ⅴ7/Ⅵ)-Ⅴ7/Ⅱ-Ⅱm7: 113-114(C→G) | 113- |
| | (subⅤ7/Ⅳ)(subⅤ7/Ⅴ)-subⅤ7-Ⅰmaj7: 203-204(F→E♭) | 203- |
| | (Ⅰm)Ⅱm7-subⅤ7-Ⅰmaj7: 116-117(G→F) | 116- |
| | (Ⅰmaj7/3)Ⅳmaj7/3-Ⅴ7/Ⅱ-Ⅱm: 57-58(C→G) | 57-58 |
| | *직접전조 Ⅱm7-Ⅴ7-Ⅰmaj7: 4-6(G→F),15-17(B♭→D) | 4-6 |
| | *직접 전조 Ⅱm7(♭5)-Ⅴ7-Ⅰmaj7: 43-44(B♭→D) | 43-44 |
| ⑦ 콘스턴트 스트록쳐와 시퀀스 동시 진행 | 코드 F#maj7(#11), Emaj7(#11), Dmaj7(#11), Cmaj7(#11)은 모티브의 선율을 이용하여 메이저 세븐스 코드의 근음이 장2도씩 하행하는 콘스턴트 스트록쳐와 시퀀스 진행을 동시에 보여주고 코드 스케일은 리디안의 구성음 | 227-228 |

⑧ 폴리 코드 F#m7/Bm[101)진행: 229마디에서 Ⅶm13의 보이싱은 텐션과 코드톤으로 구성된 오른손 F#m7은 어퍼 스트록쳐 코드이며 왼손 Bm의 코드톤으로 이루어진 로우어 스트록쳐 코드이다. F#m7/Bm을 컨벤셔널 코드로 쓰면 Bm7(9,11,13)이며, Ⅶm7으로 분석된다. Bm7(9,11,13)은 모달 인터체인지 코드이며 C 리디안에서 만들어진 Ⅶm7의 도리안 스케일로 아르페지오 하였다.

---

101) ⑧의 폴리 코드 F#m7/Bm를 편의상 가로줄(−)이 아닌 슬래시(/)를 사용하였다.

(4) 원곡과 비교분석

원곡 〈Never Let Me Go〉 Words and Music by  Jay  Livingston(1915-2001)
and  Ray  Evans(1915-2007)의 곡이다.

〈악보 34〉 〈Never Let Me Go〉 원곡 5

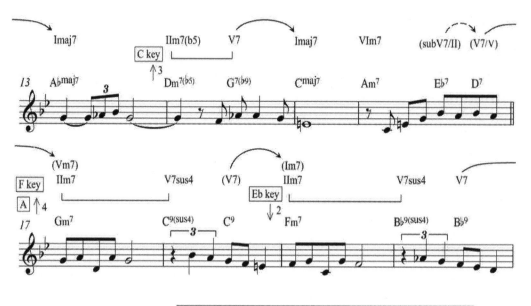

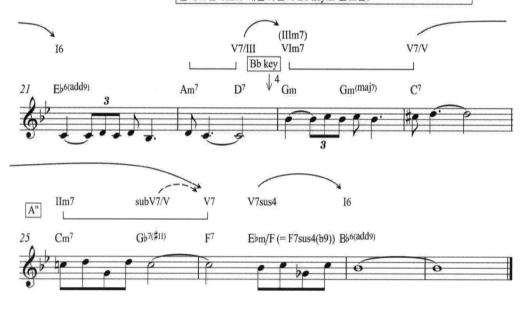

다음 〈표 32〉는 위에서 분석한 〈Never Let Me Go〉의 헤드 1을 도식화
한 표이다.

## 〈표 32〉 〈Never Let Me Go〉 원곡과 비교분석

| Never Let Me Go〉 1절(1st Chorus) 헤드(Head) 1 | | | | |
|---|---|---|---|---|
| | 원곡 〈F→Eᵇ→Dᵇ→Bᵇ→Aᵇ→C→F→Eᵇ→ Bᵇ장조〉 | | 에번스 연주곡 〈G→F→Eᵇ→C→Bᵇ→D→G→F→C→G장조〉 | |
| 형식 | 마디 | 분석 기호 | 마디 | 분석 기호 |
| 인트로 | | | 1-1 | 〈G장조〉 Ⅴm6, (subⅤ7/Ⅵ), Ⅴ7/Ⅱ |
| A | 1-4 | 〈F장조〉Ⅱm7 | 2-5 | Ⅱm, Ⅱm#5 |
| | | Ⅴ7sus4, (Ⅴ7) | | Ⅱm6, Ⅴ7sus4, (Ⅴ7) |
| | | 〈Eᵇ장조〉(Ⅰm)Ⅱm | | 〈F장조〉(Ⅰm)Ⅱm, |
| | | Ⅴ7sus4, Ⅴ7 | | Ⅱm6, Ⅱm7, Ⅴ7, Ⅴ7sus4, Ⅴ7 |
| | 5-8 | Ⅰ6 | 6-9 | Ⅰmaj7, Ⅱm6, Ⅲm7 |
| | | 〈Dᵇ장조〉릴레이티드 Ⅱm7, (Ⅴ7/Ⅲ)subⅤ7 | | 〈Eᵇ장조〉릴레이티드 Ⅱm7, (Ⅴ7/Ⅲ)subⅤ7 |
| | | Ⅰmaj7 | | Ⅰmaj7 |
| | | 〈Bᵇ장조〉릴레이티드 Ⅱm7, (Ⅴ7/Ⅲ)Ⅴ7/Ⅴ | | 〈C장조〉릴레이티드 Ⅱm7, (Ⅴ7/Ⅲ)Ⅴ7sus4/Ⅴ |
| A′ | 9-12 | Ⅱm7 | 10-13 | Ⅱm7, Ⅱm7(9)subⅤ7/Ⅴ |
| | | (Ⅴ7) | | Ⅴ7, Ⅴ7/Ⅴ, (Ⅴ7) |
| | | 〈Aᵇ장조〉 (Ⅰm(maj7))Ⅱm(maj7) | | 〈Bᵇ장조〉 (Ⅰm(maj7))Ⅱm(maj7) |
| | | Ⅴ7 | | Ⅴ7, Ⅴ7sus4 |
| | 13-16 | Ⅰmaj7 | 14-17 | Ⅰmaj7 |
| | | 〈C장조〉Ⅱm7(ᵇ5), Ⅴ7 | | 〈D장조〉Ⅱm7, Ⅴ7 |
| | | Ⅰmaj7 | | Ⅰmaj7 |
| | | Ⅵm7, (subⅤ7/Ⅱ), (Ⅴ7/Ⅴ) | | 릴레이티드 Ⅱm7(ᵇ5), (Ⅴ7/Ⅴ), (subⅤ7/Ⅴ) |
| A | 17-20 | 〈F장조〉(Ⅴm7)Ⅱm7 | 18-21 | 〈G장조〉(Ⅴm)Ⅱm |
| | | Ⅴ7sus4, (Ⅴ7) | | Ⅴ7sus4, (Ⅴ7) |

| | | | | | |
|---|---|---|---|---|---|
| | | <Eʰ장조>(Ⅰm7)Ⅱm7 | | <F장조>(Ⅰm)Ⅱm | |
| | | Ⅴ7sus4, Ⅴ7 | | Ⅴ7sus4, Ⅴ7 | |
| . | | 21-24 | Ⅰ6 | 22-25 | Ⅰmaj7, Ⅱm7, Ⅲm7 |
| | | | 릴레이티드 Ⅱm7, Ⅴ7/Ⅲ | | 릴레이티드 Ⅱm7, Ⅴ7/Ⅲ |
| | | | <Bʰ장조>(Ⅲm7)Ⅵm7 | | <C장조>(Ⅲm)Ⅵm, Ⅵm(maj7), Ⅵm7 |
| | | | Ⅴ7/Ⅴ | | Ⅴ7/Ⅴ |
| A″ | | 25-28 | Ⅱm7, subⅤ7/Ⅴ | 26-29 | Ⅴ7sus4, subⅤ7/Ⅴ |
| | | | Ⅴ7, Ⅴ7sus4 | | Ⅴ7, Ⅴ7sus4, Ⅴ7sus4(ʰ9) |
| | | | Ⅰ6 | | Ⅰ/5, Ⅳmaj7 |
| | | | | | <G장조>(Ⅶm7(ʰ5))Ⅲm7(ʰ5), Ⅱm/5, subⅤ7/Ⅱ |

| 리듬 | 발라드, 4/4박자<br>♩의 「3」 5번, ♩의 「3」 4번<br>사용으로 리듬 변화를 주었다. | 발라드, 4/4박자, 스윙과 스트레이트<br>*1절 헤드 1: ♩의 「3」 23번, ♪의 「3」 9번, 「6」 3번의 잇단음을 사용<br>*1-229마디에서는 ♩의 「3」 약 128번, ♪의 「3」 약 120번, ♪의 「6」 24번, ♪의 「3」 3번, ♪의「5」 2번의 잇단음 사용으로 다양한 리듬 |
|---|---|---|
| 스케일 | 도리안, 로크리안, 리디안, 리디안 ʰ7, 믹소리디안 | 도리안, 로크리안, 리디안, 리디안 ʰ7, 믹소리디안, 디미니쉬드 세븐, 멜로딕 마이너 |
| 코드<br>변주 | 다이어토닉, 논다이어토닉 코드톤과 텐션, 공통화음 전조, 직접 전조<br>*릴레이티드 Ⅱm7을 지나 도미넌트 세븐 코드에서 공통화음 잡음<br>*릴레이티드 Ⅱm7의 이중 기능 → Ⅱm7, Ⅵm7<br>*인터폴레이티드 Ⅱm7 | 다이어토닉, 논다이어토닉 코드톤과 텐션, 공통화음 전조, 직접 전조<br>*모달 인터체인지 코드, 서브스티튜트 도미넌트, 세컨더리 도미넌트, 디미니쉬드 세븐스 용법의 어센딩, 릴레이티드 Ⅱm7, 인터폴레이티드 Ⅱm7, 보조적 코드, 10도 음정에 한음을 추가(5, ʰ7, 13음 중)한 코드, 하이브리드 코드, 전위 코드, 폴리 코드<br>*포스, 2노트, 루트리스 2노트 |

| | | *4웨이 클로스의 드롭 2(1마디), 폴리 코드, 콘스턴트 스트럭쳐와 시퀀스 형태 동시 진행, 특징 음형, 콘스턴트 스트럭쳐 코드(장2도씩 하행하는 진행), 라인 클리셰 코드 진행→ 상행과 하행 |
|---|---|---|
| 페달링 | 연주자 임의대로 | D.P, 지속음, 연주자 임의대로 |
| 표현 | *갖춘마디<br>*인트로 없음<br>*아웃트로 없음<br>*2-3, 4, 5마디 간격으로 전조 | 2-3, 4, 5마디 간격으로 전조, 인트로 1마디, 시퀀스 진행, 직접 전조, 공통화음 전조, $8^{va}$, 꾸밈음(홑 앞 꾸밈, 겹 앞 꾸밈음 자주 사용), 싱코페이션, 아르페지오, 이음줄 사용, A, A′, A부분은 각각 8마디, A″부분은 1-7절까지 각각 4마디이고 8절은 A″부분이 1마디 추가된 5마디, 아웃트로 3마디, B단조 마침, |

## 2. 1-5곡의 보이싱

위에서 분석한 빌 에번스의 앨범《Alone》에 나타나는 보이싱들은 다음과 같다.

### 1) 포스(4도) 보이싱

3개의 음을 4도 음정 간격으로 쌓아 만든 보이싱이다. 이러한 포스 보이싱은 4도 간격의 음들에 따라 여러 개의 코드가 나올 수 있는 모호한 음색을 가진다. 〈Here's That Rainy Day〉의 1-2마디에서 양손 포스 보이싱이 사용되었다. 〈A Time For Love〉110, 111, 150마디에서 포스 보이싱이 사용되었고. 〈Midnight Mood〉1, 25, 228마디, 〈On a Clear Day (You Can See Forever)〉66, 107마디, 〈Never Let Me Go〉3, 5마디 등 왼손에서 주로 사용되었다.

〈악보 35〉〈Midnight Mood〉228마디-포스 보이싱

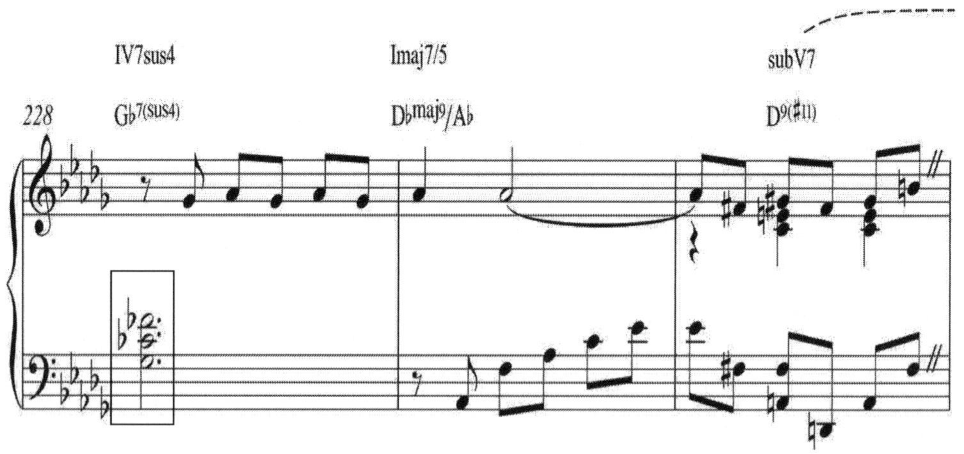

### 2) 루트리스 2노트 보이싱

에번스는 간결한 보이싱을 사용하기 위해 루트리스 2노트 보이싱을 자주

사용하였다. 루트리스 2노트 보이싱은 3음과 7음(메이저 세븐, 마이너 세븐, 도미넌트 세븐)을 사용하는 가이드톤 또는 V7sus4의 4음과 ♭7을 가이톤으로 사용한 것이다.

〈Here's That Rainy Day〉 66마디 왼손 보이싱에서는 첫 번째 코드 Am7의 ♭3음과 ♭7음, 세 번째 코드 D7의 3음과 ♭7음, 두 번째 코드 D7(sus4)의 코드에서 sus4 음과 ♭7음의 가이드톤을 사용하였고 이 3개의 코드는 루트리스 2노트 보이싱으로 사용하였다.

〈Here's That Rainy Day〉 42, 64, 65, 66, 92마디, 〈A Time For Love〉 59, 66마디, 〈Midnight Mood〉 108마디, 〈On a Clear Day (You Can See Forever)〉 11, 36, 47, 48, 49, 51, 58마디, 〈Never Let Me Go〉 11, 49,, 57, 61, 66마디 등에서도 에번스의 루트리스 2노트 보이싱을 볼 수 있다.

〈악보 36〉 〈Here's That Rainy Day〉 64-66마디-
루트리스 2노트 보이싱

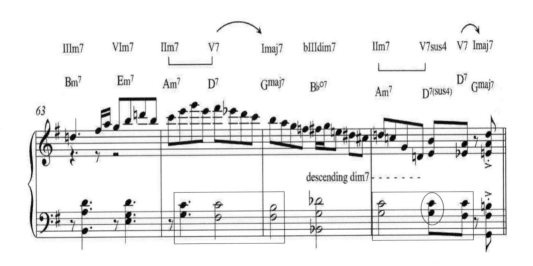

3) 루트리스 4노트 보이싱

〈A Time For Love〉 108마디, 〈Midnight Mood〉의 26, 70, 112마디 등에서 루트리스 4노트 보이싱이 사용되었다.

〈악보 37〉 〈A Time For Love〉 108마디-루트리스 4노트 보이싱

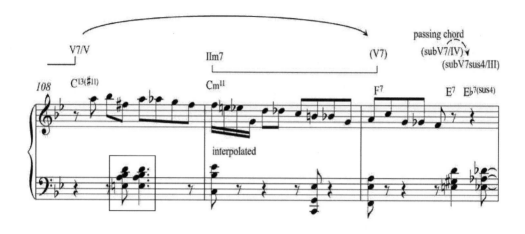

4) 락드 핸즈 보이싱

이 방식은 오른손 보이싱을 그대로 유지하고 오른손 보이싱의 선율이 1옥
타브 아래 베이스 음으로 더블링된 것이다.
　〈Here's That Rainy Day〉 68, 69마디, 〈A Time For Love〉 140마디,
〈On a Clear Day (You Can See Forever)〉 82, 83마디 등에서 볼 수 있다.

〈악보 38〉 〈Here's That Rainy Day〉 68, 69마디-락드 핸즈 보이싱

## 5) 4웨이 클로스의 드롭 2

오른손 화성에서 두 번째 음을 1옥타브 내려서 베이스에 위치하게 하는 것이다. 오른손 4개의 음으로 이루어진 코드에서 두 번째 음을 드롭 2 하면 4 성부가 되며 베이스의 단선율을 자연스럽게 만들 수 있다.

〈Here's That Rainy Day〉 75, 77, 86마디, 〈A Time For Love〉 37, 38, 134, 144마디 등에서 볼 수 있고 〈Never Let Me Go〉에서는 1마디, 세 번째 화성에서 확인할 수 있다. 에번스의 4웨이 클로스의 드롭 2는 오른손의 선율과 왼손의 선율이 동시에 진행되는 블록 코드 모양의 하나로 자주 사용하였다.

〈악보 39〉 〈Here's That Rainy Day〉 75, 77마디-
4웨이 클로스의 드롭 2

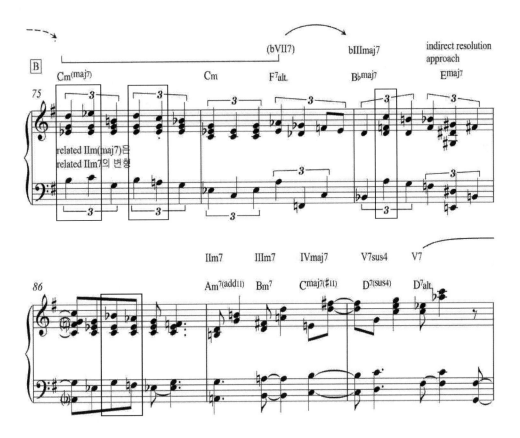

6) 클러스터 보이싱

클러스터 보이싱은 인접한 음의 그룹을 동시에 터치하는 왼손의 보이싱으로 오른손의 선율을 보완해주는 코드의 울림이다. 이때 사용되는 음은 장2도 또는 단2도로 이루어진다. 톱 노트에서 2번째 성부까지는 3도나 4도의 간격으로 배치되어 있으나 그 아래는 주로 2도로 구성된다. 다른 포스트밥 재즈 피아니스트들은 근음이 빠짐으로 생겨난 빈자리에 클러스터 보이싱을 사용함으로 보이싱에 다양한 색깔을 추가하였다. 하지만 에번스는 루트리스 4노트 보이싱과 루트리스 2노트 보이싱에 클러스터 보이싱을 사용함으로 사운드를 더욱 풍성하게 채워서 연주하였다. 이 보이싱은 〈A Time For Love〉의 89, 91, 105, 107마디, 〈Midnight Mood〉의 71, 81마디, 〈On a Clear Day You Can See Forever〉의 104, 114마디 등에서 사용되었다.

〈악보 40〉 〈A Time For Love〉 89, 91, 105, 107마디-클러스터 보이싱

## 7) 왼손 컴핑 보이싱과 당김음

〈On a Clear Day (You Can See Forever)〉 66, 73, 78, 79마디 첫 번째 박자의 당김음, 71, 72, 76마디 세 번째 박자의 당김음, 26, 104마디 두 번째 와 네 번째 박자의 당김음을 볼 수 있다. 왼손 컴핑 보이싱은 그 박의 반박 자 앞에서 컴핑을 하는데 싱코페이션을 사용하기도 하였다.

〈악보 41〉 〈On a Clear Day (You Can See Forever)〉 66마디-
왼손 컴핑 첫 번째 박자의 당김음

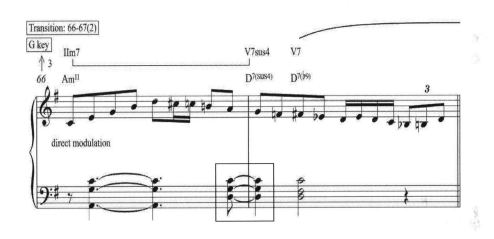

〈악보 42〉 〈On a Clear Day (You Can See Forever)〉 78, 79마디-
세 번째 박자의 당김음

〈악보 43〉〈On a Clear Day (You Can See Forever)〉
103, 104마디-두 번째와 네 번째 박자의 당김음

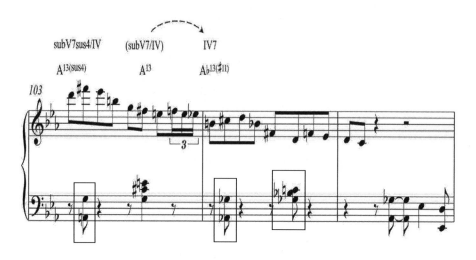

8) 폴리 코드

① 〈On a Clear Day (You Can See Forever)〉174마디에서 G♭장조로
전조 되어 어퍼 스트록쳐 코드는 F⁺을 썼으며 로우어 스트록쳐 코드는 B 코
드톤이다. 175마디는 폴리 코드로 쓰면 F⁺/B[102])이고 컨벤셔널 코드로 쓰면
B7(9,#11)이다. 분석은 IV7이며 B7(9,#11)의 스케일은 리디안 ♭7으로 보이싱과
선율에 사용되었다. IV7은 G♭장조와 같은 으뜸음조인 멜로딕 마이너와 도리
안 스케일의 네 번째 음에서 나올 수 있는 코드이다.

② 〈Never Let Me Go〉229마디 Bm13은 폴리 코드로 쓰면 F#m7/Bm이고
컨벤셔널 코드로 쓰면 Bm7(9,11,13)이다. 어퍼 스트록쳐 코드는 F#m7, 로우
어 스트록쳐 코드는 Bm이다. 컨벤셔널 코드 Bm13은 C 리디안에서 만들어진
일곱 번째 모달 인터체인지 코드인 VIIm7이고 B 도리안의 스케일로 보이싱과
아르페지오를 연주하였다.

---

102) 폴리 코드 F⁺/B, F#m7/Bm에 편의상 수평선(-)이 아닌 슬래시(/)로 썼다.

〈악보 44〉 〈On a Clear Day (You Can See Forever)〉 175마디-폴리코드

〈악보 45〉 〈Never Let Me Go〉 229마디-폴리코드

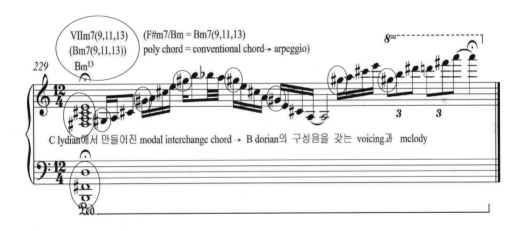

9) 하이브리드 코드

하이브리드 코드는 코드톤에서 3음을 뺀 코드로서 공허하고 색다르고 모호
한 느낌을 주기 위해 사용하였다.

   ⑴ 〈Midnight Mood〉 166-167마디를 살펴보면 G7($^b$5,$^#$9), G$^b$/C(=C7($^b$9,$^#$11),
C7($^b$9), F6의 코드를 분석하면 V7/V, V7, V7, I 6이다. G$^b$/C(=C7($^b$9,$^#$11)의
코드 음을 보면 3음이 없는 하이브리드 코드이다. V7이 중복해서 진행되어

도 선율의 지루함이 없는 모호한 코드 진행이다. (2) 〈Never Let Me Go〉 97마디에 오는 특이한 코드 형태인 Cm(maj7)/F 코드의 베이스에 F음이 오고 오른손 C, E♭, G, B이므로 F7(9,#11)로 볼 수 있다. 96-97마디에서는 Cm(maj7)인 Ⅱm(maj7), Cm(maj7)/F=F7(9,#11)인 Ⅴ7, Ⅴ7sus4의 진행에서 3음(A)이 없는 하이브리드 코드가 사용되었다. (3) 〈Never Let Me Go〉 111마디 넷째 박 Fm6/G의 코드톤을 재배열하면 G7sus4(♭9)이며 음들을 나열하면 G, A♭, C, F이다. 분석하면 Ⅴ7sus4(♭9)이 되므로 G7sus4(♭9)은 3음이 없는 하이브리드 코드이다. 이러한 코드 음정의 배열은 코드의 성질을 알려주는 3음을 뺀 코드 사용으로 이전의 시대와 다르게 표현한 보이싱이다.

〈악보 46〉 〈Midnight Mood〉 166-167마디-하이브리드 코드

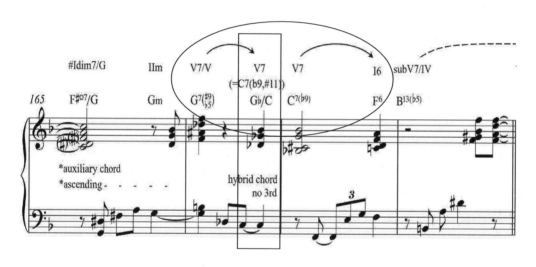

10) 양손으로 연주하는 포스 보이싱

에번스는 재즈 보이싱의 한 방법으로 양손 포스 보이싱[103]을 사용하였다. 그 사용 방식은 그 이전의 시대와 결이 다른 코드 보이싱의 진행이다. 포스 보이싱으로 모달 재즈의 특징인 조성감이 느껴지지 않는 사운드를 만들었다. 예전에는 음 3개로 된 4도 간격의 보이싱을 왼손이나 오른손에서 한 손씩만

---

103) 에번스는 1959년 〈So What〉에서 D 도리안, E♭ 도리안의 모드 스케일과 모달 코드, 포스 보이싱을 사용하여 신비한 음의 세계를 표현했다.

사용하였는데 에번스는 양손에서 사용하였으며 두 가지 방법을 사용하였다. 첫 번째, 같은 패턴의 포스 보이싱을 왼손과 오른손에서 동시 연주하였는데 왼손과 오른손의 보이싱 간격은 장3도의 간격인 것을 알 수 있다. 두 번째, 에번스는 왼손의 포스 보이싱과 오른손의 장3도 화음을 쌓아 사용하였는데 왼손과 오른손 보이싱의 간격은 완전4도이고 그 음들 중에서 중복하여 사용한 것을 볼 수 있다. 첫 번째는 〈악보 47〉 1곡 1-2마디 양손 포스 보이싱, 두 번째는 〈악보 48〉 2곡 150마디 왼손의 포스 보이싱과 오른손 장3도 화음 연결에 대한 것이다.

(1) 양손 포스 보이싱

〈악보 47〉 〈Here's That Rainy Day〉 1-2마디-양손 포스 보이싱

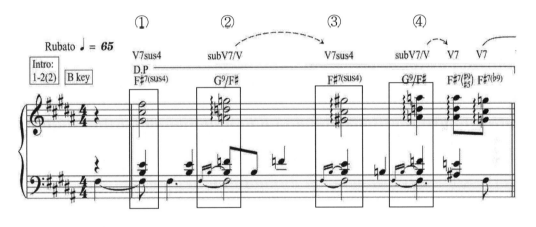

위에 제시된 악보 〈Here's That Rainy Day〉 1-2마디의 인트로 부분에서 박스 표시한 부분 4개가 같은 패턴을 양손으로 연주한 양손 포스 보이싱이다. 1마디 F#7sus4, G9/F#, 2마디 F#7sus4, G9/F#의 양손 포스 보이싱에 들어갈 수 있는 코드들은 다음과 같다.

①번 화음 F#7sus4는 왼손 아래 음부터 4도 간격으로 쌓아 올린 F#, B, E음이고 오른손 또한 4도 간격의 G#, C#, F#음이 된다. 이때 왼손과 오른손음의 간격은 장3도이다. 즉 아래에서부터 음의 간격은 F#음과 B음이 완전4도, B음과 E 음이 완전4도, E 음과 G#음이 장3도, G#음과 C#음이 완전4도, C#음과 F#음이 완전4도의 간격인 것을 알 수 있다. 이 음들은 B장조에서 F#은

5음, B는 근음, E는 4음(11음), G#은 6음(13음), C#은 9음, F#은 5음이다. 순서대로 나열하면 F#, B, E, G#, C#, F#의 5개의 음으로 이루어진 것을 알 수 있다. 이러한 음들은 하이브리드 코드[104] F#7sus4(9), B6sus4(9), G#7sus4(#5,#9)와 E6(9), C#m7(11), 루트리스 코드 Dmaj7(9,#11,13)의 보이싱과 밀접한 관련성이 있다.

〈표 33〉 〈Here's That Rainy Day〉 1마디-F#7sus4의 양손 포스 보이싱

| 1-2마디 왼손과 오른손 / 양손 포스 보이싱 | | | | | | | |
|---|---|---|---|---|---|---|---|
| 1마디 첫 박 F#7sus4에서 나온 음 수 (코드가 속한 조성: B 장조) | | | | F#, B, E / G#, C#, F# | | | |
| 코드에 속한 음 | | 1 | 2 | 3 | 4 | 5 | 6 | 7 |
| 1 | F#7sus4(9) | F# | G# | | B | C# | | E |
| | | 근음 | 9음 | | 11음 | 5음 | | ♭7음 |
| 2 | B6sus4(9) | B | C# | | E | F# | G# | |
| | | 근음 | 9음 | | 11음 | 5음 | 6음 | |
| 3 | G#7sus4(#5,#9) | G# | B | | C# | E | | F# |
| | | 근음 | #9음 | | 11음 | #5음 | | ♭7음 |
| 4 | E6(9) | E | F# | G# | | B | C# | |
| | | 근음 | 9음 | 3음 | | 5음 | 6음 | |
| 5 | C#m7(11) | C# | | E | F# | G# | | B |
| | | 근음 | | ♭3음 | 11음 | 5음 | | ♭7음 |

②번 화음 G9/F#은 왼손 아래 음부터 수직으로 쌓인 F#, B, F음이며 오른손 보이싱은 A, D, G음이 된다. 왼손과 오른손 음의 간격은 장3도 간격이다. 아래에서부터 각각 음들의 간격은 F#음과 B음이 완전4도, B음과 F음이 증4도(감5도), F음과 A음이 장3도, A음과 D음이 완전4도, D음과 G음은 완전4도이다. 이 음들은 B장조에서 G7이므로 F#은 7음, B는 3음, F는 ♭7음, A는 9음, D는 5음, G는 근음이 된다. 이 음들을 순서대로 나열하면 F#, B, F, A, D, G이며 이 음들을 조합하면 8개의 코드를 만들 수 있다. 8개의 코드는 G7(9)/F# 페달, Gmaj7(♭7,9), F6(9,#11), D6(#9,11), Dm6(11), Bm7(#11,♭13), 하이브리드 코드 A7sus4(#5,9), F#m(maj7)(#5,♭9,11)의 보이싱과 밀접한 관련성이 있다.

---

104) 하이브리드 코드를 편의상 컨벤셔널 코드로 썼다.

| 1-2마디 왼손과 오른손 / 양손 포스 보이싱 | | | | | | | |
|---|---|---|---|---|---|---|---|
| 1마디 둘째박 G9/F# 페달에서<br>나온 음 수 (코드가 속한 조성: B 장조) | | | | F#, B, F / A, D, G | | | |
| 코드에 속한 음 | 1 | 2 | 3 | 4 | 5 | 6 | 7 |
| 1 G7(9) | G | A | B | | D | | F |
| | 근음 | 9음 | 3음 | | 5음 | | b7음 |
| 2 Gmaj7(9) | G | A | B | | D | | F# |
| | 근음 | 9음 | 3음 | | 5음 | | 7음 |
| 3 F6(9,#11) | F | G | A | B | | D | |
| | 근음 | 9음 | 3음 | #11음 | | 6음 | |
| 4 D6 | D | | F# | | A | B | |
| | 근음 | | 3음 | | 5음 | 6음 | |
| 5 Dm6(11) | D | | F | G | A | B | |
| | 근음 | | b3음 | 11음 | 5음 | 6음 | |
| 6 Bm7 | B | | D | | F# | | A |
| | 근음 | | b3음 | | 5음 | | b7음 |
| 7 A7sus4(9) | A | B | | D | | | G |
| | 근음 | 9음 | | 11음 | | | b7음 |
| 8 F#m(#5,11) | F# | | A | B | D | | |
| | 근음 | | b3음 | 11음 | #5음 | | |

③번 화음 F#7sus4는 1마디와 같은 코드가 진행된다. 1마디 첫 박의 코드는 F#음이 중복되었고 2마디에서는 G#음이 중복되어 보이싱에서 속한 음들은 같은 음이 적용되었다.

④번 화음 G9/F#은 페달 코드에서는 루트리스 코드의 포스 보이싱이다. 오른손 보이싱에서 G음 대신에 A음이 중복되어 사용되었다. 왼손 아래 음부터 F#, B, F음이며 오른손은 A, D, A음이다. 왼손과 오른손의 보이싱의 간격은 장3도이다. 음정 간격을 보면 F#음과 B음이 완전4도, B음과 F음이 증4도(감5도), F음과 A음이 장3도, A음과 D음이 완전4도, D음과 A음이 완전5도(완전4도) 간격인 것을 알 수 있다. 이 음들은 G7이므로 F#은 7음, B는 3음,

F는 ♭7음, A는 9음, D는 5음, G는 근음이 된다. 순서대로 나열하면 F#, B, F, A, D, A 음은 8개의 코드가 적용될 수 있다. 8개의 코드는 루트리스 코드 G7(9), Gmaj7(9)과 F6(♭9,#11), D6(#9), Dm6, Bm7(#11), 하이브리드 코드 A6sus4(#5,9), F#m(maj7)(#5,11)의 보이싱과 밀접한 관련성이 있다.

〈표 35〉 〈Here's That Rainy Day〉 2마디-G9/F#의 양손 포스 보이싱

| 1-2마디 왼손과 오른손 / 양손 포스 보이싱 | | | | | | | | |
| --- | --- | --- | --- | --- | --- | --- | --- | --- |
| 2마디 둘째박 G9/F# 페달에서 나온 음 수 (코드가 속한 조성: B 장조) | | | | | F#, B, F / A, D, A | | | |
| 코드에 속한 음 | 1 | 2 | 3 | 4 | 5 | 6 | 7 | 비고 |
| 1 G7(9) | | A | B | | D | | F | 루트리스 코드 |
| | | 9음 | 3음 | | 5음 | | ♭7음 | |
| 2 Gmaj7(9) | | A | B | | D | | F# | 루트리스 코드 |
| | | 9음 | 3음 | | 5음 | | 7음 | |
| 3 F6(#11) | F | | A | B | D | | | |
| | 근음 | | 3음 | #11음 | 6음 | | | |
| 4 D6 | D | | F# | | A | B | | |
| | 근음 | | 3음 | | 5음 | 6음 | | |
| 5 Dm6 | D | | F | | A | B | | |
| | 근음 | | ♭3음 | | 5음 | 6음 | | |
| 6 Bm7 | B | | D | | F# | | A | |
| | 근음 | | ♭3음 | | 5음 | | ♭7음 | |
| 7 A6sus4(9) | A | B | | D | | F# | | |
| | 근음 | 9음 | | 11음 | | 6음 | | |
| 8 F#m(#5,11) | F# | | A | B | D | | | |
| | 근음 | | ♭3음 | 11음 | #5음 | | | |

(2) 왼손 포스 보이싱과 오른손 연결 화음

다음 〈악보 48〉 에서 왼손 포스 보이싱과 오른손 연결 화음의 규칙을 알아볼 것이다.

〈악보 48〉〈A Time For Love〉150마디-왼손 포스 보이싱과 오른손 연결 화음

위에 제시된 악보 〈A Time For Love〉150마디에서 박스 표시한 부분 2개의 포스 보이싱을 순서대로 알아보겠다.

①번 화음 150마디 D장조 G13(♯11), ②번 화음 F♯7(♭9,11)은 포스 보이싱이다. G13(♯11)은 E음이 중복되었고 F♯7(♭9,11)은 D♯음과 G음이 중복된 것을 볼 수 있다. 이 두 코드는 포스 보이싱으로 ① G13(♯11)은 왼손 음 3개의 포스 보이싱과 오른손 음과의 간격이 완전4도로 되어있는 보이싱이다. 왼손과 오른손 음과의 간격이 4도이고 오른손에서 A음과 C♯음과의 음정 거리는 장3도이다. ② F♯7(♭9,11)은 왼손 포스 보이싱 위에 오른손의 음정은 중복되는 음을 제외한 음이 각각 장3도의 간격으로 연결되어 왼손 포스보이싱과 오른손 장3화음을 연결하는 규칙이다. 하지만 여기서는 〈Here's That Rainy Day〉1-2마디에서 진행된 양손에서 같은 패턴으로 연주하는 포스 보이싱과는 다른 점이 있다. 〈A Time For Love〉150마디에서는 ① G13(♯11)은 아래에서부터 순서대로 왼손과 오른손이 연결된 음정의 도수는 F와 B음이 증4도, B와 E음이 완전4도, E와 A음이 완전4도로 되고 위에 장3도이고 그 위에 E음은 왼손 E음과 중복되는 음이다. ② F♯7(♭9,11)은 E와 A♯음이 증4도, A♯과 D♯음이 완전4도, D♯과 G음이 장3도, G와 B음이 장3도 간격으로 연결된 보이싱이다. 그 위에 D♯과 G음은 중복되는 음이다.

① G13(♯11)은 루트리스 코드의 포스 보이싱으로 왼손 아래 음부터 수직으로 쌓아 올린 F, B, E음, 오른손에서 A, C♯음을 사용하였다. 아래에서부터

F음과 B음이 증4도, B음과 E음이 완전4도, E음과 오른손 A음이 완전4도의
간격인 것을 볼 수 있다. 오른손 A음과 오른손의 C#음은 장3도의 간격이다.
G13(#11)에서 쓰인 음들은 F, B, E, A, C#이며 음들을 나열하여 코드를 써 보
면 루트리스 코드 G7(9,#11,13), 하이브리드 코드 E6sus4(b9), B7sus4(b5,9)과
Fmaj7(#5,#11), C#m7(#5,11), A9(b13), 루트리스 코드 Dm(maj7)(13)의 7개 코드
와 밀접한 관련성을 가진다.

〈표 36〉〈A Time For Love〉150마디-G13(#11)의 왼손 포스 보이싱과
오른손 연결 화음

| 150마디 왼손 포스 보이싱과 오른손 연결 화음 | | | | | | | | |
|---|---|---|---|---|---|---|---|---|
| 150마디 둘째박 G13(#11)에서 나온 음 수 (코드가 속한 조성: D 장조) | | | | | F, B, E / A, C# | | | |
| 코드에 속한 음 | | 1 | 2 | 3 | 4 | 5 | 6 | 7 | 비고 |
| 1 | G13(9,#11) | | A | B | C# | | E | F | 루트리스 코드 |
| | | | 9음 | 3음 | #11음 | | 13음 | b7음 | |
| 2 | E6sus4(9) | E | | | A | B | C# | | |
| | | 근음 | | | 11음 | 5음 | 6음 | | |
| 3 | B7sus4(9) | B | C# | | E | | | A | |
| | | 근음 | 9음 | | 11음 | | | b7음 | |
| 4 | Fmaj7(#5) | F | | A | | C# | | E | |
| | | 근음 | | 3음 | | #5음 | | 7음 | |
| 5 | C#m7(#5) | C# | | E | | A | | B | |
| | | 근음 | | b3음 | | #5음 | | b7음 | |
| 6 | A(add2) | A | B | C# | | E | | | |
| | | 근음 | 9음 | 3음 | | 5음 | | | |

② F#7(b9,11)은 루트리스 코드의 포스 보이싱으로 왼손 아래 음부터 수
직으로 쌓아 E, A#, D#음, 오른손에서 G, B음을 사용하였다. 아래에서부터 E
음과 A#음이 증4도, A#음과 D#음이 완전4도, D#음과 오른손 G음이 장3도 G
음과 B음이 장3도의 간격인 것을 볼 수 있다. 그 위에 D#음과 G음은 중복되
는 음정이다. F#7(b9,11)에서 쓰인 음들을 나열하면 E, A#, D#, G, B음이며 코
드로 적용하여 써 보면 루트리스 코드 F#7(b9,11,13), Bmaj7(#5,11), G6(#5,#9),
Em (maj7)(#11), Eb(b9,b13), Bb6 sus4(b5,b9)의 보이싱과 밀접한 관련성이
있다.

〈표 37〉 〈A Time For Love〉 150마디-F#7(b9,11)의 왼손 포스 보이싱과
오른손 연결 화음

| 150마디 왼손 포스 보이싱과 오른손 연결 화음 | | | | | | | | | |
| --- | --- | --- | --- | --- | --- | --- | --- | --- | --- |
| 150마디 셋째박 F#7(b9,11)에서 나온 음 수 (코드가 속한 조성: D 장조) | | | | | | | E, A#, D# / G, B | | |
| 코드에 속한 음 | | 1 | 2 | 3 | 4 | 5 | 6 | 7 | |
| 1 | F#7sus4(b9,11) | | G | A# | B | | D# | E | 루트리스 코드 |
| | | | b9음 | 3음 | 11음 | | 13음 | b7음 | |
| 2 | Bmaj7(#5) | B | | D# | | G | | A# | |
| | | 근음 | | 3음 | | #5음 | | 7음 | |
| 3 | G6(#5) | G | | B | | D# | E | | |
| | | 근음 | | 3음 | | #5음 | 6음 | | |
| 4 | Gm6(#5) | G | | A# | | D# | E | | |
| | | 근음 | | b3음 | | #5음 | 6음 | | |
| 5 | Em(maj7)(#11) | E | | G | A# | B | | D# | |
| | | 근음 | | b3음 | #11음 | 5음 | | 7음 | |
| 6 | D# | D# | | G | | A# | | | |
| | | 근음 | | b3음 | | 5음 | | | |
| | A#6(sus4) | A# | | | D# | | G | | 하이브리드 코드 |
| | | 근음 | | | 11음 | | 6음 | | |

위에서 언급한 양손을 위한 3가지의 포스 보이싱은 〈Here's That Rainy Day〉 1-2마디가 첫 번째이다. 양손이 같은 포스 보이싱을 하였는데 왼손 아래서부터 음정의 간격은 4도, 4도, 3도, 4도, 4도 간격이다.

〈A Time For Love〉 150마디 G13(#11)의 포스 보이싱이 두 번째이고 F#7(b9,11)의 포스 보이싱이 세 번째이다. 에번스의 보이싱은 곡에 따라 조금 이라도 다른 음의 배열로 보이싱을 만든다는 것을 알 수 있다. 왼손 포스 보이싱과 4도 간격의 오른손 화음과 연결된 장3도 화음 사용과 왼손 포스 보이싱과 3도 간격의 오른손 화음과 연결된 장3도 화음 사용이며 나머지 음은 중복하여 사용되었다. 4도 간격이라도 완전4도(완전5도), 증4도(감5도)로 포스 보이싱을 만드는데 오른손의 장3도 화음을 동시에 누를 경우 오른손 화음이 연결되는 왼손의 포스 보이싱인 것을 알 수 있다. G13(#11)의 보이싱은 음 한 개가 중복되고 증4도, 완전4도, 완전4도, 장3도의 음정 간격을 가지고 있다. 세 번째 F#7(b9,11) 보이싱은 두 번째와 같은 방식으로 배열된 음이 두 개가 중복

되고 증4도, 완전4도, 장3도, 장3도 간격이다. G13($^{\#}$11)과 F$^{\#}$7($^{\flat}$9,11)의 포스 보이싱은 오른손과의 음정 간격이 완전4도, 장3도인 것은 그의 왼손 포스 보이싱이 오른손과 연결된 음정 도수에서 그 음정과 가장 어울리게 하는 방식을 알 수 있다. 포스 보이싱은 여러 개의 코드가 동시에 들리게 하는 특징을 가지고 있으므로 조성감은 모호하게 들린다. 에번스는 교회선법을 도입해 모달 재즈를 개척하고 발전시켰는데 피아노 연주에서 포스 보이싱을 적극적으로 활용하여 연주하였다. 특히 도리안 스케일과 포스 보이싱을 활용한 〈So What〉은 모달 재즈의 대표적인 곡이다.105) 포스 보이싱은 음 3개로 만든 4도 간격의 보이싱으로 아래 1959년에 발표한 앨범 〈So What〉 연주는 중복 음이 없었고 완전 4도만의 음정 간격으로 포스 보이싱을 만들었으며 오른손의 간격도 완전4도이고 그 위 오른손의 장3화음을 연결하여 연주하였다는 것을 알 수 있다. 그로부터 10년 후 〈A Time For Love〉 연주에서는 왼손과 오른손의 간격이 완전4도이거나 장3도이고 오른손의 장3화음을 연결하는 규칙이 있 음과 중복 음 사용으로 음색을 더욱 풍성하게 만들었음을 알 수 있다.


〈악보 49〉 〈So What〉 Dm7의 왼손 포스 보이싱과 오른손 연결 화음

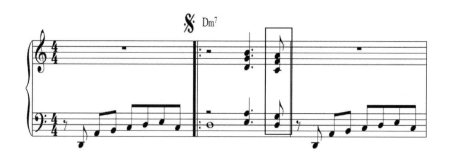

〈So What〉 악보에서의 Dm7은 음정의 간격이 완전 4도이며 상단의 선율과의 음정 도수는 장 3도이다. Dm7의 보이싱을 만들기 위해 에번스는 왼손 아래 음부터 D, G, C 음, 오른손에서 F, A 음을 사용하였다. 아래의 D 음과 G 음이 완전 4도, G 음과 C 음이 완전 4도, C 음과 오른손 F 음이 완전 4도의 간격인 것을 볼 수 있다. 오른손의 A 음은 Dm7에서 5음이다. D, G, C,

---

105) 리얼 북(The Real Book)에 나오는 유명한 스탠더드 곡, 399.

F, A 음은 6개의 코드로 적용될 수 있다. Dm7(11)의 포스 보이싱은 루트리스 코드 B♭maj7(9), E♭maj7(9,#11)과 Am7(11), F6(9), G7sus4(9)의 보이싱과 밀접한 관련성이 있다.

⟨표 38⟩ ⟨So What⟩ Dm7의 왼손 포스 보이싱과 오른손 연결 화음

| ⟨So What⟩ 마디 왼손포스 보이싱과 오른손 연결 화음 | | | | | | | | |
|---|---|---|---|---|---|---|---|---|
| Dm7에서 나온 음 수 (D dorian 곡) | | | | | D, G, C / F, A | | | |
| 코드에 속한 음 | 1 | 2 | 3 | 4 | 5 | 6 | 7 | |
| 1 Dm7(11) | D | | F | G | A | | C | |
| | 근음 | | ♭3음 | 11음 | 5음 | | ♭7음 | |
| 2 B♭maj7(9) | | C | D | | F | G | A | 루트리스 코드 |
| | | 9음 | 3음 | | 5음 | 13음 | 7음 | |
| 3 E♭maj7(9,#11) | | F | G | A | | C | D | 루트리스 코드 |
| | | 9음 | 3음 | #11음 | | 13음 | 7음 | |
| 4 Am7(11) | A | | C | D | | | G | |
| | 근음 | | ♭3음 | 11음 | | | ♭7음 | |
| 5 F6(9) | F | G | A | | C | D | | |
| | 근음 | 9음 | 3음 | | 5음 | 6음 | | |
| 6 G7sus4(9) | G | A | | C | D | | F | |
| | 근음 | 9음 | | 11음 | 5음 | | ♭7음 | |

11) 1-5곡을 통해 본 재즈 보이싱

다섯곡의 분석에 나타난 보이싱의 특징들은 ① 포스 보이싱 ② 루트리스 2노트 보이싱 ③ 루트리스 4노트 보이싱 ④ 락드 핸즈 ⑤ 4웨이 클로스의 드롭 2 ⑥ 클러스터 보이싱 ⑦ 왼손 컴핑 보이싱과 당김음 ⑧ 폴리 코드 ⑨ 하이브리드 코드 보이싱 ⑩ 양손 포스 보이싱 ⑪ 왼손 포스 보이싱과 오른손 연결 화음을 사용한 것이다. 1-5곡의 분석을 통해 본 에번스의 보이싱 기법은 그가 엄선한 음들을 재배열하여 보이싱의 음영과 색채를 만드는 기술적인 특징으로 나타났다. 다음 ⟨표 39⟩는 분석한 1-5곡의 보이싱을 도식화한 표이다.

<표 39> 1-5곡을 통해 본 재즈 보이싱

| 빌 에번스 앨범《Alone》1-5곡 분석에 나타난 포스트밥 재즈 보이싱 | |
| --- | --- |
| 명칭 | 보이싱 기법 |
| ① 포스 보이싱 | 3개의 음을 4도 음정 간격으로 쌓아 만든 보이싱이다. 이러한 포스 보이싱은 4도 간격의 그 음들에 따라 여러 개의 코드가 나올 수 있는 모호한 음색을 가진다. |
| ② 루트리스 2노트 보이싱 | 에번스는 간결한 보이싱을 사용하기 위해 루트리스 2노트 보이싱을 자주 사용하였다. 루트리스 2노트 보이싱은 3음과 7음 (메이저 세븐, 마이너 세븐, 도미넌트 세븐)을 사용하는 가이드 톤 또는 V7sus4의 4음과 ♭7음을 가이톤으로 사용하였다. |
| ③ 루트리스 4노트 보이싱 | 텐션을 포함한 루트가 없는 4노트 보이싱으로 모호한 느낌이 드는 보이싱을 사용하였다. |
| ④ 락드 핸즈 | 오른손 보이싱을 그대로 유지하고 오른손 보이싱의 선율이 1옥타브 아래 베이스 음으로 더블링 된 것이다. |
| ⑤ 4웨이 클로즈의 드롭 2 | 오른손 화성에서 두 번째 음을 1옥타브 내려서 베이스에 위치하게 하는 것이다. Cm(maj7)의 오른손 아래에서부터 E♭, G, D 이고 베이스에 B음이 위치한 것은 드롭 2를 한 예이다. 이는 오른손 아래에서부터 E♭, G, B, D에서 두 번째 B음을 드롭 2 하면 왼손 베이스에 B음의 단선율을 만든 예이다. |
| ⑥ 클러스터 보이싱 | 인접한 음의 그룹을 동시에 터치하는 왼손의 보이싱으로 오른손의 선율을 보완해주는 코드의 울림. 예) 몇 개의 음을 한 클러스터로 만들어 주는 단2도와 장2도 간격의 음이 핵심 음이다. |
| ⑦ 왼손 컴핑 보이싱과 당김음 | 첫 번째와 세 번째 박자의 당김음은 첫째박 반박자 앞에서, 셋째박 반박자 앞에서 컴핑 보이싱이 당김음으로 시작된다. 두 번째와 네 번째 박자의 당김음은 둘째박 반박자 앞에서, 넷째박 반박자 앞에서 컴핑 보이싱이 당김음으로 시작된다. 예) 당김음으로 연주할 수 있고 짧은 터치만으로 라이트 컴핑 연주를 할 수 있다. |
| ⑧ 폴리 코드 | 폴리 코드는 다른 분수 코드와 다르게 수평선(가로줄(-))을 사용하여 분수 코드로 나타낸다. 예) 〈Never Let Me Go〉 229마디에서 Ⅶm13의 보이싱은 텐션과 코드톤으로 구성된 오른손 |

| | |
|---|---|
| | F#m7은 어퍼 스트록쳐 코드이며 왼손 Bm의 코드톤으로 이루어진 로우어 스트록쳐 코드이다. F#m7/Bm를 컨벤셔널 코드로 쓰면 Bm7(9,11,13)이며, Ⅷm7으로 분석된다. |
| ⑨ 하이브리드 코드 보이싱 | 하이브리드 코드는 코드톤에서 3음을 뺀 코드로서 공허하고 색다른 모호한 느낌을 주기 위해 사용하는 코드이다. 예) G♭/C 은 하이브리드 코드로 컨벤셔널 코드로 쓰면 C7(♭9,#11)이고 음들을 나열하면 C, D♭, G♭, B♭이다. 3음인 E음을 뺐다는 것을 알 수 있다. 하이브리드 코드는 슬래시(/)로 분수 코드를 나타낸다. |
| ⑩ 양손 포스 보이싱 *같은 패턴의 포스 보이싱을 양손에서 수직으로 연주 | 에번스의 양손 포스 보이싱은 왼손과 오른손에서 음 3개씩으로 각각 4도 간격으로 만들어진 보이싱이다. 또한 왼손에서 4도 간격으로 보이싱을 만들고 그 음들을 나열하여 맞춰보면 여러 개의 보이싱이 나올 수 있다는 것을 실제 알 수 있으며 이 보이싱은 하이브리드 코드, 루트리스 보이싱도 포함하고 있다. 예) 〈Here's That Rainy Day〉 1마디 첫 박 F#7sus4에서 나온 음(코드가 속한 조성: B장조): F#, B, E / G#, C#, F#이면 하이브리드 코드 F#7sus4(9), B6sus4(9), G#7sus4(#5,#9)과 E6(9), C#m7(11), 루트리스 코드 Dmaj7(9,#11,13)의 보이싱과 밀접한 관련성이 있다는 것을 알 수 있다. *왼손 포스 보이싱에서 오른손과 음정의 간격은 장3도 간격이며 보이싱 구성음 중에서 중복 음 사용하였다. |
| ⑪ 왼손 포스 보이싱과 오른손 연결 화음 | 왼손 포스 보이싱과 오른손 장3화음을 연결하여 연주하는 패턴이다. 포스 보이싱은 음3개로 4도간격이며 오른손과의 간격이 4도 간격이거나 장3도 간격이며 오른손 장3화음과 연결하여 연주하는 패턴이다. 음을 중복하여 더욱 풍성하고 세련되게 만들어주는 연주 방법이다. * 〈A Time For Love〉2곡 150마디, * 〈So What〉Dm7의 포스 보이싱과 오른손 연결 화음 연주에서는 중복 음 사용하지 않았다. |

## 3. 1-5곡의 선율과 리듬 변형

위에서 분석한 빌 에번스의 앨범《Alone》다섯곡에 나타난 선율과 리듬의 변형은 다음과 같다.

### 1) 일정한 마디의 축소 및 추가

〈Here's That Rainy Day〉107-110마디는 헤드 1의 B부분 11-18마디의 8마디가 4마디로 축소,〈A Time For Love〉160마디는 헤드 1의 A부분 3-4마디의 2마디가 1마디로 축소되었다.〈Here's That Rainy Day〉107-110마디 B부분 선율을 살펴보면 헤드의 8마디 음형이 1/2로 축소되었으며 111마디는 축소된 4마디에 1마디가 추가하여 전조 되었다.

〈악보 50〉〈Here's That Rainy Day〉107-112마디-일정한 마디의
축소/추가

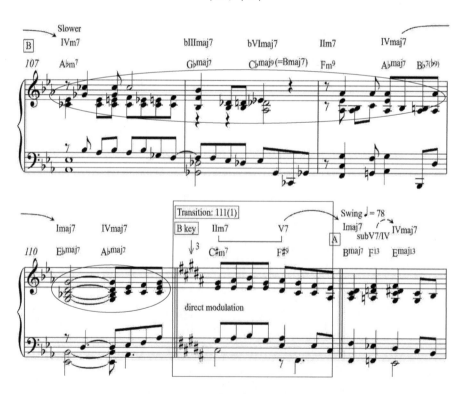

<악보 51> <Here's That Rainy Day> 11-18마디, 헤드 1의 B 8마디

2) 리피티드 노트 형태

같은 음이 반복되는 음형으로 〈Here's That Rainy Day〉15-16, 27-28, 39-40, 120-121마디에서 사용되었다.

〈악보 52〉 〈Here's That Rainy Day〉 15-16, 27-28마디-리피티드
노트 형태

3) 리드믹 아이디어

양손의 리드미컬한 아이디어는 오른손과 왼손이 서로 리듬감 있게 반복되는 응답 효과를 만든다. 〈Here's That Rainy Day〉 24마디 셋째박과 넷째박에서 볼 수 있다.

〈악보 53〉 〈Here's That Rainy Day〉 24마디-리드믹 아이디어

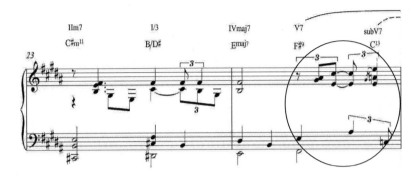

## 4) 선율에서의 아치 형태

〈Midnight Mood〉 118-123, 145-152마디에서 사용되었다.

〈악보 54〉 〈Midnight Mood〉 121-152마디-선율에서의 아치 형태

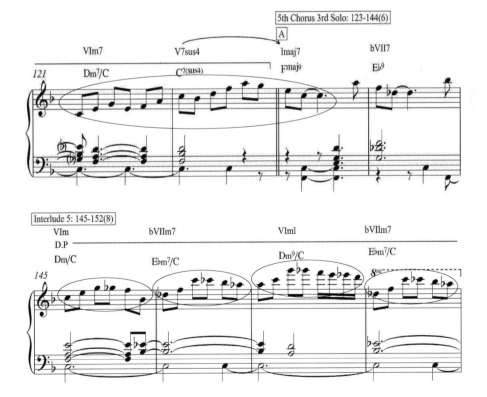

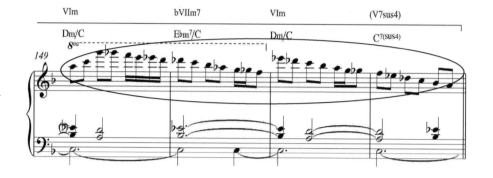

## 5) 특정한 음형 반복

〈Midnight Mood〉 220-225, 226-229마디에서 볼 수 있다.

〈악보 55〉 〈Midnight Mood〉 220-225, 226-229마디-
특정한 음형이 시작하는 음을 달리하며 반복

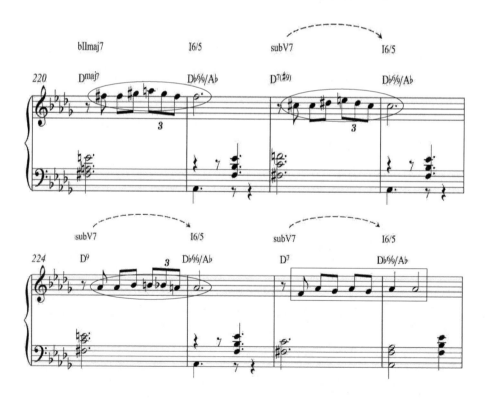

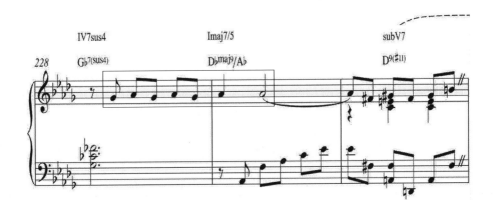

6) 아르페지오의 강박에서 진행되는 비화성음

아르페지오 선율에서 강박에 코드톤이 아닌 텐션 음을 먼저 사용하였다. 〈A Time For Love〉 113마디, 〈Midnight Mood〉 31, 32마디, 〈On a Clear Day (You Can See Forever)〉 60, 62, 127, 128마디에서 확인할 수 있나. 아르페지오 선율은 기존의 비밥 연주의 방식처럼 비화성음을 약 박이 아닌 강박에 사용하는 에번스만의 독특한 방식이라 할 수 있다.

〈악보 56〉 〈A Time For Love〉 113마디-아르페지오의 강박에서 비화성음 사용

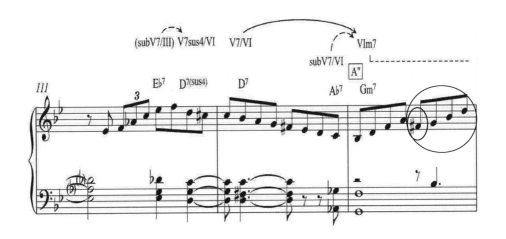

<악보 57> <Midnight Mood> 30, 31, 32마디-
아르페지오의 강박에서 비화성음 사용

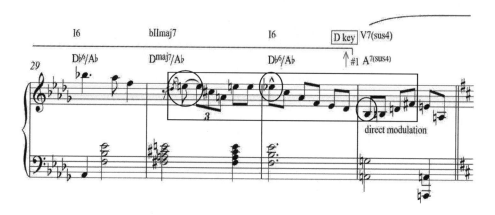

<악보 58> <On a Clear Day (You Can See Forever)> 60, 62, 127,
128마디-아르페지오의 강박에서 비화성음 사용

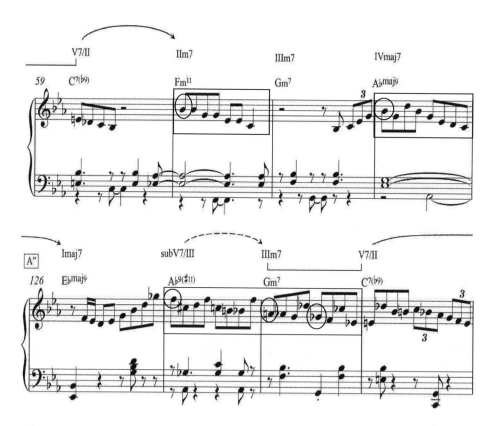

7) 특징 음형

3도의 간격으로 두 번 반복하고 2도의 음정으로 연결되는 방식이다.
〈Never Let Me Go〉132, 189, 197-198마디에서 확인할 수 있다. 132, 189
마디 셋째박에서부터 넷째박 첫 음은 선율이 장3도, 단3도 간격이고 다음은
장2도 순차진행이다. 특정 음형의 진행에서 두 번째 음과 네 번째 음이 같은
D음으로 연속되는 것을 다음 악보에서 확인할 수 있다. D음은 넷째박 첫 음
E 음으로 장2도 순차진행하고 197-198마디에서는 넷째박에서 B음이 다음 마
디 C음으로 단2도 순차진행 하는 것을 볼 수 있다. 132, 189마디에서는 음정
과 박의 위치가 같고 197-198마디는 음정은 같은데 박의 위치와 음의 길이
를 달리하여 특정 음형을 사용하였다.

〈악보 59〉 〈Never Let Me Go〉132, 189, 197-198마디-특징 음형

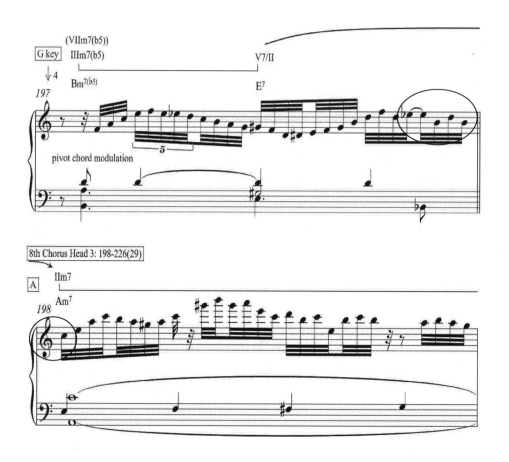

8) 모티빅 매니플레이션(Motivic Manipulation)

같은 음형의 동기가 박의 길이, 선율과 리듬이 변화 있는 반복이다.
〈Midnight Mood〉 71-72마디는 75-76마디가 동형 진행이고 73-74마디는
77-78마디가 변화 있는 반복이다. 71-74마디가 75-78마디, 79-82마디까지 두
번 더 변형되며 발전하였다. 그러나 79-82마디는 동형 진행의 느낌이 점차
줄어들면서 다음으로의 진행을 준비하고 있다. 다음 〈악보 60〉에서 볼 수
있다.

<악보 60> <Midnight Mood> 71-84마디-모티빅 매니플레이션

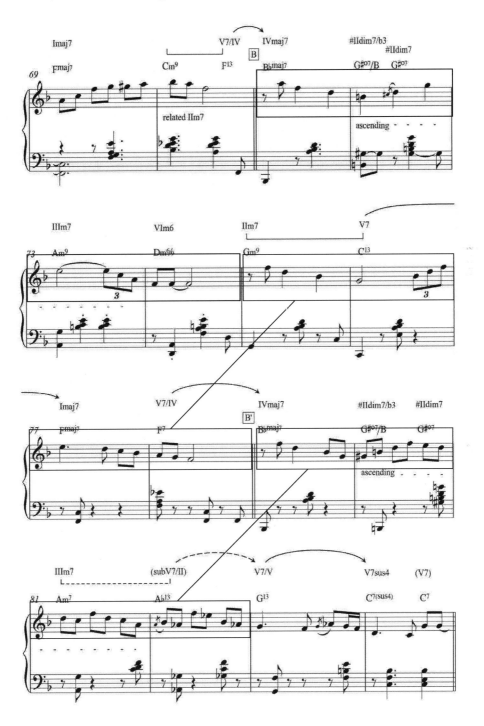

## 9) 리드믹 디스플레이스먼트(Rhythmic Displacement)

어떤 특정한 음형이 반복되는 형태로서 음형이 시작되는 박의 위치를 달리하여 리드믹하게 변화를 주는 기법이다. 〈Midnight Mood〉 62마디 셋째박에서 64마디까지 나오는 'C - A - F - C - Bʰ' 음형은 첫 번째 반복 시 65마디 첫박의 8분 쉼표 다음에 나오는 8분음표에서 시작하게 되고 두 번째 반복 시에는 66마디의 세 번째 박, 두 번째 8분음표에서 시작한다. 62-68마디에서 같은 선율이 세 번 연주되고 있으며 선율은 같으나 리듬이 계속 변형되고 있다. 첫 번째의 리듬은 시작 음에서 두 번째 음이 한 박자 길이의 당김음이었는데 두 번째의 리듬은 반 박자 간격으로 좁혀졌고 세 번째의 리듬은 한 박자 반으로 리듬이 길게 변형된 것을 볼 수 있다.

〈악보 61〉 〈Midnight Mood〉 62-68마디-리드믹 디스플레이스먼트

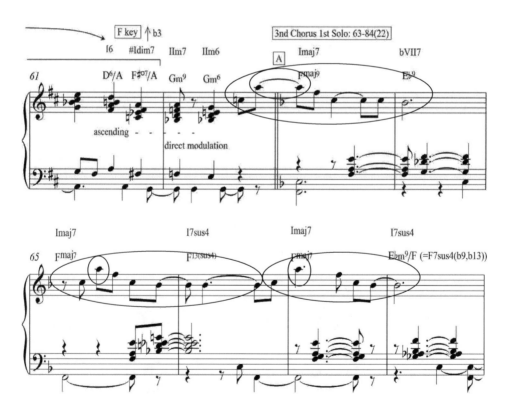

10) 스텝와이즈 모션(Stepwise Motion)

〈Midnight Mood〉 123-130마디, 〈On a Clear Day (You Can See Forever)〉 124-125마디에서 볼 수 있다. 〈Midnight Mood〉 123-130마디, 진행되는 선율에서 계단식으로 상행하고 하행하는 선율로 연주하였다. 이것은 123-128마디에서 A-B♭-C-D-E♭음으로 상행하는 스텝와이즈 선율이다. 그리고 다음에 이어지는 128-130마디에서는 E♭-D-C-B♭-A-G-G♭-F 음으로 하행하는 스텝와이즈 선율로 진행하였다. 〈On a Clear Day (You Can See Forever)〉 124-125마디에서는 E♭-D-C-B♭-A♭-G-F#-F로 하행하는 스텝와이즈 선율이 사용되었다.

〈악보 62〉 〈Midnight Mood〉 123-130마디-스텝와이즈 모션

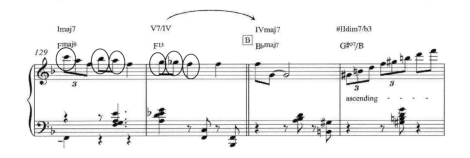

## 11) 하행하는 베이스 선율과 리듬의 변화

〈A Time For Love〉 9-15, 127-133마디에서 Ⅵm7, ♭Ⅱ/5, Ⅰmaj7/5, #Ⅳm7 (♭5), Ⅳmaj7, Ⅲm7, Ⅱm7, Ⅱm7/♭7, Ⅶm7(♭5) 진행은 2전위와 3전위, 모달 인터체인지 코드를 사용하여 베이스 선율을 B, B♭, A, G#, G, F#, E, D, C#으로 순차적 반음 하행을 유도하였다. 이 진행에서 F#, E 음은 온음 간격이며 나머지 음은 반음 간격이다. 127-131마디의 코드는 Bm9, E♭/B♭, Dmaj7/A, G#m7(♭5), Gmaj9, F#m7이다. E♭/B♭, Dmaj7/A에서 2전위를 하여 베이스 선율이 B, B♭, A, G#, G, F#으로 순차적 반음 하행을 유도하였다. #Ⅳm7(♭5)-Ⅳmaj7-Ⅲm7은 12-13마디와 같은 선율로 반음씩 하행하고 순차 진행하는 것은 같다. 그러나 130-131마디에서 리듬이 바뀌었다. 또한 뒤에 연속되는 132-133마디에서 베이스 진행이 E, D, C#으로 진행된 것은 14-15마디와 같다. 9-15마디와 127-133마디까지의 베이스 선율은 전체적으로 순차 진행하는 것은 같지만 리듬의 변화를 볼 수 있다.

〈악보 63〉 〈A Time For Love〉 127-133마디-하행하는 베이스 선율과 리듬 변화

12) 프래그먼트 선율 형태

선율의 부분적인 조각을 사용하는 것이다. 〈A Time For Love〉 89-90마디에서 선율 조각들이 사용되었다.

〈악보 64〉 〈A Time For Love〉 89-90마디-프래그먼트 선율 형태

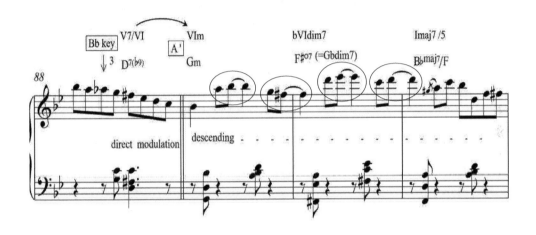

13) 콘스턴트 스트록쳐와 시퀀스 형태 동시 진행

〈Never Let Me Go〉 227-228마디에서 콘스턴트 스트록쳐는 같은 성질의 코드로 장2도씩 하행하는 일정한 근음의 움직임을 보인다. 또한 동기에 나오는 선율은 시퀀스 형태로 특정한 음형이 시작하는 음을 달리하며 반복되고 있다. 〈악보 65〉를 통하여 볼 수 있다.

<악보 65> <Never Let Me Go> 227-228마디-
콘스턴트 스트록쳐와 시퀀스 형태 동시 진행

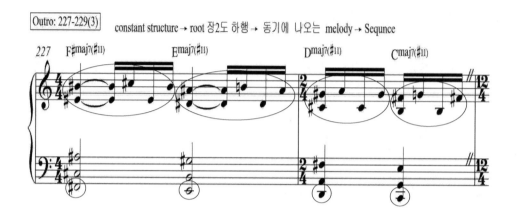

14) 시퀀스 형태

<A Time For Love> 3-4, 5-6, 11-14, 27-30, 33-35, 44-45, 51-54, 129-130, 145 -148, 151-153, 160-161마디와 <Midnight Mood> 101-107, 109마디에서 같은 음형의 선율진행으로 나타난다.

<악보 66> <A Time For Love> 145-148마디-시퀀스 형태

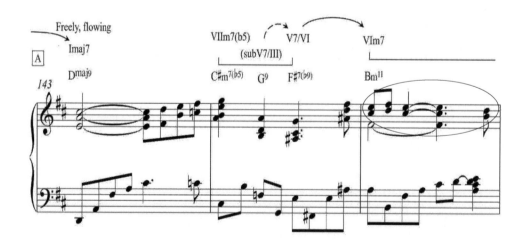

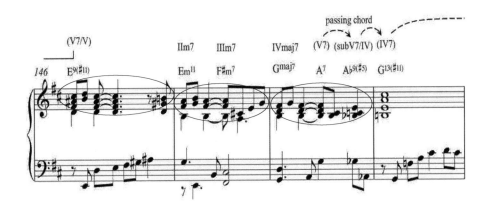

〈악보 67〉 〈Midnight Mood〉 101-107, 109마디

15) 크로스 리듬이 교차하는 형태

교차 리듬 또는 다른 박자를 일반적인 박자와 겹쳐서 다중 리듬 또는 폴리 메트릭 효과를 만들어 크로스 리듬을 연주하는 방식이다. 〈On a Clear Day (You Can See Forever)〉 130-133, 135, 167-168마디에서 확인할 수 있다.
130(Ⅱm7)마디와 132(Ⅲm7, Ⅲm)마디에서는 S6, S♭2, S♭13을 엇 박으로 부딪힘을 피하여 어보이드 노트 사용을 했으며 130-136마디에서 점4분음표의 선율 리듬이 사용되었다.

〈악보 68〉 〈On a Clear Day (You Can See Forever)〉
130-133, 135마디-크로스 리듬

16) 블록 코드

중음역 대에서 왼손의 4파트(4개 또는 4개 이상)와 그 위 오른손의 한 옥
타브에서 완전5도를 만들어 4도의 음정으로 쌓아 만든 수직으로 된 보이싱
형태이다. 왼손에서는 코드톤을 나열한 코드와 텐션이 들어간 코드를 사용하
기도 하며 루트리스 보이싱을 사용하기도 했다. 분석한 다섯곡에서 정확한
패턴을 볼 수 없었으나 에번스의 다른 연주곡에서는 블록 코드를 사용하였으
므로 제시하였다.

〈악보 69〉 〈For Nenette〉 106)블록 코드

---

106) 다라 편집부, *For Nenette*, 『Bill Evans 재즈 명곡집 2』, (서울: 도서출판 다
라, 1990), 38.

17) 리드믹 유니즌

오른손의 단선율과 왼손의 보이싱이 수직적으로 일치하여 진행되는 보이싱
이다. 분석한 다섯곡에서 정확한 패턴을 볼 수 없었으나 에번스의 다른 연주
곡에서는 리드믹 유니즌을 사용하였으므로 제시하였다.

〈악보 70〉 〈Autumn Leaves〉 107)리드믹 유니즌

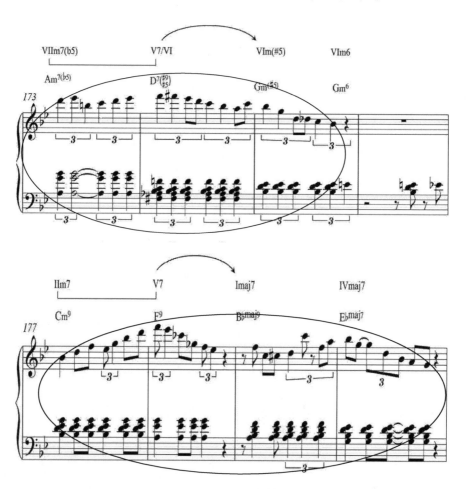

107) Joseph Kosma·arranger Bill Evans, *Autumn Leaves* (Los Angeles: Publications
INC.), (1995), 149.

18) 대위적인 선율과 리듬

다성음악을 구성하는 방법은 두 가지로 종적 또는 횡적으로 구성하는 대위법이다. 다성음악은 수직적, 수평적 통제가 공존하며 선율과 화성의 작용은 추상적인 개념이 아니다. 대위법은 바로크 음악가 요한 세바스티안 바흐 (Johann Sebastian Bach, 1685-1750)에 의해 발전된 음악이며 '인벤션', 평균율 피아노곡 '푸가'를 중심으로 쉽게 이해하고 다가갈 수 있다. 바흐 음악은 확실한 화성 진행의 방향성과 광범위한 음악 개념으로 상호보조적인 선율이 동등하게 공존하는 사실에 근거한다는 것을 볼 수 있다. 대위적인 선율은 오른손과 왼손의 선율에서 대위적인 응답 효과를 갖는 오른손의 선율과 리듬이 수평적인 진행과 수직적인 화성 진행으로 베이스라인과 테너 라인에서 상호보조적으로 연결되었다.

① 〈Here′s That Rainy Day〉 25-26, 75-78마디, ② 〈A Time For Love〉 117-118, 141-142마디, ③ 〈On a Clear Day (You Can See Forever)〉 76-79, 84-87, 151-153마디, ④ 〈Never Let Me Go〉 30-31, 36, 124-125, 150-151마디 등에서 볼 수 있다. 다음은 위에서 분석한 에번스의 솔로 연주곡에서 발췌한 부분 악보에서 그의 대위적인 선율과 리듬, 지속음과 연결되는 부분을 볼 수 있다.

〈악보 71〉 〈Here′s That Rainy Day〉 25-26마디-대위적인 선율과 리듬

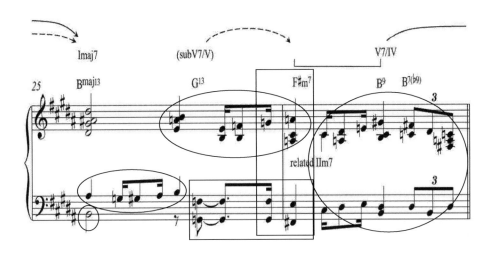

① 25마디에는 베이스 선율의 B 지속음과 테너 라인의 선율 리듬은 오른손의 선율 리듬과 같은 형태로 A#, G, G#, A#, B 음이며 오른손 B, E, F, G, A 음과 같은 선율 리듬이다. 26마디의 형태도 앞에서 진행된 선율이 약간 변형된 병렬 진행으로 왼손과 오른손이 같은 리듬의 대위적인 선율진행으로 보았다. 여기서는 수평적, 수직적인 선율 형태로 진행되었는데 25마디는 수평적으로 진행하였고 26마디는 수직적으로 진행하였다. 25마디 왼손 라인 중간에 근음과 ♭7음의 간결한 2노트, 근음과 ♭7음 위의 오른손의 ♭3음을 옥타브로 중복한 보이싱이 상호보조적으로 26마디 첫 박까지 진행되었다.

〈악보 72〉 〈Here's That Rainy Day〉 75-78마디-대위적인 선율과 리듬

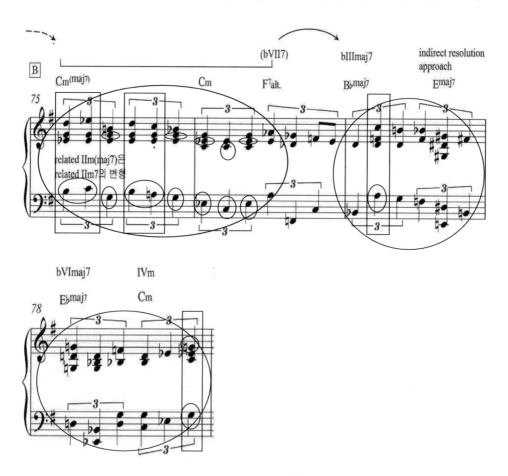

①-1 75-78마디는 4웨이 클로스의 드롭 2 보이싱, 선율이 베이스에 중복되는 락드 핸즈 보이싱, 왼손 베이스 라인이 만들어질 때 오른손의 화음에서 근음과 3음, 5음, 7음이 중복, 또는 그 화성 안에서의 코드톤과 텐션이 사용되었다. 이는 같은 방향이나 반대 방향, 음정의 간격은 다르지만 진행하고자 하는 방향이 같거나 유지되는 대위적인 진행이다.

〈악보 73〉 〈A Time For Love〉 117-118, 141-142마디-
지속음과 대위적인 선율과 리듬

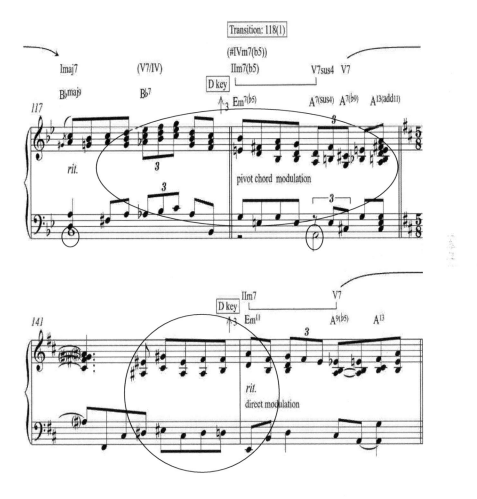

② 위의 〈A Time For Love〉 117-118, 141-142마디에서도 ①과 ①-1에서와 같이 오른손 선율과 테너, 베이스라인에서 대위적인 선율이 진행된다.

〈악보 74〉〈On a Clear Day (You Can See Forever)〉 76-79, 84-87,
151-153마디-대위적인 선율과 리듬

- 156 -

③ 위의 〈On a Clear Day (You Can See Forever)〉 76-79, 84-85, 86-87, 151-153마디에서도 ②에서와 같이 오른손 선율과 내성의 라인, 베이스라인에서 대위적인 선율이 진행되었다.

〈악보 75〉 〈Never Let Me Go〉 30-31, 36, 124-125, 150-151마디-지속음과 대위적인 선율과 리듬

④  〈Never Let Me Go〉 30-31, 36, 124-125, 150-151마디에서도 ①과 ①-1에서와 같이 베이스라인과 테너 라인에서 대위적인 선율이 진행된다. 4 웨이 클로스의 드롭 2 보이싱, 오른손의 보이싱이 왼손에 중복되는 음과 그

화성 안에서의 코드톤과 텐션이 사용되었다. 오른손에서 중간에 텐션이 사용되었고 왼손 테너 라인은 그 코드톤의 중복과 4웨이 클로스의 드롭 2 보이싱이 여러 곳에서 사용된 것을 볼 수 있다. 같은 방향이나 반대 방향, 음정의 간격은 다르지만 진행하고자 하는 방법이 병렬식으로 연결된다. 에번스는 오른손, 왼손의 선율과 리듬이 유기적인 관계로 음색에 영향을 주는 코드톤과 텐션의 조화로움으로 음들의 잔향과 함께 색다른 대위적인 선율과 리듬을 만들었다.

19) 인상파적인 색채감

인상파 음악은 낭만 음악(1850-1880)과 현대 음악 사이, 1890년에서 1900년대 초, 제1차 세계대전까지의 기간에 프랑스를 중심으로 발생하였다. 인상파 음악은 1900년 프랑스 파리의 봄, 200일 동안 열린 파리 만국 박람회(EXPO: 1900년 4월 15일-11월 5일)를 통하여 예술작품들이 알려지게 되었다. 이 시기 전에는 화가들이 물감이 변하게 될 것을 우려하여 외부로 나가서 그림을 그리지 않았었는데 당시 튜브에 담긴 유화 물감이 나오게 되면서 야외로 나가 그림을 그리게 되었다. 당시 인상파 화가들은 빛의 움직임에 따라 시시각각 변화하는 색채감을 자유롭게 그림에 나타냈다. 이어 상징주의 문학과 음악 예술의 만남으로 인상파 음악이 작곡되는데 경제적, 사회적으로 불투명한 삶과 관계된 예술들이 발전하던 시기, 교회선법을 사용하여 음에 색채를 주게 되었다. 인상파는 사물에 대한 인상에서 느끼는 미묘한 분위기를 고전파나 낭만파의 신화적, 역사적 사상을 없애고 감각적인 면만을 강하게 나타내려고 하였다.

1950년대 말부터 에번스는 클래식 음악가들이 사용한 선법을 사용하여 모달 재즈 음악을 만들어 연주했다. 모달 재즈는 화성에서 느껴지는 선법, 영역을 정해놓고 영역마다 선법의 색깔을 정해서 연주하는 선법과 화성 진행에서 느껴지는 선법이다. 에번스의 연주곡에서는 모달 인터체인지 코드가 자주 사용되었는데 이것은 모드 스케일에서 만들어지는 모달 코드들, 코드의 스케일, 모드 스케일을 사용했다. 그의 인상파적인 연주는 고전음악과 재즈 음악의 통합으로 이루어진 결과로 볼 수 있다.

에번스가 영향을 받은 인상파 음악가로는 클로드 드뷔시(Claude Achille Debussy, 1862-1918), 모리스 라벨(Maurice Joseph Ravel, 1875-1937), 세르게이 라흐마니노프(Sergei Rachmaninoff, 1873-1897), 세자르 프랑크(César Franck, 1822-1890), 아이작 알베니스(Isaac Albéniz, 1860-1909), 알렉산더 스크리아빈(Aleksandr Skryabin, 1872-1915), 다리우스 미요(Darius Milhaud, 1892-1974), 가브리엘 포레(Gabriel Fauré, 1845-1924)가 있었다. 에번스는 인상파 음악가의 곡을 연구하여 자신의 연주곡에 꾸준하게 적용하였다.

에번스는 연주곡 조성의 코드톤과 논다이어토닉 코드 스케일, 모드 스케일과 화성을 폭넓게 사용함으로 인상파적인 색채감을 얻었다. 에번스의 연주곡에서 인상파적인 느낌이 드는 것은 감성과 서정성, 음영과 불확실한 신비의 세계와 불협화음으로 긴장된 감정을 느낄 수 있기 때문이다. 이것은 펜타토닉 스케일(메이저: C, D, E, G, A, 마이너: C, E$^b$, F, G, B$^b$), 블루스 스케일(1, $^b$3, 4, $^\#$4($^b$5), 5, $^b$7-C, E$^b$, F, F$^\#$(G$^b$), G, B$^b$), 반음계(크로메틱-C, C$^\#$(D$^b$), D, D$^\#$(E$^b$), E, F, F$^\#$(G$^b$), G, G$^\#$(A$^b$), A, A$^\#$(B$^b$), B ), 중세 교회선법(이오니안, 도리안, 프리지안, 리디안, 믹소리디안, 에올리안, 로크리안), 조성의 코드톤 외에 논다이어토닉 코드, 한 옥타브 이상의 9, $^b$9, $^\#$9, 11, $^\#$11, 13, $^b$13의 연장된 음들에서 엄선한 음들을 추가한 화성 진행으로 연결된 선율, 지속음과 페달 효과로 나타낸다. 지속음과 페달 효과는 여러 음들을 묶어 여러 음색의 잔향을 만들어 자연의 소리와 움직임을 표현한 것이다. 이것은 오케스트라적인 음악으로 표현한 것으로 볼 수 있다. 인상파 음악은 음들의 연결을 선율과 리듬이 너무 대조적이지 않게 나타냈다. 이것은 자유롭게 표현하는 인상파의 그림(페인팅 효과), 상징주의 문학과 같은 표현이다.

본 저서에서 분석한 ① 〈Here's That Rainy Day〉, ② 〈A Time For Love〉, ③ 〈Midnight Mood〉, ④ 〈On a Clear Day (You Can See Forever)〉, ⑤ 〈Never Let Me Go〉곡에서 인상파적인 색채감을 느낄 수 있다. 다음은 두 곡의 일정 부분만 제시하겠다.

〈악보 76〉 〈Here's That Rainy Day〉 인상파적인 색채감

　〈Here's That Rainy Day〉 곡은 1-129마디이다. 위에 제시한 악보 1-6마
디를 보면 1-2마디 도미넌트 페달(D.P) 포인트를 사용하여 코드들의 여러 음
색의 진동에 의한 희미한 잔향으로 인상파적인 색채를 만들어 주었다. 각각
의 코드마다 텐션과 서브스티튜트 도미넌트 세븐, 양손에 포스 보이싱이 사
용되었는데 포스 보이싱에 겹 꾸밈음이 3번 사용되었다. 도미넌트 세븐 코드

가 텐션의 변화로 언제든지 으뜸음으로 해결할 준비를 하는 가운데 서브스티튜트 도미넌트 세븐이 반음 하행하여 도미넌트 세븐 코드를 꾸미는 단조롭고 조용한 진행이다. 왼손의 포스 보이싱에 겹꾸밈음이 2마디 동안 3번 사용되었는데 빗방울이 가늘게 튀는 듯한 느낌을 주고 다음의 도미넌트 코드로 연결된 것은 '비오는 날'의 차분하고 모호한 감정을 표현한 두 마디의 인트로이다. 3마디에서 첫 박 오른손 보이싱의 선율이 길게 유지되는 가운데 내성의 선율이 유기적인 관계로 연결된다. 4마디 B/D#(Ⅰ/3)의 왼손 보이싱은 1전위한 베이스음으로 B음보다 단6도 더 낮은 D# 음과 오른손의 내성에서 연결된다. 3-6마디의 그 코드들에서 9, 11, #11, 13, b13 음들이 사용되어 '비오는 날'의 인상파적인 느낌을 준다. 4마디에서 코드의 1전위한 음이 베이스에 놓여 차분한 느낌이 연속되고 D7(sus4), D9(b13)이 진행되고 있다. 오른손 넷째박에 D9(b13)은 반음 하행하지 않고 완전5도 하행하여 5마디 모달 인터체인지 코드 bVImaj7인 Gmaj9으로 진행된다. Gmaj9은 4노트의 오른손 보이싱에서 3개의 음으로 된 D9(b13)으로 연결하여 D9(b13) 코드의 아래서부터 나열하면 Bb, D, F# 음이다. Bb(b13)음은 A음으로 진행하고, D음은 B음으로 단3도 하행하고, F#음은 다음 코드 Gmaj9의 세븐 음인 F#음으로 진행하므로 내성의 희미하고 부드러운 소리에 귀를 기울이게 된다. 여기에서 Bb음만 집중한다면 반음 상행과 반음 하행으로 다음 코드 내성에서 B, A음으로 나눠지는 것을 볼 수 있다. 5-6마디 왼손의 지속음과 테너 라인으로 선율에 상호보조적 역할을 하고 있다. 5마디 마지막 코드와 6마디 코드가 모달 인터체인지 코드로 진행된다. 여기서 세컨더리 도미넌트 세븐 코드 음정의 배열은 포스 보이싱의 모호한 특성으로 반음 하행하여 모달 인터체인지 코드로 진행한 것은 제목이 '비오는 날'이므로 진행을 바꿔서 반음 하행한 위장 해결이다. 5마디 마지막 코드도 4마디 넷째박의 코드 진행과 유사한 방법으로 진행되었다. 오른손의 선율과 리듬을 왼손의 베이스 음과 내성에서 유기적인 움직임으로 텐션음이 튀지 않게 세련된 음색으로 연주되었다. 이러한 진행들은 인상파적인 느낌을 주는 도미넌트 코드 텐션 음들의 움직임과 모달 인터체인지 코드, 지속음의 사용으로 제목에 상응하는 화성 진행을 한 것으로 볼 수 있다. 지속음과 페달톤은 음들을 묶어 시간적인 음들의 혼합으로 인상파적인 색채와 오케스트라적인 음악으로 만들어 준다.

〈악보 77〉 〈Never Let Me Go〉 인상파적인 색채감

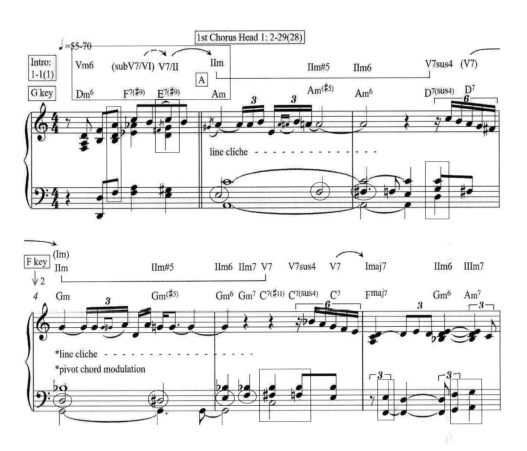

〈Never Let Me Go〉 1-229마디인 이 곡은 2, 3, 4, 5마디 간격으로 변화되는 조성의 형태로 아름답고 화려한 연주이다. 제시된 악보 1-6마디를 살펴보면 1마디의 인트로는 모달인터체인지 코드로 시작되었고 서브스티튜트 도미넌트와 세컨더리 도미넌트 진행에서 텐션 음들의 움직임과 4웨이 클로스의 드롭 2, 포스 보이싱이 사용되었다. 처음의 한마디는 스윙감 없이 정직하게 연주한 후 다음 2마디에서 조성이 보이고 왼손 베이스에서는 지속음을 2마디부터 마디마다 사용하였다. 선율에서는 8분음표에 대한 16분음표 셋잇단음과 그 음들 사이의 빠른 겹 꾸밈음으로 감성적이고 감각적인 면을 표현하였다. 테너 라인에서 두 번의 라인클리셰가 진행된 것을 볼 수 있다. '나를 보내지 마세요'라는 제목에 맞는 인상파적인 연주를 느낄 수가 있다. 빠르게 하행하는 스케일은 텐션 음 사용에 대한 긴장감을 느낄 수 없을 정도로 정갈한 스

케일 사이사이에서 희미하게 보일 듯 말 듯 숨어있다. 또한 코드의 텐션은 주로 내성에 많이 배치되어 있는 것을 볼 수 있다. 코드 스케일에 속한 텐션, 도미넌트 코드에서 #11을 사용하여 라인클리셰 라인 뒤에 연장되는 반음 상행으로 사용한 것은 색다른 느낌이며 다음은 11(F), 3(E)으로 반음씩 하행하는 테너라인 연장에서 그의 서정적인 감성이 나타났다. 6마디에서는 선율에 코드의 13음을 사용한 긴장된 느낌의 분위기를 왼손의 근음과 7음의 간결한 화성 사용으로 안정되었다. 내성에서 텐션의 움직임, 테너 라인의 라인클리셰, 선율에서의 텐션 사용, 왼손에서 상호보조적인 지속음, 근음과 7음의 간결한 보이싱 사용은 희미하게 드러나는 유기적인 연주기법에서 인상파적인 면을 느낄 수 있게 한다.

20) 1-5곡을 통해 본 재즈 선율과 리듬

다섯곡의 분석에 나타난 선율과 리듬의 변형 특징들은 ① 일정한 마디의 축소 ② 리피티드 노트 형태 ③ 리드믹 아이디어 ④ 선율에서의 아치 형태 ⑤ 특정한 음형 반복 ⑥ 아르페지오의 강박에서 진행되는 비화성음 ⑦ 특징 음형 ⑧ 모티빅 매니플레이션 ⑨ 리드믹 디스플레이스먼트 ⑩ 스텝와이즈 모션 ⑪ 하행하는 베이스 선율과 리듬의 변화 ⑫ 프래그먼트 선율 형태 ⑬ 콘스턴트 스트록쳐와 시퀀스 형태 동시 진행 ⑭ 시퀀스 형태 ⑮ 크로스 리듬이 교차하는 형태 ⑯ 블록 코드 ⑰ 리드믹 유니슨 ⑱ 대위적인 선율과 리듬 ⑲ 인상파적인 색채감의 진행이다. 이러한 진행들은 에번스가 재즈 음악에 클래식 음악을 통합시킨 결과물이다. 에번스는 음들을 연결할 때 유기적인 방법으로 악구의 변화를 가져왔다. 선율의 특정 음형을 모티브로 박의 길이를 달리하며 반복적인 연결과 곡의 축소와 확대를 통해 악구의 화려함과 정갈함, 그리고 투명하고 맑은 선율로 감상자를 이끌었다. 그는 클래식과 재즈 음악을 통합하여 재즈에서 볼 수 없던 선율적인 베이스라인을 만들어 연주하였다. 또한 에번스의 연주는 악구의 변화를 위해 지속음을 유지하면서 엄선된 음들의 배열로 선율과 리듬의 변형에서 오케스트라적인 잔향을 사용하는 기술적 특징을 보여주었다. 다음 〈표 40〉은 분석한 1-5곡의 선율과 리듬 변형을 도식화한 표이다.

<표 40> 1-5곡을 통해 본 선율과 리듬

| 빌 에번스 앨범《Alone》1-5곡 분석에 나타난 선율과 리듬 변형 | |
|---|---|
| 명칭 | 선율과 리듬 변형 기법 |
| ① 일정한 마디의 축소/추가 | 〈Here's That Rainy Day〉107-110마디는 헤드 1의 B부분 11-18마디의 8마디가 4마디로 축소, 〈A Time For Love〉160마디는 헤드 1의 A부분 3-4마디의 2마디가 1마디로 축소되었다. |
| ② 리피티드 노트 형태 | 같은 음이 반복되는 음형으로 〈Here's That Rainy Day〉15-16, 27-28, 39-40, 120-121마디에서 사용하였다. |
| ③ 리드믹 아이디어 | 양손의 리드미컬 한 아이디어는 오른손과 왼손이 서로 리듬감 있게 반복되는 응답 효과를 만들었다. 〈Here's That Rainy Day〉24마디 셋째박과 넷째박에서 사용되었다. |
| ④ 선율에서의 아치 형태 | 선율의 연결이 일정한 박의 길이를 가지고 아치 형태로 상행과 하행하는 곡선이 그려지는 패턴이다. 〈Midnight Mood〉118-123, 145-152마디에서 사용되었다. |
| ⑤ 특정한 음형 반복 | 특정한 짧은 음형이 시작하는 음을 달리하며 반복하는 형태이다. 〈Midnight Mood〉220-225, 226-229마디에서 사용되었다. |
| ⑥ 아르페지오의 강박에서 진행되는 비화성음 | 아르페지오 선율에서 강박에 코드톤이 아닌 텐션 음을 먼저 사용하였다. *〈A Time For Love〉113마디, 〈Midnight Mood〉31, 32마디, 〈On a Clear Day (You Can See Forever)〉60, 62, 127, 128마디 |
| ⑦ 특징 음형 | 3도의 간격으로 두 번 반복하고 2도의 음정으로 구성되는 방식 〈Never Let Me Go〉132, 189, 197-198마디에서 확인, 132, 189마디 셋째박에서부터 넷째박 첫 음은 선율이 장3도, 단3도 간격이고 다음은 장2도 순차진행, 132, 189마디에서는 음정과 박의 위치가 같고 197-198마디는 음정은 같은데 박의 위치와 음의 길이를 달리하여 특징 음형이 사용되었다. |
| ⑧ 모티빅 매니플레이션 | 같은 음형의 동기가 박의 길이와 선율과 리듬이 변화 있는 반복이다. 〈Midnight Mood〉71-72마디는 75-76마디가 동형 진행이고 73-74마디는 77-78마디가 변화 있는 반복이다. 71-74마디가 75-78마디, 79-82마디까지 두 번 더 변형되며 발전하였다. |

| | |
|---|---|
| | 그러나 79-82마디는 동형 진행의 느낌이 점차 줄어들면서 다음으로의 진행을 준비한다. |
| ⑨ 리드믹 디스플레이스먼트 | 어떤 특정한 음형이 선율과 리듬의 변화와 반복되는 형태로서 음형이 시작되는 박의 위치를 달리하여 리드믹하게 변화를 주는 기법이다. 〈Midnight Mood〉 62-68마디에서 사용되었다. |
| ⑩ 스텝와이즈 모션 | 계단식으로 반음이나 온음으로 상행, 또는 하행하는 선율의 순차적인 진행이다.<br>* 〈Midnight Mood〉 123-130마디에서 진행되는 선율의 흐름은 스텝와이즈 진행, 123-128마디에서 A-B♭-C-D-E♭음으로 상행하는 스텝와이즈 선율이며 다음에 이어지는 128-130마디에서는 E♭ - D - C - B♭ - A - G - G♭-F 음으로 하행하는 스텝와이즈 선율진행<br>* 〈On a Clear Day (You Can See Forever)〉 124-125마디에서는 선율이 E♭-D-C-B♭-A♭-G-F#-F로 하행하는 스텝와이즈 선율진행 |
| ⑪ 하행하는 베이스 선율과 리듬의 변화 | 〈A Time For Love〉 9-15, 127-133마디에서 VIm7, ♭II/5, Imaj7/5, #IVm7(♭5), IVmaj7, IIIm7, IIm7, IIm7/♭7, VIIm7(♭5)의 진행은 2전위와 3전위, 모달 인터체인지 코드를 사용하여 베이스 선율을 B, B♭, A, G#, G, F#, E, D, C#으로 순차적 반음 하행을 유도하였다. 이 진행에서 F#, E 음은 온음 간격이며 나머지 음은 반음 간격이다. |
| ⑫ 프래그먼트 선율 형태 | 선율의 부분적인 조각을 사용하는 것이다. * 〈A Time For Love〉 89-90마디에서 선율 조각들이 사용되었다. |
| ⑬ 콘스턴트 스트록쳐와 시퀀스 형태 동시 진행 | 〈Never Let Me Go〉 227-228마디에서는 콘스턴트 스트록쳐는 같은 성질의 코드로 장2도씩 하행하는 일정한 근음의 움직임과 동시에 동기에 나오는 선율은 시퀀스 형태로 특정한 음형이 시작하는 음을 달리하며 반복되었다. |
| ⑭ 시퀀스 형태 | 동기에 나오는 선율은 시퀀스 형태로 특정한 음형이 시작하는 음을 달리하며 반복 〈A Time For Love〉 3-4, 5-6, 11-14, 27-30, 33-35, 44-54, 129-130, 145-148, 151-153, 160-161마디와 〈Midnight Mood〉 101-104, 106마디에서 같은 음형으로 선율과 리듬의 진행이다. |
| ⑮ 크로스 리듬이 | 교차 리듬 또는 다른 박자를 일반적인 박자와 겹쳐서 다중 리 |

| | |
|---|---|
| 교차하는 형태 | 듬 또는 폴리 메트릭 효과를 만들어 크로스 리듬을 연주하는 방식, 〈On a Clear Day (You Can See Forever)〉 130-133, 135-136, 167-168마디에서 확인 *130(Ⅱm7), 132(Ⅲm7, Ⅲm)마디: S6, S♭2, S♭13을 엇박으로 부딪힘을 피하여 어보이드 노트를 사용을 하였다. |
| ⑯ 블록 코드 | 중음역 대에서 왼손의 4파트와 그 위 오른손의 한 옥타브에서 완전5도와 4도로 쌓은 수직으로 된 보이싱 형태, 왼손에서는 코드톤을 나열한 코드를 사용하기도 하고 텐션이 들어간 코드를 사용하기도 하며 루트리스 보이싱을 사용하기도 하였다. |
| ⑰ 리드믹 유니슨 | 오른손의 단선율과 왼손의 보이싱이 수직적으로 일치하여 동시에 사용하는 형태이다. |
| ⑱ 대위적인 선율과 리듬 | 다성음악을 구성하는 방법은 종적 또는 횡적으로 구성하는 대위법이다. 대위적인 선율은 오른손과 왼손의 선율에서 대위적인 응답 효과를 갖는 오른손의 선율과 리듬이 수평적인 진행과 수직적인 화성 진행으로 베이스라인과 테너 라인에서 상호보조적으로 연결된다. ① 〈Here's That Rainy Day〉 25-26, 75-78마디, ② 〈A Time For Love〉 117-118, 141-142마디, ③ 〈On a Clear Day (You Can See Forever)〉 76-79, 84-87, 151-153마디, ④ 〈Never Let Me Go〉 30-31, 36, 124-125, 150-151마디 등에서 볼 수 있다. |
| ⑲ 인상파적인 색채감 | 인상파적인 느낌이 드는 것은 감성과 서정성, 음영과 불확실한 신비의 세계를 연주에서 사색할 수 있게 된다. 이러한 내용을 전달받게 되는 음악 이론은 펜타토닉 스케일, 블루스 스케일, 반음계, 중세 교회선법, 조성의 코드톤 외에 논다이어토닉 코드들, 한 옥타브 이상의 9, ♭9, #9, 11, #11, 13, ♭13 음의 연장된 음들을 사용한다. 이렇게 엄선한 음들을 추가한 화성 진행으로 연결된 선율, 지속음과 페달 효과로 진동을 만들어 소리의 잔향으로 묶어지는 오케스트라적인 음색을 나타낸다. 본 저서에서 분석한 5곡 〈Here's That Rainy Day〉, 〈A Time For Love〉, 〈Midnight Mood〉, 〈On a Clear Day (You Can See Forever)〉, 〈Never Let Me Go〉의 전반에서 인상파적인 색채감으로 연주되었다. |

# IV. 《Alone》의 음악적 기법

## 1. 화성, 보이싱, 리듬의 조합

에번스의 《Alone》앨범에 수록된 다섯곡 분석을 통해 에번스가 이전 시대와는 다른 코드 진행들을 사용했음을 알 수 있다. 다이어토닉 코드가 아닌 논다이어토닉 코드를 사용하여 반음 상 하행의 가능성을 보여주는 등의 여러 가지 특징적인 연주기법을 보여주었다. 그는 보이싱과 선율을 만들 때 미묘한 음의 색채감을 표현함으로 인상주의적인 음악을 구사하였다. 또한 왼손과 오른손 선율의 대비를 통한 대위법적인 연주, 지속음 사용 시 화성 안에서 음을 추가하거나 빼기도 하며 자연스럽게 연결되는 진행으로 오케스트라적인 개념의 화성 사용법을 보여주었다. 음들의 조합은 여러 종류의 악기를 배치한 것처럼 피아노 연주에서도 이러한 개념을 활용하여 연주하였다.

솔로 연주에 대한 에번스의 생각은 음악은 움직인다는 것과 조성과 분위기 사이에서 매우 자유롭게 움직이는 오케스트라적 개념이라는 것이다.[108] 오른손 선율과 그것을 보조해주는 왼손의 선율이 서로 조화를 이루어 서로 응답하는 연주방식은 대위법적 방식으로 볼 수 있다. 에번스는 자신의 음색 조절과 기교에 도움이 되기 위하여 바흐를 묵독하면서 많은 시간을 보냈다. 에번스는 만년에 이르러 짐 에이킨에게 다음과 같은 말을 했다고 한다. "바흐는 피아노 연주에 있어서 내가 건반을 다루는 방식을 바꿔 놓았다. 그 이전에 난 많은 손가락 기교를 사용했다. 하지만 이후에 나는 소리의 무게를 이용한 기법으로 옮겨갔다. 실제로 바흐를 연주하거나 합창을 할 경우, 필수적인 음의 지속은 잘못된 접근으로는 결코 이뤄질 수가 없다. 만약 무엇이 그와 같은 소리를 만들어낼 수 있는가에 대한 개념을 당신이 갖고 있다면 당신은 곧장 앞으로 나갈 수 있을 것이다."[109]라고 말한 내용과 부합한다.

그는 연주 기술을 훈련하는 과정에서 바흐의 음악연구가 얼마나 중요한지를 피력하고 있다. 특히 화성의 사용법에서 필수적인 음의 지속은 대위법적

---

108) 1976년 'Downbeat Magazine'과의 인터뷰 내용.
109) Peter Pettinger, 『빌 에반스 재즈의 초상』, 77-78.
　　Jim Aikin, "Bill Evans", 『Contemporary Keyboard』, 1980년 6월호, 44-55.

인 바흐의 음악 방식으로 선율 전개와 화성을 다루는 방법이 좋은 음악을 만드는데 바탕이 된다는 것을 알려주었다. 음악연주에서 화성을 끌고 가는 음의 지속이 중요하고 이 지속음 안에서 음을 더하기도 하고 빼기도 한다. 그 가운데 선율 전체를 부드럽게 감싸 안는 지속음은 그 안에서 진행되는 음들을 부드럽고 아름다운 서정적인 음악으로 만들어 주며 간결한 긴장으로 옅은 페인팅 효과와 같이 투명한 음색을 만들어 준다. 또는 덧칠한 페인팅 효과와 같이 겹쳐진 음들로 모호한 느낌이 들도록 하여 상징적으로 드러나는 음 빛깔로 만들어 오케스트라적인 음색을 연출하므로 감상자를 신비한 음의 세계로 이끈다. 또한 대위적인 선율로 조직적이며 확고한 구상을 가지고 다성음악 구조와 텐션 음을 사용함으로써 서정성 및 감성 표현을 위한 미묘한 화성으로 발전시킨다. 그의 음악은 기본 훈련이 중요하며 그 위에 기술적인 것들을 계속해서 추가하는 것임을 에번스의 음악 연구를 통하여 알 수 있다.

## 2. 각 곡에 나타난 음악적 기법

Ⅲ장에서 분석한 다섯곡에서 각 곡의 '헤드'의 형식은 다음과 같다. 1곡 A-B-A-B′, 2곡 A-A′-B-A-A″, 3곡 A-B-B′(마지막 부분 추가 B″), 4곡 A-A′-B-A″의 섹션으로 나누어진다. 1-4곡은 같은 A, B 형식이고 5곡 A-A′-A-A″로 다섯 번째 곡은 A 형식으로 만들어진 곡이다. 아래는 지금까지 분석한 곡에서 전반적으로 크게 두드러진 부분을 고찰한 것이다.

### 1) 〈Here's That Rainy Day〉

A, B 형식이고 129마디로 구성되었다. 총 연주 시간은 약 5분 25초이다. 이 곡은 인트로 2마디와 4개의 절, 아웃트로 4마디로 각 절 마다 A-B-A-B′의 섹션으로 진행되는데 33-34(B→ G), 97-98(G→E♭), 111(E♭→B)마디에서 직접 전조 되는 트렌지션을 갖는다. 인트로 1-2마디 포스 보이싱으로 오른손과 왼손에서 연주된 것을 볼 수 있다. 인트로 2마디 연주 후에 1절 헤드 1의 A섹션이 연주된다. 가장 두드러진 보이싱은 포스 보이싱, 2 노트 보이싱, 락드 핸즈 보이싱, 드롭 2 보이싱, 리피티드 노트, 리드믹 아이디어 등이 사용

되었다. 전조는 IIm7-V7-I maj7의 트랜지션으로 3차례의 직접 전조로 진행되었다.

마치는 부분의 화성 진행을 살펴보면 조성은 B장조이며 125마디 넷째박인 (V7)으로 시작하여 126마디 아웃트로 IVm7-I/3-릴레이티드 IIm6-(V7/V)-♭IImaj7에서 129마디 Im7으로의 진행이다. 이는 에번스의 독창성이 나타나는 코드 진행이며 129마디에서는 으뜸화음인 Bmaj7으로 마치지 않고 Bm7으로 곡을 마쳤다. 단조가 장화음으로 끝나는 것을 피카르디 3rd라고 한다. 그러나 이 곡은 반대의 경우로서 장조에서 단조로 마치는 모달 인터체인지 코드이다. C 리디안 스케일에서 만들어진 7번째 코드인 Bm7이며 도리안 스케일을 사용하였다.

## 2) 〈A Time for Love〉

A, B 형식이며 161마디로 구성되었다. 총 연주 시간은 약 5분 8초이다. 이 곡은 4개의 절과 아웃트로 7마디 그리고 각 절 마다 A, A′, B, A, A″ 섹션으로 구성되어 있다. 39-40(D→B♭)마디에서 전조 하기 위한 트랜지션이 있으며 118(B♭→D)마디에서는 공통화음을 활용하여 119마디 D장조로 전조가 진행되었다. 인트로는 없으며 헤드 1의 A섹션으로 시작된다. 각 절 마다 B에서 1-2마디에 걸쳐서 라인 클리셰가 사용되었다. 각 절 마다 첫 번째 A섹션과 B섹션 6-8마디에서 나타나는 전조의 움직임을 볼 수 있다. 6마디에서 전조되었다가 8마디에서 원래의 조성으로 돌아가 A′섹션으로 진행되는 방식이다.

B섹션에서 세 번째 진행되는 A섹션으로 진행이 된다. 예상한 조성은 39-40(D→B♭)마디에서 트랜지션으로 직접 전조 그리고 118마디에서 직접 전조로 총 두 번의 전조가 진행되었다. 1절 A″섹션 7-9마디는 D장조에서 장3도 아래인 B♭장조의 IIm7(Cm7), V7(F13), Imaj7(B♭maj7)으로 직접 전조 되고 3절 A″섹션 6-7마디는 B♭장조의 Em7(♭5)를 활용하여 D장조의 IIm7(♭5)(Em7), V7(A7), Imaj7(Dmaj7)으로 직접 전조 되었다.

보이싱은 드롭 2 보이싱, 클러스터 보이싱, 락드 핸즈 보이싱, 포스 보이싱 등이 사용되었다. 그리고 강박에 비화성음과 싱코페이션을 사용함으로 자유로운 컴핑과 리듬을 구사하였다.

　마치는 부분은 보통 V7에서 Imaj7으로 마치는 것이 일반적이나 이 곡은 Vm7에서 #IVm7으로 곡을 마치고 있다. 160마디 넷째박에서 161마디의 V m7은 모달 인터체인지 코드이며 #IVm7은 모달 인터체인지 코드 #IVm7($^{b}$5)의 변형이다. 도리안 스케일을 사용하여 아르페지오 하였다.


　3) 〈Midnight Mood〉


　A, B 형식이며 232마디로 구성되었다. 총 연주 시간은 약 5분 20초이다. 이 곡은 7개의 절과 6개의 간주, 20마디의 아웃트로로 구성되었다. 각 절 마다 A-B-B′(마지막 부분은 추가 B″)으로 인트로 없이 1절 헤드 1, A섹션 으로 연주된다. 이 곡은 페달 코드와 모달 인터체인지 코드 그리고 디미니쉬드 코드가 많이 사용되었다. 이 중 특징적인 것은 디미니쉬드 세븐스 코드 진행 중 한 음을 전위하여 베이스 선율을 만들었다는 것과 근음이 같은 페달 톤인 보조적 코드로 사용하였다는 것이다. 또한 디미니쉬드 세븐스 용법에 없는 E 디미니쉬드 세븐에서 F 페달, F# 디미니쉬드 세븐에서 G 페달음을 사용하였다.110) 위의 F 페달과 G 페달은 디미니쉬드 세븐스 코드의 4전위에 해당하는 음이지만 4전위는 없으므로 다음 코드와 근음이 같은 페달 톤으로 연결되므로 보조적 코드로 분석된다. 또한 같은 B′섹션에서 3개의 코드 체인지 부분인 22-24마디의 코드가 동일한 B′섹션 부분인 204-206마디에서 코드 체인지되었다. 이 곡은 간주가 6번 진행되는 232마디의 긴 곡이다. 보이싱은 포스 보이싱, 근음이 없는 보이싱, 클러스터 보이싱, 그리고 오른손의 선율이 순차적으로 진행되었다. 분석한 다섯곡 중, 이 곡에서만 6마디의 B″ 섹션이 추가되었는데 B″섹션 3-6(209-212)마디에서 익스텐디드 도미넌트 세븐스의 화성이 진행되었다. 조성은 3번 바뀌었으며 20마디의 아웃트로는 다른 곡에 비해 비교적 긴 편이다. 여러 가지 기법 중 짧은 직접 전조와 코드 체인지 부분 그리고 추가된 B″섹션에서의 익스텐디드 도미넌트의 사용은 독창적인 진행으로 볼 수 있다. 아웃트로 20마디 동안 ① I/5-$^{b}$IImaj7-

---

110) 음악 이론에 도미넌트 페달(D.P), 토닉 페달(T.P)만 있으므로 그림 표기는 하지 않고 분석을 덧붙였다.

Ⅰ6/5, ② ♭Ⅱmaj7-Ⅰ6/5가 3번 반복, ③ subⅤ7-Ⅰ6/5가 3번 반복, ④ Ⅳ 7sus4-Ⅰmaj7/5로 진행한 후에 ⑤ subⅤ7-Ⅰmaj7으로 진행된다. 이 진행은 곡의 연장을 위한 화성 진행기법이다. ♭Ⅱmaj7-Ⅰ6/5와 subⅤ7-Ⅰ6/5, Ⅳ 7sus4-Ⅰmaj7/5는 이 곡에서만 볼 수 있는 아웃트로 진행이다.

4) 〈On a Clear Day (You Can See Forever)〉

A, B 형식이며 총 177마디로 구성되었다. 총 연주 시간은 약 4분 49초이다. 이 곡은 5개의 절과 아웃트로 4마디로 이루어졌으며 각 절 마다 A, A´, B, A˝ 섹션으로 진행되고 있다. 28-31, 66-67, 100-101, 136-137마디는 전조하기 위한 트랜지션에 해당한다. 이 곡은 인트로 없이 1절 헤드 1의 A섹션으로 연주된다. 못갖춘마디 다음 1마디 첫 박의 화성 진행은 원곡에 없는 모달 인터체인지 코드를 사용하였으며 3마디는 원곡에 있는 모달 인터체인지 코드에 텐션 음을 추가하였다. 또한 경과적 코드와 보조적 코드가 사용되었다. 전조 방법은 조성안에서의 직접 전조 그리고 공통화음을 활용한 비교적 짧은 전조 후 원래의 조성으로 돌아오는 방식이다. 조성에 나타난 전조는 총 4번의 트랜지션으로 직접 전조 되었다. 사용된 보이싱은 2노트 보이싱, 어보이드 노트의 부딪힘을 최소화시킨 코드 보이싱, 보조적 코드의 사용이다. 그리고 디미니쉬드 세븐스 코드를 다음 코드와 페달 진행으로 연결하였으며 오른손 보이싱의 전위로 베이스라인을 만들어 사용하였다. 선율의 첫 음을 순차 진행하여 하행하는 선율을 만들었고 더블 어프로치도 사용하였다. 아웃트로에서는 G장조 (Ⅴ7(D7))에서 G♭장조로 단2도 하행하는 전조를 시도하였다. 마치는 코드는 모달 인터체인지 코드 Ⅳ7으로 진행하여 리디안 ♭7의 스케일로 아르페지오 되었다. C♭7(9,#11)은 이명동음으로 B9(#11)인 Ⅳ7에서 G♭maj7인 Ⅰmaj7의 진행은 G장조에서 G♭장조로의 전조로 활용되었다. 이러한 화성의 사용은 매우 독창적인 사운드를 들려준다.

5) 〈Never Let Me Go〉

A 형식이며 229마디로 구성되었다. 총 연주 시간은 약 14분 33초이다. 이

곡은 인트로 1마디와 8개의 절, 아웃트로 3마디로 이루어져 있다. 각각 절들은 A-A′-A-A″ 섹션으로 진행된다. 처음에 인트로 Ⅴm6로부터 시작해서 1-2마디, 3-4마디에 라인 클리셰가 연속적으로 두 번 연이어 나온다. 이 곡에서는 2, 3, 4, 5마디 간격으로 조성이 바뀌게 되며 8절까지 연주되는 비교적 긴 구성의 곡이다. 조성은 공통화음과 직접 전조로 전조 되었다. 이 곡은 아름답고 화려한 느낌의 긴 연주곡이다. 코드의 분석은 같아도 선율과 리듬이 모두 다르게 연결된 음들의 결합이다. 같은 음들을 사용하여 반복하지 않았기 때문이다. 음들의 조합과 리듬이 모두 다르게 만들어진 곡이다. 다른 곡에서는 없는 특징 음형이 3번 등장한다. 이 곡의 특징적인 점은 모달 인터체인지 코드로 시작하여 두 번 연이어 진행되는 라인 클리셰 그리고 2마디 또는 3마디 간격으로 조성이 바뀌는 것 그리고 특징 음형의 진행이다. 226마디는 C장조의 Ⅰ6인데 227마디 아웃트로 두 마디에 콘스턴트 스트록처의 진행이 있다.

상2노 간격으로 하행하는 코드 진행은 $F^{\#}maj7(^{\#}11)$, $Emaj7(^{\#}11)$, $Dmaj7(^{\#}11)$, $Cmaj7(^{\#}11)$으로 같은 성질의 코드로 일정한 근음의 움직임을 보인다. 또한 메이저 세븐스 코드에서 4번의 시퀀스 진행이 되고 있다. 이 진행의 마지막 코드는 다시 C장조로 보는 $Cmaj7(^{\#}11)$이 229마디 Bm13으로 진행하였다. Bm13은 C 리디안에서 만들어진 Ⅶm7으로써 도리안 스케일로 아르페지오 하였다.

위의 다섯곡은 공통적으로 모달 인터체인지 코드, 릴레이티드 Ⅱm7, 인터폴레이티드 Ⅱm7, 서브스티튜트 도미넌트 세븐스 코드, 세컨더리 도미넌트 세븐스 코드들을 포함하고 있다. 또한 루트리스 코드와 3음을 제외한 하이브리드 코드 그리고 두 개의 코드가 합쳐진 폴리 코드를 사용하여 음색을 더욱 다양하게 꾸며주었다. 이러한 코드들의 사용은 에번스의 특징적인 음악적 기법을 발견하게 해준다. 또한 인트로, 절과 절을 연결하는 트랜지션, 간주(인터루드), 곡을 마치는 아웃트로의 연주에서도 에번스만의 자유로움을 볼 수 있다. 인트로는 1곡에서 2마디, 5곡에서 1마디로 연주하고 2, 3, 4곡은 인트로를 연주하지 않았다. 전조 하기 위한 트랜지션은 1곡은 4절 중에서 2절을 제외한 1절과 3절에서 2마디, 4절에서 1마디 진행되고 2곡은 4절 중에서 2, 4절을 제외한 1절에서 2마디, 3절에서 1마디, 4곡은 5절 중에서 5절을 제외한 1절에서 4마디, 2, 3, 4절은 각각 2마디 진행한다. 간주는 3곡에서만 7절 중에서 7절을 제외한 1-6절에서 각절 연주 후 8마디씩 연주하였다. 다섯곡 분석을 보면 인트로가 없이 곡을 연주하거나 트랜지션이 없이 같은 조성으로 다음 절을 연주하기도 하고 직접 전조 되어 연주하기도 한다. 5곡은 트랜지션 없이 인트로와 아웃트로만 연주하였다. 1곡에서 5곡의 아웃트로는 1곡 4마디, 2곡 7마디, 3곡 20마디, 4곡 4마디, 5곡 3마디로 곡을 마친다. 이 또한 규칙을 정하지 않고 그 곡에 맞게 에번스의 방식으로 짧게 연주하기도 하고 길게 연주하기도 하였다. 에번스의 연주곡 분석에서 나타난 것처럼 에번스는 후세 음악인들에게 틀에 얽매이지 않고 개성 있는 연주를 위하여 폭넓은 아이디어를 제공해 주었다.

### 3. 연주기법과 리듬

모든 음악은 장르별로 특유의 리듬 형태를 가지고 있다. 리듬은 빠르기와 강약에 의해 음악의 느낌과 화성의 색채감이 완전히 바뀌게 된다. 2비트, 3비트, 4비트, 5비트, 6비트, 7비트, 8비트, 9비트, 12비트, 16비트 등 다양한 형태로 혼합되어 연주된다. 리듬은 선율의 움직임에 따라 사용되는 리듬과 예측하기 어려운 랜덤으로 사용되는 리듬이 있다. 이러한 리듬의 패턴들이 예측하지 못한 형태로 바뀔 때 그 곡을 다양한 형태의 느낌으로 변형시킬 수 있게 된다.

포스트밥 재즈 피아노는 1960년 이후에 빌 에번스에 의해 중요한 특징들을 시스템화하고 완성하였다. 이러한 에번스만의 특징적인 연주기법은 《Alone》 앨범의 다섯곡에 잘 나타나 있다. 그의 음악에는 음악 규칙에 얽매이지 않는 선율과 보이싱을 사용하였으며 어보이드 노트도 넓은 간격의 음정을 사용하거나 리듬의 엇갈림으로 부딪힘을 줄여 사용하였다. 또한 전위의 규칙을 벗어난 페달 톤들을 사용하였다. 비밥에서는 비화성음을 약 박에서 시작한 것과 달리 에번스는 강박에 사용하여 아르페지오를 활용한 선율을 만들었다. 또한 중요한 선율의 골격만으로 다양한 선율로 발전시켜 나간 것을 알 수 있다. 포스 보이싱의 사용은 몇 개의 코드가 동시에 울리는 효과를 내며 오케스트라적인 개념으로 발전시킨 연주를 보여준다. 루트리스 보이싱을 사용하여 화성이란 개념에 흔들림을 가져왔으며 하이브리드 코드 보이싱을 사용하여 모호하고 몽상적인 느낌을 만들어내었다. 선율과 리듬의 지루함을 없애기 위해 교차하는 형태의 크로스 리듬을 사용하였다. 실제로는 4/4박이지만 3/4박처럼 느껴지는 리듬이 교대로 연주되며 반음 하행진행으로 자주 사용되었다. 컴핑 리듬에서도 에번스의 독창성을 발견할 수 있다. 렌덤 라이트 컴핑은 리듬에 일정한 패턴이 없이 불규칙한 컴핑이다. 렌덤으로 진행될때에도 규칙적으로 사용하기도 하지만 에번스의 컴핑은 규칙적인 리듬보다 불규칙한 리듬을 많이 사용하였다. 불규칙한 리듬을 쓰는 첫 번째 이유는 오른손에 나오는 리듬으로 인해 왼손의 리듬이 불규칙해지기 때문이다. 불규칙한 오른손의 리듬을 왼손이 보조하기 때문에 자연스럽게 불규칙한 리듬이 사용되는 것이다. 그러므로 왼손의 렌덤 컴핑의 주된 원인은 오른손의 리듬으로 인한 것이다.

에번스는 클러스터 프래그먼트 보이싱을 많이 사용하였다. 클러스터 보이싱은 주로 2도의 간격이다. 톱 노트에서 두 번째 성부까지는 3도나 4도의 간격으로 되어있으나 그 아래는 주로 2도로 되어있는 보이싱을 사용하였다. 당시에 빌 에번스와 다른 포스트밥 재즈 피아니스트들은 스탠더드한 루트리스 보이싱의 자리에 클러스터를 사용하였다. 에번스는 4노트와 2노트 루트리스 보이싱에서 클러스터를 사용하였다.

블록 코드는 넓은 범주에서 왼손과 오른손의 코드가 같은 리듬으로 동시에 진행되는 것이다. 블록 코드에 속한 보이싱은 락드 핸즈, 드롭 2, 블록 코드가 있는데 드롭 2, 블록 코드는 락드 핸즈의 변형으로 볼 수 있다. 블록 코드의 세 가지 형태를 살펴보겠다. 첫째, 락드 핸즈 보이싱은 오른손 상단의 선율이 한 옥타브 아래에 중복되는 보이싱이다. 둘째, 드롭 2 보이싱은 오른손 화성에서 두 번째 높음 음을 한 옥타브 내려서 베이스에 위치하도록 하여 왼손의 단선율을 만드는 보이싱이다. 또한 락드 핸즈와 같이 선율이 왼손에 더블링 되고 오른손 보이싱에서 드롭 2를 하여 5노트 보이싱을 만들 수도 있다. 오른손의 보이싱에서 두 번째 음만 왼손 베이스에 한 옥타브 내리면 자연스레 4성부의 선율이 만들어지는 것을 알 수 있다. 셋째, 블록 코드는 왼손 보이싱 위에 오른손에서 옥타브의 중간에 완전5도를 추가하는 공식이다. 왼손에서는 코드 톤으로 만든 3노트나 4노트 보이싱 또는 텐션이 들어간 4노트 보이싱이고 오른손에서는 옥타브 안에서 완전5도 음을 추가하면 나머지 음정은 완전4도가 되는 형태로 만든 보이싱이다. 즉 옥타브 중간에 완전5도를 만들면 완전5도 위로는 자연히 완전4도가 되는 보이싱이다. 이 보이싱은 오른손과 왼손의 보이싱이 수직으로 놓여 동시에 강한 울림을 주는 연주법이다. 이 방법으로 선율을 만드는 것은 에번스의 큰 특징 중 하나이다.

폴리 코드 / 어퍼 스트록처 아르페지오는 에번스만 쓴 것은 아니지만 포스트밥에 나오는 여러 가지 음악적 어법들은 빌 에번스에 의해서 완성되고 정리된 것이 많다. 리드믹 유니슨은 리듬으로 봤을 때 왼손 블록 코드가 오른손의 단선율과 같은 위치에 연주되고 있다. 선율에 캐릭터 피겨의 음형으로 3도-3도-2도(3도는 장3도나 단3도, 2도는 장2도나 단2도)의 음형을 마디에서 박의 위치가 같거나 박의 위치를 바꿔서 사용하는 특징 모양으로 아이디어를 발전시키기에 유용하다. 리피티드 노트는 같은 음형의 형태를 오른손의 옥타브 선율로 반복하여 연주되는 방법이며 코드와 리듬이 바뀌는 점이 흥미롭다. 리드믹 아이디어로 셋잇단음표 3개의 음표 중에서 오른손 2개 왼손 하나의 보이싱으로 셋잇단음표를 사용하였고 왼손의 삼중 리듬으로 응답 효과를 만들어냈다.

본 저서는 에번스가 1968년에 즉흥 연주하여 녹음한 《Alone》 앨범에 수록된 다섯곡에서 자주 사용한 화성 진행, 보이싱, 선율과 리듬에 대하여 고찰하였다. 포스트밥에서 가장 영향력 있는 그의 혁신이며 다른 연주자들의 연주에도 큰 영향을 끼쳤다. 그는 아이디어의 개발과 발전에 기반하여 즉흥연주에 대한 특징적이고 독창적인 접근 방식을 개발하였다. 일반적으로 뚜렷한 선율과 리드미컬한 특성을 가진 음표 그룹을 동기라고 한다. 그의 일부 아이디어는 간헐적으로 리드미컬한 성격의 음악을 유기적인 방법으로 개발하면서 독특한 방식의 기술로 동기의 변형을 하였다. 에번스의 계단식 선율은 하행하는 내림차순 간격을 기반하였고 즉흥연주 및 작곡에는 스케일 및 모드 스케일을 사용하였으며 그의 연주에서는 댐퍼 페달을 자주 사용하였다.

에번스는 클래식과 재즈적인 요소들을 결합하여 끊임없는 연주기법을 발전시킨 재즈 피아노의 거장이다. 그는 여러 가지 아이디어들을 끊임없이 적용하며 본인의 연주를 발전시켰다. 이러한 에번스의 재즈 음악연주와 이론들이 학문연구에 최고의 지침서가 되고 있다. 그는 재즈와 클래식 피아노의 장점들을 접목하여 자신만의 특징과 독창성으로 개발한 아이디어들로 이루어졌다. 보이싱과 음악적 기법들은 현대까지도 학습과 분석이 되고 있으며 트리오 연주에서는 멤버들간 인터플레이로 당시 음악사에 새로운 전환점이 되었다.

# V. 연주 특징

에번스의 연주는 자유롭게 조성을 넘나드는 화성 진행, 선율과 리듬에 엄선한 음들의 체계적인 연결로 리하모니제이션 하였다는 특징을 지닌다. 그는 인상파적인 풍부한 색채감과 대위적인 선율 라인을 만들어 연주하였다. 에번스는 지속음의 연결과 내성에서 희미하게 움직이는 코드톤과 텐션, 그리고 그가 엄선하여 재배열한 코드 보이싱들을 유기적으로 연결하여 세련된 선율과 리듬을 만들어 연주하였다.

본 저서에서 분석한 발라드 〈Here's That Rainy Day〉, 〈A Time for Love〉, 〈Midnight Mood〉, 〈On a Clear Day(You Can See Forever)〉, 〈Never Let Me Go〉에 나타난 특징은 다음과 같다.

에번스는 자신이 원하는 음색을 표현하기 위하여 더 넓고 더 복잡한 범위의 화성 진행을 하였다. 그는 화성 진행 시 논다이어토닉 코드를 더욱 적극적으로 사용하여 해당 코드들의 스케일에 속한 텐션 음들을 선율과 리듬에 유기적으로 연결하여 색다른 음색을 만들었다. 분석한 다섯곡은 전조 외에도 중간에 논다이어토닉 코드를 사용하여 짧게 전조 한 후 다시 전조 하기 전의 조성으로 회귀하였다. 또한 디미니쉬드 세븐스 코드, 어프로치 음, 경과적 코드와 보조적 코드, 전위 코드를 사용하여 자연스럽게 연장하고 수식하였다. 그리고 릴레이티드 Ⅱm7, 모달 인터체인지 코드, 라인 클리셰, 인터폴레이티드 Ⅱm7, 익스텐디드 도미넌트 세븐 등의 화성 진행과 근음의 순차 하행과 상행, 어보이드 노트, 엔딩 지연, 콘스턴트 스트록쳐와 시퀀스 동시 진행, 폴리 코드 등을 사용하였다. 이외에도 연주 시 창의적인 코드를 만들어 곡에 따라 자신의 다양한 기법과 방식으로 재배치하여 유기적으로 연결하였다.

보이싱은 포스 보이싱, 루트리스 2노트 보이싱, 루트리스 4노트 보이싱, 락드 핸즈, 4웨이 클로스의 드롭 2, 클러스터 보이싱, 왼손 컴핑 보이싱과 당김음, 폴리 코드, 하이브리드 코드, 양손 포스 보이싱을 사용하였다. 에번스는 루트리스 코드 보이싱과 음의 색상으로 사용하는 2노트 보이싱을 꾸준히 사용하여 간결한 텍스처를 만들어냈다. 2노트는 맑고 투명한 음색을 만들 때 자주 사용한 보이싱이며 포스 보이싱, 하이브리드 코드, 루트리스, 클러스터, 폴리코드 보이싱은 모호한 음색을 만들어 세련되고 신비함과 동시에 약간의 긴장감을 주는 보이싱으로 사용되었다. 그리고 포스 보이싱의 사용으로 여러 개의 코드가 동시에 울리는 듯한 모호하고 신비한 음의 세계를 더 깊은 감정 으로 만들 때 사용하였다는 것을 〈Here's That Rainy Day〉 곡의 인트로 등 분석한 다섯곡에서 알 수 있다. 그는 코드의 확고한 음색을 보여줄 때 락드 핸즈, 4웨이 클로스의 드롭 2 보이싱을 사용하여 베이스음과 연결하였다.

컴핑 리듬에서도 에번스의 독창성을 발견할 수 있다. 그는 주로 두 번째와 네 번째 박자에서 컴핑하였으며 오른손 리듬에 따라 왼손 리듬을 불규칙하게 사용하였다. 이런 식으로 에번스는 즉흥연주 시 떠오르는 아이디어를 잇단음 을 포함한 오른손 선율연주와 유기적 컴핑 리듬으로 자연스럽게 연주하였다.

그는 톱 노트에서 두 번째 성부까지는 3도로 되고 아래는 주로 2도로 된 클러스터 보이싱을 사용하였다. 당시에 다른 포스트밥 재즈 피아니스트들은 스텐더드한 루트리스 보이싱 자리에 클러스터를 사용하였으나 에번스는 이들 과는 달리 루트리스 4노트와 2노트에서 클러스터 보이싱을 사용하였다. 에번 스는 표준적인 포스 보이싱, 양손 포스 보이싱을 모두 사용하였다. 포스 보이 싱은 〈So What〉 도리안 곡에서 에번스가 처음 사용한 것으로 나타났는데 완전4도만 사용되었던 것이 그로부터 10년이 지나 연주한 〈A Time for Love〉에서는 증4도와 중복 음이 포함된 것을 알 수 있었다. 첫 번째 분석한 〈Here's That Rainy Day〉에서 그는 양손 포스 보이싱 패턴으로 동시에 연주하였으며 양손 사이 간격을 일정하게 장3도로 유지한 것을 볼 수 있었 다. 본 연구에서 분석한 곡 중에 나온 양손 포스 보이싱 패턴은 다른 연주자 에게서는 볼 수 없었으며 에번스만 사용한 것으로 나타났다.

선율과 리듬 연주는 〈Here's That Rainy Day〉에서 8마디가 4마디로, 〈A Time for Love〉에서 2마디가 1마디로 축소된 것을 볼 수 있었다. 〈Here's That Rainy Day〉에서 같은 음이 반복되는 리피티드 노트, 리드믹 아이디어 가 사용되었다. 〈Midnight Mood〉에서 선율의 아치(곡선), 특정한 음형의 시 작 음을 달리하여 반복하는 형태를 부분적으로 연주하였으며 모티빅 매니플 레이션의 진행으로 음형의 동기와 박의 길이를 조정하여 선율과 리듬에 변화 를 주었다. 또한 리드믹 디스플레이스먼트 진행으로 그 음형의 박의 위치를 달리하여 리드미컬한 선율과 리듬을 만들어 반복되는 형태로 변화시켰다. 스 텝와이즈 모션도 〈Midnight Mood〉에서 규칙적이거나 불규칙한 선율로 유연한 선율진행을 하였으며 계단식 상행 선율을 사용하기도 하였지만 주로 하행식 선율을 선호하였다. 프래그먼트 선율 형태는 〈A Time for Love〉에서 나타났다. 아르페지오의 강박에서 비화성음은 〈A Time for Love〉, 〈Midnight Mood〉, 〈On a Clear Day(You Can See Forever)〉 등에서 진행되었다. 장3, 단3, 장2도나 단2도로 진행되는 특징 음형과 콘스턴트 스트록쳐와 시퀀스 형태 동시 진행은 〈Never Let Me Go〉에서 진행되었고 시퀀스는 〈A Time for Love〉, 〈Midnight Mood〉에서 진행되었다. 서로 다른 박자를 겹쳐서 다중 리듬 또는 폴리 메트릭 효과를 만들어 연주하는 크로스 리듬의 교차 형태는 〈On a Clear Day(You Can See Forever)〉 등에서 진행되었다. 인상파적인 색채감은 분석한 5곡 모두 나타나 있다. 다섯곡 중에서 대위적인 선율이 거의 나타나지 않은 곡은 〈Midnight Mood〉였다.

에번스는 인상파 음악가들의 음악 연구로 재즈 음악에 선구적으로 선법111)을 사용하였다. 이로 인하여 풍부한 색채감을 얻었으며 바흐의 음악을 연구하여 대위적인 선율과 리듬을 만들어 연주하였다. 그는 창의적인 연주 방법을 개발하기 위하여 특징적이고 독창적인 즉흥연주 접근 방식을 고안하여 그의 연주에 적용하였다. 그는 일반적으로 뚜렷한 선율과 간헐적이고 리드미컬한 특성을 가진 음표 그룹을 유기적이고 독특한 방식으로 기술하여 동기를 변형하였다. 그는 코드 스케일과 모드 스케일을 함께 사용하였으며 논다이어토닉 코드를 적극적으로 사용하여 세련되고 모호한 느낌을 주는 악구를 만들었다. 또한 그만의 엄선한 음들을 재배열하여 맑은 음색의 선율과 리듬으로 사색의 공간과 신비한 음들의 세계를 만들었다. 에번스는 선율과 리듬에 「3」, 「6」, 「5」의 잇단음을 사용하였는데 주로 「3」 잇단음을 자주 사용하였고 다음은 「6」 잇단음을 사용하였다. 에번스는 해당 음표마다 잇단음의 갯수를 정확한 수치로 계산하여 연주하였다. 분석한 다섯곡에서 16분음표의 「3」 잇단음이면 한 박자에 4개가 적용되므로 「12」 잇단음과 같은 숫자가 나온다. 그는 그 음마다 조직적이고 체계적으로 연주한 것으로 나타났다. 또한 그는 불규칙한 선율과 규칙적인 선율을 모두 사용하므로 선율을 유연하게

111) 선법은 고대-르네상스 시대까지 사용하던 음악 체계인데 바흐 이후로 장단조를 사용하고 구시대의 선법이라 하여 사용하지 않았다. 그러나 그 후 프랑스 음악가 뒤뷔시, 라벨 등에 의해서 다시 리바이벌되면서 모호한 음색을 내기 위하여 선법을 사용한 음악 체계로 인상파 음악가들이 사용하였다.

진행하였다.

　에번스가 사용한 블록 코드는 오른손에서 옥타브 중간에 완전5도를 추가하고 왼손에서는 코드톤으로 만든 3노트나 4노트 보이싱 혹은 코드톤의 4노트, 텐션이 들어간 4노트, 루트리스 4노트 보이싱을 사용하였다. 이때 오른손과 왼손이 수직으로 놓여 동시에 강한 울림을 주는 연주법으로 선율과 리듬을 만들어 연주하였다. 분석한 다섯곡에서는 거의 나타나지 않았지만 에번스의 다른 연주곡에서는 자주 나타나는 것을 볼 수 있으므로 블록 코드 패턴의 예를 제시하였다. 다섯곡의 분석에서 나타난 넓은 범위의 블록 코드는 오른손 상단의 선율이 한 옥타브 아래에 더블링한 락드 핸즈가 있었다. 그리고 오른손 화성에서 두 번째 높은음을 한 옥타브 아래로 드롭하여 왼손의 단선율을 만드는 4웨이 클로스의 드롭 2가 있었다. 본문에서 락드 핸즈와 4웨이 클로스의 드롭 2를 보이싱의 구성음에 변화가 없으므로 보이싱으로 분류하였으며 이 보이싱은 베이스 음과 연결할 때 주로 사용하였다는 것을 알 수 있었다.

　에번스는 음악 규칙에 얽매이시 않는 화성, 보이싱, 선율과 리듬으로 연주하였다. 어보이드 노트 또한 넓은 간격의 음정을 사용하거나 리듬의 엇갈림으로 부딪힘을 줄여 사용하였다. 보조적 코드가 다음 마디에 연결되는 코드의 근음과 같은 베이스 음을 배치하여 유연하게 연결하였다. 비밥에서 비화성음을 약박에서 시작한 것과 달리 에번스는 강박에 사용하여 아르페지오를 활용한 선율을 만들어 사용하였다. 또한 중요한 선율의 골격만으로 다양한 선율과 리듬으로 발전시켜 나갔다. 루트리스, 포스 보이싱, 하이브리드 코드를 사용하여 화성이란 개념에 흔들림을 주어 긴장과 신선함, 모호하고 몽상적인 느낌을 만들어냈다. 에번스는 선율과 리듬의 지루함을 없애기 위해 교차하는 형태의 크로스 리듬을 사용하여 실제로는 4/4박이지만 3/4박처럼 느껴지는 리듬을 교대로 연주하는 반음 하행진행으로 자주 연주하였다.

　에번스의 연주곡은 원 조성 외에도 짧게 전조를 했다가 원래의 조성으로 회귀하는 전조를 여러 번 하였다. 특히 〈Never Let Me Go〉의 분석을 통하여 2, 3, 4, 5마디마다 전조 되어 8절까지 연주되는 14분 32초 동안에 계속 비슷한 방식으로 조성이 변화되는 것을 알 수 있다. 이 곡의 조성은 처음 A섹션만 보면 G장조 3마디(인트로 한마디 포함), 두 번째 F장조 3마디, E♭장조 2마디, C장조 1마디(A′섹션에서 C장조 2마디 더 지속)의 전조 방식이 적용된 것을 알 수 있었다.

다섯곡 분석을 통해 다양한 방식과 기법으로 선율과 리듬을 유기적으로 연결하여 변형하였다는 것을 연주곡 분석을 통해 알 수 있었다. 파웰의 영향을 받은 에번스는 파웰의 연주에서 나타나는 선율의 아름다움을, 자신의 연주에서는 음에 색채감을 입혀 연주하였다. 에번스는 선택한 곡을 재해석하여 고전 음악가들이 사용했던 선법에서 만들어진 모달 코드와 해당 코드에서 나올 수 있는 음들을 재배열하여 새 시대의 음악으로 리하모니제이션 하였다. 이렇게 그의 연주에서는 논리적인 음들의 배열로 오른손과 왼손의 내성에서 텐션 음들이 코드톤과 유기적으로 연결되어 서로 영향을 미친다는 것을 분석연구로 알 수 있었다. 그가 지속음 위, 또는 아래와 위의 내성에서 선율과 리듬에 시간적 잔향을 만들어 오케스트라적인 솔로를 연주하였다는 것 또한 분석을 통해 나타났다. 그는 곡을 꾸밀 때 경과적, 보조적, 더블 어프로치, 인다이렉트 리졸루션 어프로치 코드 등 다양한 연주기법과 아티큘레이션을 사용하였다. 이러한 것들로 선율과 리듬에 자신의 감성과 서정성을 표현하였다. 그는 연주 순간에 떠오르는 영감을 자신의 감성이 이끄는 방향으로 음들을 재배열하여 즉흥적으로 연주에 적용하였다. 그의 창의적인 여러 가지 화성 진행은 확장된 비밥의 재해석으로 선율과 리듬을 변형하여 포스트밥 발전에 전환점을 만들었다. 그는 재즈 피아노의 시인이라 불려질 만큼 재즈 즉흥연주를 위해 관조하는 피아노 서정 미학의 혁신가였다. 이렇듯 에번스는 인상파적인 색채감, 대위적인 선율, 오케스트라적인 솔로 연주를 구현하였다.

# VI. 결론

빌 에번스(1929-1980)의 재즈 연주곡 분석을 통해 그만의 재즈 연주기법을 고찰하였다. 에번스 연주곡을 선정한 이유는 재즈 발전에 지대한 공헌을 하였고 본인만의 독특한 연주 스타일을 추구하였기 때문이다. 따라서 그의 연주곡 분석을 통한 연구는 재즈 연구에 학문적 의의를 가질 수 있다.

본 연구에서는 에번스 연주곡 《Alone》앨범 5곡을 선정하여 다음과 같은 방법으로 분석하였다. 첫째, 기존 곡의 재즈 화성과는 다른 화성 진행과 리하모니제이션이 이루어진 부분을 분석하였다. 둘째, 각 곡에 나타난 보이싱이 어떤 음들로 조합되고 어떤 화성 체계를 가졌는지를 분석하였다. 셋째, 선율과 리듬의 변형에 대한 유기적인 관계와 연주 특징을 분석하였다.

분석 결과, 첫째, 기존 재즈와는 다른 화성 진행과 리하모니제이션으로는 에번스의 창의성과 독창성을 갖는 것으로 나타났다. 특히 화성 진행에서 음들의 꾸밈은 논다이어토닉 코드가 적극적으로 사용되었다. 이는 기존의 음악보다 더 유연하고 다양한 화성 진행기법으로 나타났다.

둘째, 보이싱과 화성 체계로는 혁신적인 보이싱을 만들어 꾸준하게 연주에 적용한 것을 알 수 있었다. 그의 보이싱은 다양한 형태를 띠며 조화로운 화성 진행과 더불어 독특한 색깔을 가지고 있었다. 그는 고전음악을 접목하여 엄선한 음들의 조합으로 미묘한 음색의 보이싱을 만들어냈다.

셋째, 선율과 리듬 변형의 측면에서 보면 먼저 선율과 리듬의 변형을 위하여 해당 음표의 잇단음을 사용하여 화려한 반음계적 스케일과 아르페지오로 연주하였다. 바흐의 연주법을 연구하여 특정한 음의 박을 달리하며 확고한 지속음 안에서 오케스트라적으로 선율과 리듬을 발전시켰다.

넷째, 세련된 음색을 만들기 위해 선택한 음들을 유기적으로 연결하여 스윙과 스트레이트로 연주하였다. 인상파적인 색채감, 대위적인 선율을 적용한 발라드 연주로 획기적인 포스트밥의 전환점을 구축하였다.

위에 언급한 그만의 스타일로 재즈 연주의 발전에 큰 기여를 하였다.

# 참고문헌

## 1. 한국어 문헌

정윤수. 『20세기 인물 100과 사전』. 제주: 숨비소리, 2008.

남무성, 『재즈 잇 업 Jazz it up!』, (경기, 서해문집, 2021)

삼호뮤직, 『파퓰러음악용어사전 & 클래식음악용어사전』, 경기: 2002.

## 2. 번역서

Berendt, Joachim Ernst. 『재즈 북』. 한종현 역. 서울: 더이룸출판사, 2017.

Evans, Bill. 『Bill Evans 빌 에번스 재즈 명곡집 2』. 서울: 도서출판 다라, 1990.

Felts, Randy. 『리하모니제이션 테크닉』. 이지원·최성락 역. 경기: ㈜ 음악 세계, 2004.

Giddins, Gary. & DeVeaux, Scott. 『재즈』. 황덕호 역. 서울: 까치글방, 2012.

Gridley, Mark. 『재즈 총론』. 심상범 역. 서울: 삼호 뮤직, 2002.

Levinc, Mark. 『재즈 이론』. 최종하 역. 서울: 스코어, 2022.

Murakami, Haruki. 『포트레이트 인 재즈』. 김난주 역. 서울: 문학사상(주), 2017.

Pettinger, Peter. 『빌 에반스』. 황덕호 역. 서울: 을유문화사, 2008.

Szwed, John. 『마일스 데이비스』. 김현준 역. 서울: 을유 문화사, 2005.

Szwed, John. 『재즈 오디세이』. 서정협 역. 경기: 바세, 2013.

## 3. 외국어 서적

Anthony Belfiglio, "*Fundamental rhythmic characteristics of improvised straight-ahead jazz*" (Doctor of Philosophy, The University of Texas at Austin, 2008.

Aikin, Jim. "*Bill Evans*", *Contemporary Keyboard*, San Diego: GPI Publications,

June 1980.

Edstrom, Brent. *Signature Licks Bill Evans Piano*, Milwaukee: Hal·Leonard
    Corporation, c2003.

Hal·Leonard, Corp. *The Real Book*(*Standard Jazz Book*), 〈Here's That
    Rainy Day〉, 〈A Time for Love〉, 〈Midnight Mood〉, 〈On a Clear
    Day(You Can See Forever)〉, 〈Never Let Me Go〉, Milwaukee: Hal·Leonard,
    Corporation, Transcription, 2004.

Joseph Kosma & arranger Bill Evans, *Autumn Leaves*, Los Angeles:
    Warner Bros. Publications INC., 1995.

Laverne, Andy. *Handbook of Chord Substitions*, New York: Ekay Music
    Inc., c1991.

PieranunziI, Enrico. *Bill Evans Time Remembered*, New York: Ludlow
    Music, Inc. 2013.

Prado, Aaron. *Alone,* Milwaukee: Hal·Leonard Corporation, 2015.

Reilly, Jack. *The Harmony of Bill Evans*, Milwaukee: Hal·Leonard Corporation,
    c2010

Sorgin, Andrea. *Tony Bennett/Bill Evans Together Again*, Vol. 2 an
    Historical-Musicological Study. Tro Essex Music Group, New
    York: Folkways Music Publishers, Inc., 2003.

Valerio, John. *Post-Bop Jazz Piano*, Milwaukee: Hal·Leonard Corporation,
    c2005.

Yanow, Scott. *All Music guide to jazz*, San Francisco: Miller Freeman
    Books. 1998.

Yanow, Scott. *Bebop*, San Francisco: Miller Freeman Books, 2000.

4. 외국어 학위논문

Belfiglio, Anthony. "Fundamental Rhythmic Characteristics of Improvised
    Straight-ahead Jazz", Doctor of Philosophy, The University of Texas
    at Austin, 2008.

Berardinelli, Paula. "Bill Evans: His Contributions as A Jazz Pianist and An Analysis of His Musical Style", Doctor of Philosophy, New York University 1992.

Cankaya, M. I. Can. "An Analysis of Bill Evans Approach to Playing the Melody of Selected Jazz Ballads", Master of Music in Jazz Performance, William Paterson University, 2009.

Darragh, Henry A. "Bill Evans: Harmonic Innovator in Jazz Piano", Doctor of Musical Arts, University of Houston, 2015.

Gross,Austin Andrew. "Bill Evans and the Craft of Improvisation", Doctor of Philosophy, University of Rochester, 2011.

McGowan, James John. "Dynamic Consonance in Selected Piano Performances of Tonal Jazz", Doctor of Philosophy, University of Rochester, 2005.

Murray, William J. "Billy's Touch: An Analysis of the Compositions of BillEvans, Billy Strayhorn, and Bill Murray", Master of Music, Towson University, 2011.

Perry, Justin Clay. "A Comparative Analysis of Selected Piano Solos by Red Garland, Bill Evans, Wynton Kelly and Herbie Hancock from their recordings with the Miles Davis groups, 1955-1968". Doctor of Musical Arts, University of Miami, 2006.

Peters,Jason. "Classical Influences on the Jazz Styles of Bill Evens, Herbie Hancock, Cecil Taylor, and Dave Brubeck", Master of Music, Northern Illinois University, 2013.

Widenhofer, Stephen B. "Bill Evans: An Analytical Study of His Improvisational Style through selected Transcriptions", Doctor of Philosophy, University of Northern Colorado, 1988.

Wilner, Donald L. "Interactive Jazz Improvisation in the Bill Evans Trio (1959-61): A Stylistic Study for Advanced Double Bass Performance", Doctor of Musical Arts, University of Miami, 1995.

Yu, Yuri. "Improvisation Exercises for Jazz Vocalists over Non-Functional Harmonic Progressions Utilizing Post-Bop Compositions of the 1960s",

Doctor of Musical Arts, University of Miami, 2021.

5. 웹 사이트

"다운비트 매거진 정보."
　　　https://www.downbeat.com/ (accessed March 10, 2019).
"더 뉴 그로브 음악 및 음악가 사전."
　　　"The New Grove Dictionary of Music and Musicians."
　　　Bud Powell, Bill Evans.
"백건우 피아니스트의 스크리아빈과 라흐마니노프의 음악연주."
http://news.khan.co.kr/kh_news/khan_art_view.html?artid=201509092146265&
　　　code=960313#csidx0b73543e7574668b120e8a7108e098b
　　　경향신문 2015.09.0922:11:19. (2018. 11. 22 접근).
"빌 에번스 'Biography'."
　　　https://www.allmusic.com/artist/bill-evans-mn0000764702/biography
　　　(accessed February 16, 2022).

- 부록 1 -

## 〈화성 분석 이론〉

### 1. 관계조(Related Key):

* 나란한조(Relative Key - 동일 조성의 장조와 단조(=병행조): C-Am)
* 같은으뜸음조(Parallel Key - 조성이 다른 같은으뜸음조: C-Cm)
* 세컨더리 도미넌트(Secondary Dominant Key)
  (*장음계의 여섯 번째 음부터 5개 → 근음이 같다. V7/Ⅱ...)
* 서브스티튜트 도미넌트(Substitute Dominant Key)
  (*장음계의 반음 위(단2도 위) 6개 → subV7...)

### 2. 같은으뜸음조(Parallel Key) - 12 key 적용 / 예) C key, B key

1) C key

| 스케일 | 같은으뜸음조(Parallel Key) - 세븐 코드 (C-Cm) | | | | | | |
|---|---|---|---|---|---|---|---|
| Major (Ionian) | I maj7 Cmaj7 | Ⅱm7 Dm7 | Ⅲm7 Em7 | Ⅳmaj7 Fmaj7 | V7 G7 | Ⅵm7 Am7 | Ⅶm7($^b$5) Bm7($^b$5) |
| Natural minor (Aeolian) | I m7 Cm7 | Ⅱm7($^b$5) Dm7($^b$5) | $^b$Ⅲmaj7 E$^b$maj7 | Ⅳm7 Fm7 | Vm7 Gm7 | $^b$Ⅵmaj7 A$^b$maj7 | $^b$Ⅶ7 B$^b$7 |
| Harmonic minor | I m(maj7) Cm(maj7) | Ⅱm7($^b$5) Dm7($^b$5) | $^b$Ⅲmaj7($^\#$5) E$^b$maj7($^\#$5) | Ⅳm7 Fm7 | V7 G7 | $^b$Ⅵmaj7 A$^b$maj7 | Ⅶdim7 Bdim7 |
| Melodic minor | I m(maj7) Cm(maj7) | Ⅱm7 Dm7 | $^b$Ⅲmaj7($^\#$5) E$^b$maj7($^\#$5) | Ⅳ7 F7 | V7 G7 | Ⅵm7($^b$5) Am7($^b$5) | Ⅶm7($^b$5) Bm7($^b$5) |

## 2) B key

| 스케일 | 같은으뜸음조(Parallel Key) - 세븐스 코드 (B-Bm) | | | | | | |
|---|---|---|---|---|---|---|---|
| Major (Ionian) | I maj7<br>Bmaj7 | II m7<br>C#m7 | IIIm7<br>D#m7 | IVmaj7<br>Emaj7 | V7<br>F#7 | VIm7<br>G#m7 | VIIm7(b5)<br>A#m7(b5) |
| Natural minor (Aeolian) | I m7<br>Bm7 | IIm7(b5)<br>C#m7(b5) | bIIImaj7<br>Dmaj7 | IVm7<br>Em7 | Vm7<br>F#m7 | bVImaj7<br>Gmaj7 | bVII7<br>A7 |
| Harmonic minor | I m(maj7)<br>Bm(maj7) | IIm7(b5)<br>C#m7(b5) | bIIImaj7(#5)<br>Dmaj7(#5) | IVm7<br>Em7 | V7<br>F#7 | bVImaj7<br>Gmaj7 | VIIdim7<br>A#dim7 |
| Melodic minor | I m(maj7)<br>Bm(maj7) | II m7<br>C#m7 | bIIImaj7(#5)<br>Dmaj7(#5) | IV7<br>E7 | V7<br>F#7 | VIm7(b5)<br>G#m7(b5) | VIIm7(b5)<br>A#m7(b5) |

## 3. 모달 코드(Modal Chord) - 12 key 적용

| 모 드 (Mode) | 모달 코드(모달 인터체인지 코드-모드 음계 위에 쌓아 만듦) | | | | | | |
|---|---|---|---|---|---|---|---|
| Ionian | I maj7 | II m7 | IIIm7 | IVmaj7 | V 7 | VIm7 | VIIm7(b5) |
| Dorian | I m7 | II m7 | bIIImaj7 | IV7 | V m7 | VIm7(b5) | bVIImaj7 |
| Phrygian | I m7 | bII maj7 | bIII7 | IVm7 | V m7(b5) | bVImaj7 | bVIIm7 |
| Lydian | I maj7 | II 7 | IIIm7 | #IVm7(b5) | V maj7 | VIm7 | VIIm7 |
| Mixolydian | I 7 | II m7 | IIIm7(b5) | IVmaj7 | V m7 | VIm7 | bVIImaj7 |
| Aeolian | I m7 | II m7(b5) | bIIImaj7 | IVm7 | V m7 | bVImaj7 | bVII7 |
| Locrian | I m7(b5) | bII maj7 | bIIIm7 | IVm7 | bV maj7 | bVI7 | bVIIm7 |

## 3-1. 모달 코드 / 예) C key, B key)

| Mode | 모달 코드(모달 인터체인지 코드 ) / 예) C, B key | | | | | | |
|---|---|---|---|---|---|---|---|
| Ionian<br>(=major) | Imaj7<br>Cmaj7<br>Bmaj7 | IIm7<br>Dm7<br>C#m7 | IIIm7<br>Em7<br>D#m7 | IVmaj7<br>Fmaj7<br>Emaj7 | V7<br>G7<br>F#7 | VIm7<br>Am7<br>G#m7 | VIIm7($^b$5)<br>Bm7($^b$5)<br>A#m7($^b$5) |
| Dorian | Im7<br>*Cm7<br>*Bm7 | IIm7<br>Dm7<br>C#m7 | $^b$IIImaj7<br>E$^b$maj7<br>Dm7 | IV7<br>F7<br>E7 | Vm7<br>Gm7<br>F#m7 | VIm7($^b$5)<br>Am7($^b$5)<br>G#m7($^b$5) | $^b$VIImaj7<br>B$^b$maj7<br>Amaj7 |
| Phrygian | Im7<br>*Cm7<br>*Bm7 | $^b$IImaj7<br>D$^b$maj7<br>Cmaj7 | $^b$III7<br>E$^b$7<br>D7 | IVm7<br>Fm7<br>Em7 | Vm7($^b$5)<br>Gm7($^b$5)<br>F#m7($^b$5) | $^b$VImaj7<br>A$^b$maj7<br>Gmaj7 | $^b$VIIm7<br>B$^b$m7<br>Am7 |
| Lydian | Imaj7<br>*Cmaj7<br>*Bmaj7 | II7<br>D7<br>C#7 | IIIm7<br>Em7<br>D#m7 | #IVm7($^b$5)<br>F#m7($^b$5)<br>Em7($^b$5) | Vmaj7<br>Gmaj7<br>F#maj7 | VIm7<br>Am7<br>G#m7 | VIIm7<br>Bm7<br>A#m7 |
| Mixo<br>lydian | I7<br>*C7<br>*B7 | IIm7<br>Dm7<br>C#m7 | IIIm7($^b$5)<br>Em7($^b$5)<br>D#m7($^b$5) | IVmaj7<br>Fmaj7<br>Emaj7 | Vm7<br>Gm7<br>F#m7 | VIm7<br>Am7<br>G#m7 | $^b$VIImaj7<br>B$^b$maj7<br>Amaj7 |
| Aeolian<br>(=Natural<br>-minor) | Im7<br>*Cm7<br>*Bm7 | IIm7($^b$5)<br>Dm7($^b$5)<br>C#m7($^b$5) | $^b$IIImaj7<br>E$^b$maj7<br>Dmaj7 | IVm7<br>Fm7<br>Em7 | Vm7<br>Gm7<br>F#m7 | $^b$VImaj7<br>A$^b$maj7<br>Gmaj7 | $^b$VII7<br>B$^b$7<br>A7 |
| Locrian | Im7($^b$5)<br>*Cm7($^b$5)<br>*Bm7($^b$5) | $^b$IImaj7<br>D$^b$maj7<br>Cmaj7 | $^b$IIIm7<br>E$^b$m7<br>Dm7 | IVm7<br>Fm7<br>Em7 | $^b$Vmaj7<br>G$^b$maj7<br>Fmaj7 | $^b$VI7<br>A$^b$7<br>G7 | $^b$VIIm7<br>B$^b$m7<br>Am7 |

## 3-2. 자주 쓰이는 모달 인터체인지 코드(Modal Interchange Chord)

| * 자주 쓰이는 모달 인터체인지 세븐스 코드 14개 / 예) C key | |
|---|---|
| 분석<br>명칭 | Im7, $^b$IImaj7, IIm7($^b$5), $^b$IIImaj7, IVm7, IV7, #IVm7($^b$5), Vm7,<br>V7($^b$9,$^b$13), Vmaj7, $^b$VI7, $^b$VImaj7, $^b$VII7, $^b$VIImaj7 |
| 코드<br>명칭 | Cm7, D$^b$maj7, Dm7($^b$5), E$^b$maj7, Fm7, F7, F#m7($^b$5), Gm7, G7($^b$9),<br>Gmaj7, A$^b$7, A$^b$maj7, B$^b$7, B$^b$maj7 |

## 4. 모드 스케일과 넘버링 12 key 적용 / 예) C key → 근음이 같은 7개

| MODE (*변화음) | 스케일 넘버링 | 특징음 | 반음 | |
|---|---|---|---|---|
| Ionian | C D E F G A B C<br>1, T9, 3, S4, 5, T13, 7, 1 | F<br>(4) | E, F<br>3-S4 | B, C<br>7-8 |
| Dorian ($^b$3,$^b$7) | C D E$^b$ F G A B$^b$ C<br>1, T9, $^b$3, T11, 5, S6, $^b$7, 1 | A<br>(6) | D, E$^b$<br>2-$^b$3 | A, B$^b$<br>S6-$^b$7 |
| Phrygian ($^b$2,$^b$3,$^b$6,$^b$7) | C D$^b$ E$^b$ F G A$^b$ B$^b$ C<br>1, S$^b$2, $^b$3, T11, 5, S$^b$6, $^b$7, 1 | D$^b$<br>($^b$2) | C, D$^b$<br>1-S$^b$2 | G, A$^b$<br>5-S$^b$6 |
| Lydian ($^#$4) | C D E F$^#$ G A B C<br>1, T9, 3, T$^#$11, 5, T13, 7, 1 | F$^#$<br>(T$^#$11($^#$4)) | F$^#$, G<br>T$^#$11-5 | B, C<br>7-8 |
| Mixolydian ($^b$7) | C D E F G A B$^b$ C<br>1, T9, 3, S4, 5, T13, $^b$7, 1 | B$^b$<br>($^b$7) | E, F<br>3-S4 | A, B$^b$<br>T13-$^b$7 |
| Aeolian ($^b$3,$^b$6,$^b$7) | C D E$^b$ F G A$^b$ B$^b$ C<br>1, T9, $^b$3, T11, 5, S$^b$6, $^b$7, 1 | A$^b$<br>($^b$6) | D, E$^b$<br>T9-$^b$3 | G, A$^b$<br>5-S$^b$6 |
| Locrian ($^b$2,$^b$3,$^b$5,$^b$6,$^b$7) | C D$^b$ E$^b$ F G$^b$ A$^b$ B$^b$ C<br>1, S$^b$2, $^b$3, T11, $^b$5, T$^b$13, $^b$7, 1 | D$^b$, G$^b$<br>($^b$2, $^b$5) | C, D$^b$<br>1-S$^b$2 | F, G$^b$<br>T11-$^b$5 |

## 5. 세컨더리(secondary) 도미넌트 세븐스 코드 → 12 key 적용

| 세컨더리 도미넌트 세븐 코드 5개 → C key (*V7 → 프라이머리 도미넌트) | | | | |
|---|---|---|---|---|
| 세컨더리 dom7 | 코드 | 믹소리디안의 변형<br>분석 → 코드톤 → 조표의 다이어토닉 음(임시표) → 스케일 넘버링 | 특징음 | avoid note |
| V7/Ⅱ | (A7) | A B C C$^#$ D E F G A<br>1, T9, T$^#$9, 3, S4, 5, T$^b$13, $^b$7, 1 | $^b$13 | D |
| V7/Ⅲ | (B7) | B C D D$^#$ E F$^#$ G A B<br>1, T$^b$9, T$^#$9, 3, S4, 5, T$^b$13, $^b$7, 1 | $^b$9, $^b$13 | E |
| V7/Ⅳ | (C7) | C D E F G A B$^b$ C<br>1, T9, 3, S4, 5, T13, $^b$7, 8(1) | Mixo | F |
| V7/Ⅴ | (D7) | D E F F$^#$ G A B C D<br>1, T9, T$^#$9, 3, S4, 5, T13, $^b$7, 8(1) | Mixo | G |
| V7/Ⅵ | (E7) | E F G G$^#$ A B C D E<br>1, T$^b$9, T$^#$9, 3, S4, 5, T$^b$13, $^b$7, 8(1) | $^b$9, $^b$13 | A |

## 6. 세컨더리 도미넌트 세븐 코드와 서브스티튜트 도미넌트 세븐 코드

| 세컨더리(Secondary) 도미넌트 세븐 코드 5개 → 12 key 적용 / 예) C key | |
|---|---|
| C key<br><br>*여섯 번째 음<br>위에 쌓은 코드 | Ⅴ7(프라이머리) //　Ⅴ7/Ⅱ, Ⅴ7/Ⅲ, Ⅴ7/Ⅳ, Ⅴ7/Ⅴ, Ⅴ7/Ⅵ<br>　　　　　　　　　　A7,　　B7,　　C7,　　D7,　　E7 |
| 서브스티튜트(substitute) 도미넌트 세븐 코드 6개 → 12key 적용 / 예) C key | |
| C key<br><br>*반음 위에<br>쌓은 코드 | subⅤ7, subⅤ7/Ⅱ, subⅤ7/Ⅲ, subⅤ7/Ⅳ, subⅤ7/Ⅴ, subⅤ7/Ⅵ<br>　　D♭7　　　E♭7　　　　F7　　　G♭7　　　　A♭7　　　　B♭7<br>*스케일의 핵심 변화음 → $^{\#}$11($^{\#}$4) |

## 7. 디미니쉬드 세븐스 코드((Diminished 7th chord) 용법의 3가지

| 디미니쉬드 세븐 용법 3가지 적용 → 8개 | | dim 7th 코드 스케일 / 예) C key |
|---|---|---|
| 어센딩 | Ⅰmaj7-$^{\#}$Ⅰdim7-Ⅱm7 혹은　Ⅴ7/5 | 코드톤+텐션 => dim7 스케일<br>$^{\#}$Ⅰdim7+Ⅱm7(C$^{\#}$dim7+Dm7 혹은 G7/5) |
| | Ⅱm7-$^{\#}$Ⅱdim7-Ⅲm7 혹은　Ⅰ/3 | $^{\#}$Ⅱdim7$^-$Ⅲm7(D$^{\#}$dim7+Em7 혹은 C/3) |
| | Ⅳmaj7-$^{\#}$Ⅳdim7-Ⅴ7 혹은　Ⅰ/5 | $^{\#}$Ⅳdim7+Ⅴ7(F$^{\#}$dim7+G7 혹은 C/5) |
| | Ⅴ7-$^{\#}$Ⅴdim7-Ⅵm7 혹은　Ⅴ7/Ⅱ | $^{\#}$Ⅴdim7+Ⅵm7(G$^{\#}$dim7+Am7 혹은 A7) |
| 디센딩 | Ⅵm7-$^{\flat}$Ⅵdim7-Ⅴ7 혹은　Ⅰ/5 | $^{\flat}$Ⅵdim7+Ⅴ7(A$^{\flat}$dim7+G7 혹은 C/5) |
| | Ⅲm7-$^{\flat}$Ⅲdim7-Ⅱm7 혹은　Ⅴ7/5 | $^{\flat}$Ⅲdim7+Ⅱm7(E$^{\flat}$dim7+Dm7 혹은 G7/5) |
| 보조적 | Ⅰmaj7 - Ⅰdim7 - Ⅰmaj7 | Ⅰdim7+Ⅲm7/$^{\flat}$7 혹은<br>Ⅴ7/5(Cdim7+Em7/$^{\flat}$7 혹은 G7/5) |
| | Ⅴ7 - Ⅴdim7 - Ⅴ7 | Ⅴdim7+Ⅱm7/5(Gdim7+Dm7/5) |

7-1. 디미니쉬드 세븐스 코드(Diminished 7th chord)와 1-3전위, 씨메트릭 도미넌트 스케일(Symmetric dominant scale)
*스케일과 넘버링-도미넌트를 위한 얼터드(altered) 스케일 헛갈리기 쉬운 부분 같이 보기

| 디미니쉬드 세븐 용법 8개 외 1-3전위, 씨메트릭 디미니쉬드, 씨메트릭 도미넌트-(*얼터드(altered)) 스케일 | |
|---|---|
| 어센딩 용법 4개와 코드 스케일 넘버링 | |
| I maj7-#I dim7-IIm7 혹은 V7/5<br>(C#dim7+Dm7) 혹은 D7/D | '1, S♭2, ♭3, S3, ♭5, T♭13, °7, T7, 1'<br>(반, 온, 반, 온, 온, 반, 온, 반) |
| IIm7-#IIdim7-IIIm7 혹은 I/3<br>(D#dim7+Em7) 혹은 C/E | |
| IVmaj7-#IVdim7-V7 혹은 I/5<br>(F#dim7+G7) 혹은 C/G | '1, S♭2, ♭3, T11, ♭5, T♭13, °7, T7, 1' |
| V7-#Vdim7-VIm7 혹은 V7/II<br>(G#dim7+Am7) 혹은 A7 | '1, S♭2, ♭3, S3, ♭5, T♭13, °7, T7, 1' |
| 디센딩 용법 2개와 코드 스케일 넘버링 | |
| VIm7-♭VIdim7-V7 혹은 I/5<br>(A♭dim7+Am7) 혹은 C/G | '1, S♭2, ♭3, S3, ♭5, T♭13, °7, T7, 1' |
| IIIm7-♭IIIdim7-IIm7 혹은 V7/5<br>(E♭dim7+Em7) 혹은 G7/D | |
| 보조적 용법 2개와 코드 스케일 넘버링 | |

| I maj7- I dim7- I maj7 | C°7+Em7(IIIm7)의 3전위 | '1, T9, ♭3, S3, ♭5, S5, °7, T7, 1' |
|---|---|---|
| | C°7+G7(V7)의 2전위 | '1, T9, ♭3, T11, ♭5, S5, °7, T7, 1' |

| V7- V dim7- V 7 | G°7+Dm7의 2전위 | '1, T9, $^b$3, T11, $^b$5, S5, °7, S$^b$7, 1' |
|---|---|---|

*$^\#$Ⅳdim7+Ⅲm7 1전위(F$^\#$dim7+Em7))=F$^\#$, A, C, D$^\#$ + G, B, D, E
　　　　→ F$^\#$, G, A, B, C, D, D$^\#$, E, F$^\#$
 F$^\#$dim7 넘버링: '1, S$^b$2, $^b$3, T11, $^b$5, T$^b$13, °7, S$^b$7, 1'
*dim7 3전위 한 코드 스케일의 어보이드 노트(E, G)
 Ⅰdim7+Ⅲm7 3전위(Cdim7+Em7)=C, E$^b$, G$^b$, A + D, E, G, B
　　　　→ C, D, E$^b$, E, G$^b$, G, A, B, C
 Cdim7 넘버링: '1, T9, $^b$3, S3, $^b$5, S5, °7, T7, 1'
* Ⅰdim7+V 7 2전위(Cdim7+G7 2전위)=C, E$^b$, G$^b$, A + D, F, G, B
　　　　→ C, D, E$^b$, F, G$^b$, G, A, B, C
 Cdim7 넘버링: '1, T9, $^b$3, T11, $^b$5, S5, °7, T7, 1'
*Ⅴdim7+Ⅱm7 2전위(Gdim7+Dm7) = G, B$^b$, D$^b$, E + A, C, D, F
　　　　→ G, A, B$^b$, C, D$^b$, D, E, F, G,
 Gdim7 스케일 넘버링: '1, T9, $^b$3, T11, $^b$5, S5, °7, S$^b$7, 1'

---

*씨메트릭 디미니쉬드 스케일( Ⅰdim7+Ⅱdim7=Cdim7+Ddim7)
=C, E$^b$, G$^b$, A+D, F, A$^b$, B)
　　　　→ C, D, E$^b$, F, G$^b$, A$^b$, A, B, C (온,반.온.반...)
Cdim7 스케일 넘버링: '1, T9, $^b$3, T11, $^b$5, T$^b$13, °7, T7, 1'

---

*씨메트릭 도미넌트 스케일( Ⅰdim7+$^b$Ⅱdim7=(Cdim7+D$^b$dim7)
=C, E$^b$, G$^b$, A + D$^b$, E, G, B$^b$
　　　　→ C, D$^b$, E$^b$, E, G$^b$, G, A, B$^b$, C (반, 온, 반, 온...)
Cdim7 씨메트릭 도미넌트 세븐 스케일 넘버링:
　　　　'1, T$^b$9, T$^\#$9, 3, $^b$5, 5, T13, $^b$7, 1'

---

*도미넌트 스케일을 위한 스케일로 얼터드 스케일은 씨메트릭 도미넌트 스케일과
헷갈리기 쉽다. V7($^b$9,$^\#$11,$^b$13) → C7($^b$9,$^\#$11,$^b$13) *(반, 온, 반, 온, 온, 온, 온)
　　　　=(C, D$^b$, E$^b$, E, G$^b$, A$^b$, B$^b$, C)
 C7 얼터드 스케일 넘버링: '1, T$^b$9, T$^\#$9, 3, $^b$5, T$^b$13, $^b$7, 1')

7-2. 씨메트릭 디미니쉬드 세븐스 스케일(Symmetric Diminished 7th Scale 과 씨메트릭 도미넌트 세븐스 스케일, 얼터드 스케일 비교

| Sym. dim. 스케일은 온음, 반음으로 연속되는 스케일 | |
|---|---|
| 분석표기, 코드네임 | C, C#, D#, F#, G# → 5개의 Sym. dim7 스케일 |
| I dim7 + II dim7, (Cdim7 + Ddim7) | 1, T9, ♭3, T11, ♭5, T♭13, dim7, T7, 1 (C, D, E♭, F, G♭, A♭, A, B, C) |
| #I dim7 + #II dim7, (C#dim7 + D#dim7) | 1, T9, ♭3, T11, ♭5, T♭13, dim7, T7, 1 (C#, D#, E, F#, G, A, B♭, C, C#) |
| #II dim7 + #III dim7, (D#dim7 + E#dim7) | 1, T9, ♭3, T11, ♭5, T♭13, dim7, T7, 1 (D#, E#, F#, G#, A, B, C, D, D#) |
| #IV dim7 + #V dim7, (F#dim7 + G#dim7) | 1, T9, ♭3, T11, ♭5, T♭13, dim7, T7, 1 (F#, G#, A, B, C, D, E♭, F, F#) |
| #V dim7 + #VI dim7, (G#dim7 + A#dim7) | 1, T9, ♭3, T11, ♭5, T♭13, dim7, T7, 1 (G#, A#, B, C#, D, E, F, G, G#) |
| * 어떤 음에서 시작하는 Sym. dim7 스케일은 상행, 하행, 보조적, 디미니쉬드 세븐 코드의 스케일에서는 어보이드 노트가 없다. | |
| Sym. dim. 스케일 | *온, 반, 온, 반, 온, 반, 온, 반 ← 음정 간격 <br> *Sym. dim. 스케일은 어떤 dim7 코드에서 장2도 위에 근음을 갖는 dim7 코드의 텐션을 갖는 씨메트릭 디미니쉬드 세븐 스케일이다. |
| Sym. 도미넌트 스케일 | *반, 온, 반, 온, 반, 온, 반, 온 ← 음정 간격 <br> *Sym. dim.에서 Sym. 도미넌트로 바뀌게 된 것은 이 코드 스케일이 디미니쉬드 코드에서 쓰는 코드 스케일이기 때문이다. <br> *씨메트릭 도미넌트 스케일은 어떤 음에서 단2도 위에 근음을 갖는 dim7 코드를 텐션으로 갖는다. |
| 디미니쉬드 세븐스 코드 용법을 제외한 dim7 → Sym. dim. | *디미니쉬드 7th 용법 8개: #I dim7, #II dim7, #IV dim7, #V dim7, ♭III dim7, ♭VI dim7, I dim7, V dim7이다. <br> *8가지 디미니쉬드 세븐 용법을 제외한 디미니쉬드 코드는 씨메트릭 디미니쉬드 스케일로 사용하는 것이 좋다. |

| | |
|---|---|
| | *Sym dim. 스케일을 콤비네이션 도미넌트(Combination dominant) 스케일이라고도 한다. |

| 도미넌트 스케일을 위한 스케일로 얼터드(altered) 스케일과 씨메트릭 도미넌트 스케일 | 얼터드 스케일과 씨메트릭 도미넌트 스케일 비교 | |
|---|---|---|
| | C alt | 1, T$^b$9, T$^\#$9, 3,  $^b$5,  T$^b$13, $^b$7, 1<br>(C, D$^b$, E$^b$, E, G$^b$, A$^b$, B$^b$, C)<br>H  W  H  W  W  W  W<br>반  온  반  온  온  온  온 |
| | C Sym. dom. | 1, T$^b$9, T$^\#$9, 3, $^b$5, 5, T13, $^b$7, 1<br>(C, D$^b$, E$^b$, E, G$^b$, G, A, B$^b$, C)<br>H  W  H  W  H  W  H  W<br>반  온  반  온  반  온  반  온 |

## 8. 각종 스케일

### 1) 솔페지(Solfege): 계명창(반음계=크로메틱 스케일 12 key 적용)

| 솔페지(Solfege): 계명으로 노래 부르기 | | |
|---|---|---|
| #<br>(샤프) | Do(도), Di(디), Re(레), Ri(리), Mi(미), Fa(파), Fi(피), Sol(솔), Si(시), La(라), Li(리), Ti(티), Do(도)<br>*(도, 디, 레, 리, 미, 파, 피, 솔, 시, 라, 리, 티, 도) | |
| b<br>(플랫) | Do(도), Ti(티), Te(테), La(라), Re(레), Sol(솔), Se(세), Fa(파), Mi(미), Me(메), Re(레), Ra(라), Do(도)<br>*(도, 티, 테, 라, 레, 솔, 세, 파, 미, 메, 레, 라, 도) | |
| *음이름 | 다 라 마 바 사 가 나 = C D E F G A B | *병행조(조표 동일):<br>장조 단3도 아래 → 단조<br>*C-Am, G-Em, D-Bm... |
| *계이름 | 도 레 미 파 솔 라 시 | |
| *조표<br>순서 | # | 파 도 솔 레 라 미 시 → 마지막 붙인 조표 바로 위 음이 으뜸음 |
| | b | 시 미 라 레 솔 도 파 → 마지막 붙인 조표 바로 전의 조표 자리가 으뜸음<br>*조표에 b이 한 개 붙었을 때 b이 붙어있는 자리에서 완전4도 아래(완전5도 위) F(바♭파)음이 으뜸음. |
| *5도권<br>12 key | #(샤프) ▶ C-G-D-A-E-B(C$^b$)-F$^\#$(G$^b$)-D$^b$(C$^\#$)-A$^b$-E$^b$-B$^b$-F ◀ b(플랫)<br>*딴 이름 동일 key 3개 → D$^b$ = C$^\#$, G$^b$ = F$^\#$, B = C$^b$ / * 완전5도 간격 | |

2) 펜타토닉(Pentatonic), 블루스(Blues), 홀 톤(Whole Tone), 씨메트릭 디미니쉬드, 씨메트릭 도미넌트 스케일

| 펜타토닉, 블루스, 홀 톤, (온음/반음)-(반음/온음) → 씨메트릭 디미니쉬드 Whole Step/Half Step, 씨메트릭 도미넌트-Half Step/Whole Step 스케일 | | |
|---|---|---|
| 펜타토닉 | Major | C, D, E, G, A(도 레 미 솔 라) |
| | minor | C, E$^b$, F, G, B$^b$ (도, 미$^b$, 파, 솔, 시$^b$) |
| 블루스 | Blues | C, E$^b$, F, F$^\#$, G, B$^b$ (도, 미$^b$, 파, 파$^\#$, 솔, 시$^b$) |
| | | *블루스 스케일은 마이너 펜타토닉에서 F$^\#$(파$^\#$)의 변화 |
| 온음 스케일 | W.T | 도, 레, 미, 파$^\#$, 솔$^\#$, 라$^\#$(시$^b$), 도, |
| 온음/반음 | W/H | 도, 레, 미$^b$, 파, 파$^\#$, 솔$^\#$, 라, 시. 도 → (Sym. dim7) |
| 반음/온음 | H/W | 도, 도$^\#$, 레$^\#$, 미, 파$^\#$, 솔, 라, 시$^b$, 도 → (Sym. dom7) |

9. 화성 분석-도미넌트 세븐의 기본적인 12 key 해결
▶ C-F-B$^b$-E$^b$-A$^b$-D$^b$(C$^\#$)-G$^b$(F$^\#$)-B(C$^b$)-E-A-D-G

| 조성 | 2가지 도미넌트가 다이어토닉 코드로의 진행 / 12 Key | | | | | | |
|---|---|---|---|---|---|---|---|
| | V7 - subV7- I maj7의 진행은 V7이 완전5도 하행하여 I maj7으로 해결하는 중간에 subV7이 반음 하행하여 I maj7을 꾸미는 것이다. | | | | | | |
| C | V7<br>G7 | subV7<br>D$^b$7 | I maj7<br>Cmaj7 | V7/II<br>A7 | subV7/II<br>E$^b$7 | IIm7<br>Dm7 | |
| | V7/III<br>B7 | subV7/III<br>F7 | IIIm7<br>Em7 | V7/IV<br>C7 | subV7/IV<br>G$^b$7 | IVmaj7<br>Fmaj7 | |
| | V7/V<br>D7 | subV7/V<br>A$^b$7 | V7<br>G7 | V7/VI<br>E7 | subV7/VI<br>B$^b$7 | VIm7<br>Am7 | VIIm7$^{(b5)}$<br>Bm7$^{(b5)}$ |
| F | V7<br>C7 | subV7<br>G$^b$7 | I maj7<br>Fmaj7 | V7/II<br>D7 | subV7/II<br>A$^b$7 | IIm7<br>Gm7 | |
| | V7/III<br>E7 | subV7/III<br>B$^b$7 | IIIm7<br>Am7 | V7/IV<br>F7 | subV7/IV<br>B7 | IVmaj7<br>B$^b$maj7 | |

| | V7/V | subV7/V | V7 | V7/VI | subV7/VI | VIm7 | VIIm7(♭5) |
|---|---|---|---|---|---|---|---|
| | G7 | D♭7 | C7 | A7 | E♭7 | Dm7 | Em7(♭5) |
| **B♭** | V7 | subV7 | Imaj7 | V7/II | subV7/II | IIm7 | |
| | F7 | B7 | B♭maj7 | G7 | D♭7 | Cm7 | |
| | V7/III | subV7/III | IIIm7 | V7/IV | subV7/IV | IVmaj7 | |
| | A7 | E♭7 | Dm7 | B♭7 | E7 | E♭maj7 | |
| | V7/V | subV7/V | V7 | V7/VI | subV7/VI | VIm7 | VIIm7(♭5) |
| | C7 | G♭7 | F7 | D7 | A♭7 | Gm7 | Am7(♭5) |
| **E♭** | V7 | subV7 | Imaj7 | V7/II | subV7/II | IIm7 | |
| | B♭7 | E7 | E♭maj7 | C7 | G♭7 | Fm7 | |
| | V7/III | subV7/III | IIIm7 | V7/IV | subV7/IV | IVmaj7 | |
| | D7 | A♭7 | Gm7 | E♭7 | A7 | A♭maj7 | |
| | V7/V | subV7/V | V7 | V7/VI | subV7/VI | VIm7 | VIIm7(♭5) |
| | F7 | B7 | B♭7 | G7 | D♭7 | Cm7 | Dm7(♭5) |
| **A♭** | V7 | subV7 | Imaj7 | V7/II | subV7/II | IIm7 | |
| | E♭7 | A7 | A♭maj7 | F7 | B7 | B♭maj7 | |
| | V7/III | subV7/III | IIIm7 | V7/IV | subV7/IV | IVmaj7 | |
| | G7 | D♭7 | Cm7 | A♭7 | D7 | D♭maj7 | |
| | V7/V | subV7/V | V7 | V7/VI | subV7/VI | VIm7 | VIIm7(♭5) |
| | B♭7 | E7 | E♭7 | C7 | G♭7 | Fm7 | Gm7(♭5) |
| **D♭ (C♯)** | V7 | subV7 | Imaj7 | V7/II | subV7/II | IIm7 | |
| | A♭7 | D7 | D♭maj7 | B♭7 | E7 | E♭m7 | |
| | V7/III | subV7/III | IIIm7 | V7/IV | subV7/IV | IVmaj7 | |
| | C7 | G♭7 | Fm7 | D♭7 | G7 | G♭maj7 | |
| | V7/V | subV7/V | V7 | V7/VI | subV7/VI | VIm7 | VIIm7(♭5) |
| | E♭7 | A7 | A♭7 | F7 | B7 | B♭m7 | Cm7(♭5) |
| **G♭ (F♯)** | V7 | subV7 | Imaj7 | V7/II | subV7/II | IIm7 | |
| | D♭7 | G7 | G♭maj7 | E♭7 | A7 | A♭m7 | |
| | V7/III | subV7/III | IIIm7 | V7/IV | subV7/IV | IVmaj7 | |
| | F7 | B7 | B♭m7 | G♭7 | C7 | C♭maj7(Bmaj7) | |
| | V7/V | subV7/V | V7 | V7/VI | subV7/VI | VIm7 | VIIm7(♭5) |
| | A♭7 | D7 | D♭7 | B♭7 | E7 | E♭m7 | Fm7(♭5) |

| Key | | | | | | | |
|---|---|---|---|---|---|---|---|
| **B (C♭)** | V7 F#7 | subV7 C7 | Imaj7 Bmaj7 | V7/II G#7 | subV7/II D7 | IIm7 C#m7 | |
| | V7/III A#7 | subV7/III E7 | IIIm7 D#m7 | V7/IV B7 | subV7/IV F7 | IVmaj7 Emaj7 | |
| | V7/V C#7 | subV7/V G7 | V7 F#7 | V7/VI D#7 | subV7/VI A7 | VIm7 G#m7 | VIIm7(b5) A#m7(b5) |
| **E** | V7 B7 | subV7 F7 | Imaj7 Emaj7 | V7/II C#7 | subV7/II G7 | IIm7 F#m7 | |
| | V7/III D#7 | subV7/III A7 | IIIm7 G#m7 | V7/IV E7 | subV7/IV B♭7 | IVmaj7 Amaj7 | |
| | V7/V F#7 | subV7/V C7 | V7 B7 | V7/VI G#7 | subV7/VI D7 | VIm7 C#m7 | VIIm7(b5) D#m7(b5) |
| **A** | V7 E7 | subV7 B♭7 | Imaj7 Amaj7 | V7/II F#7 | subV7/II C7 | IIm7 Bm7 | |
| | V7/III G#7 | subV7/III D7 | IIIm7 C#m7 | V7/IV A7 | subV7/IV E♭7 | IVmaj7 Dmaj7 | |
| | V7/V B7 | subV7/V F7 | V7 E7 | V7/VI C#7 | subV7/VI G7 | VIm7 F#m7 | VIIm7(b5) G#m7(b5) |
| **D** | V7 A7 | subV7 E♭7 | Imaj7 Dmaj7 | V7/II B7 | subV7/II F7 | IIm7 Em7 | |
| | V7/III C#7 | subV7/III G7 | IIIm7 F#m7 | V7/IV D7 | subV7/IV A♭7 | IVmaj7 Gmaj7 | |
| | V7/V E7 | subV7/V B♭7 | V7 A7 | V7/VI F#7 | subV7/VI C7 | VIm7 Bm7 | VIIm7(b5) C#m7(b5) |
| **G** | V7 D7 | subV7 A♭7 | Imaj7 Gmaj7 | V7/II E7 | subV7/II B♭7 | IIm7 Am7 | |
| | V7/III F#7 | subV7/III C7 | IIIm7 Bm7 | V7/IV G7 | subV7/IV D♭7 | IVmaj7 Cmaj7 | |
| | V7/V A7 | subV7/V E♭7 | V7 D7 | V7/VI B7 | subV7/VI F7 | VIm7 Em7 | VIIm7(b5) F#m7(b5) |

# 9-1. 화성 분석 - 도미넌트 세븐의 기본적인 12 key 해결

분석 위치 변화 ▶ C-F-B$^b$-E$^b$-A$^b$-D$^b$(C$^\#$)-G$^b$(F$^\#$)-B(C$^b$)-E-A-D-G

| 조성 | 2가지 도미넌트가 다이어토닉 코드로의 진행 / 12 Key<br>subV7-V7- Imaj7의 진행은 V7이 완전5도 하행하여 Imaj7으로 해결하는 앞에서 subV7이 V7을 넘어서 반음 하행하여 Imaj7을 꾸미는 것이다. | | | | | | |
|---|---|---|---|---|---|---|---|
| **C** | subV7<br>D$^b$7 | V7<br>G7 | Imaj7<br>Cmaj7 | subV7/II<br>E$^b$7 | V7/II<br>A7 | IIm7<br>Dm7 | |
| | subV7/III<br>F7 | V7/III<br>B7 | IIIm7<br>Em7 | subV7/IV<br>G$^b$7 | V7/IV<br>C7 | IVmaj7<br>Fmaj7 | |
| | subV7/V<br>A$^b$7 | V7/V<br>D7 | V7<br>G7 | subV7/VI<br>B$^b$7 | V7/VI<br>E7 | VIm7<br>Am7 | VIIm7$^{(b5)}$<br>Bm7$^{(b5)}$ |
| **F** | subV7<br>G$^b$7 | V7<br>C7 | Imaj7<br>Fmaj7 | subV7/II<br>A$^b$7 | V7/II<br>D7 | IIm7<br>Gm7 | |
| | subV7/III<br>B$^b$7 | V7/III<br>E7 | IIIm7<br>Am7 | subV7/IV<br>B7 | V7/IV<br>F7 | IVmaj7<br>B$^b$maj7 | |
| | subV7/V<br>D$^b$7 | V7/V<br>G7 | V7<br>C7 | subV7/VI<br>E$^b$7 | V7/VI<br>A7 | VIm7<br>Dm7 | VIIm7$^{(b5)}$<br>Em7$^{(b5)}$ |
| **B$^b$** | subV7<br>B7 | V7<br>F7 | Imaj7<br>B$^b$maj7 | subV7/II<br>D$^b$7 | V7/II<br>G7 | IIm7<br>Cm7 | |
| | subV7/III<br>E$^b$7 | V7/III<br>A7 | IIIm7<br>Dm7 | subV7/IV<br>E7 | V7/IV<br>B$^b$7 | IVmaj7<br>E$^b$maj7 | |
| | subV7/V<br>G$^b$7 | V7/V<br>C7 | V7<br>F7 | subV7/VI<br>A$^b$7 | V7/VI<br>D7 | VIm7<br>Gm7 | VIIm7$^{(b5)}$<br>Am7$^{(b5)}$ |
| **E$^b$** | subV7<br>E7 | V7<br>B$^b$7 | Imaj7<br>E$^b$maj7 | subV7/II<br>G$^b$7 | V7/II<br>C7 | IIm7<br>Fm7 | |
| | subV7/III<br>A$^b$7 | V7/III<br>D7 | IIIm7<br>Gm7 | subV7/IV<br>A7 | V7/IV<br>E$^b$7 | IVmaj7<br>A$^b$maj7 | |
| | subV7/V<br>B7 | V7/V<br>F7 | V7<br>B$^b$7 | subV7/VI<br>D$^b$7 | V7/VI<br>G7 | VIm7<br>Cm7 | VIIm7$^{(b5)}$<br>Dm7$^{(b5)}$ |

| Key | | | | | | | |
|---|---|---|---|---|---|---|---|
| **A♭** | subV7 | V7 | Imaj7 | subV7/II | V7/II | IIm7 | |
| | A7 | E♭7 | A♭maj7 | B7 | F7 | B♭maj7 | |
| | subV7/III | V7/III | IIIm7 | subV7/IV | V7/IV | IVmaj7 | |
| | D♭7 | G7 | Cm7 | D7 | A♭7 | Dbmaj7 | |
| | subV7/V | V7/V | V7 | subV7/VI | V7/VI | VIm7 | VIIm7(b5) |
| | E7 | B♭7 | E♭7 | G♭7 | C7 | Fm7 | Gm7(b5) |
| **D♭** | subV7 | V7 | Imaj7 | subV7/II | V7/II | IIm7 | |
| | D7 | A♭7 | D♭maj7 | E7 | B♭7 | E♭m7 | |
| | subV7/III | V7/III | IIIm7 | subV7/IV | V7/IV | IVmaj7 | |
| | G♭7 | C7 | Fm7 | G7 | D♭7 | G♭maj7 | |
| | subV7/V | V7/V | V7 | subV7/VI | V7/VI | VIm7 | VIIm7(b5) |
| | A7 | E♭7 | A♭7 | B7 | F7 | B♭m7 | Cm7(b5) |
| **G♭ (F#)** | subV7 | V7 | Imaj7 | subV7/II | V7/II | IIm7 | |
| | G7 | D♭7 | G♭maj7 | A7 | E♭7 | A♭m7 | |
| | subV7/III | V7/III | IIIm7 | subV7/IV | V7/IV | IVmaj7 | |
| | B7 | F7 | B♭m7 | C7 | G♭7 | C♭maj7(Bmaj7) | |
| | subV7/V | V7/V | V7 | subV7/VI | V7/VI | VIm7 | VIIm7(b5) |
| | D7 | A♭7 | D♭7 | E7 | B♭7 | E♭m7 | Fm7(b5) |
| **B** | subV7 | V7 | Imaj7 | subV7/II | V7/II | IIm7 | |
| | C7 | F#7 | Bmaj7 | D7 | G#7 | C#m7 | |
| | subV7/III | V7/III | IIIm7 | subV7/IV | V7/IV | IVmaj7 | |
| | E7 | A#7 | D#m7 | F7 | B7 | Emaj7 | |
| | subV7/V | V7/V | V7 | subV7/VI | V7/VI | VIm7 | VIIm7(b5) |
| | G7 | C#7 | F#7 | A7 | D#7 | G#m7 | A#m7(b5) |
| **E** | subV7 | V7 | Imaj7 | subV7/II | V7/II | IIm7 | |
| | F7 | B7 | Emaj7 | G7 | C#7 | F#m7 | |
| | subV7/III | V7/III | IIIm7 | subV7/IV | V7/IV | IVmaj7 | |
| | A7 | D#7 | G#m7 | B♭7 | E7 | Amaj7 | |
| | subV7/V | V7/V | V7 | subV7/VI | V7/VI | VIm7 | VIIm7(b5) |
| | C7 | F#7 | B7 | D7 | G#7 | C#m7 | D#m7(b5) |

| | | | | | | | |
|---|---|---|---|---|---|---|---|
| **A** | subV7<br>B♭7 | V7<br>E7 | Imaj7<br>Amaj7 | | subV7/Ⅱ<br>C7 | V7/Ⅱ<br>F#7 | Ⅱm7<br>Bm7 | |
| | subV7/Ⅲ<br>D7 | V7/Ⅲ<br>G#7 | Ⅲm7<br>C#m7 | | subV7/Ⅳ<br>E♭7 | V7/Ⅳ<br>A7 | Ⅳmaj7<br>Dmaj7 | |
| | subV7/V<br>F7 | V7/V<br>B7 | V7<br>E7 | | subV7/Ⅵ<br>G7 | V7/Ⅵ<br>C#7 | Ⅵm7<br>F#m7 | Ⅶm7(b5)<br>G#m7(b5) |
| **D** | subV7<br>E♭7 | V7<br>A7 | Imaj7<br>Dmaj7 | | subV7/Ⅱ<br>F7 | V7/Ⅱ<br>B7 | Ⅱm7<br>Em7 | |
| | subV7/Ⅲ<br>G7 | V7/Ⅲ<br>C#7 | Ⅲm7<br>F#m7 | | subV7/Ⅳ<br>A♭7 | V7/Ⅳ<br>D7 | Ⅳmaj7<br>Gmaj7 | |
| | subV7/V<br>B♭7 | V7/V<br>E7 | V7<br>A7 | | subV7/Ⅵ<br>C7 | V7/Ⅵ<br>F#7 | Ⅵm7<br>Bm7 | Ⅶm7(b5)<br>C#m7(b5) |
| **G** | subV7<br>A♭7 | V7<br>D7 | Imaj7<br>Gmaj7 | | subV7/Ⅱ<br>B♭7 | V7/Ⅱ<br>E7 | Ⅱm7<br>Am7 | |
| | subV7/Ⅲ<br>C7 | V7/Ⅲ<br>F#7 | Ⅲm7<br>Bm7 | | subV7/Ⅳ<br>D♭7 | V7/Ⅳ<br>G7 | Ⅳmaj7<br>Cmaj7 | |
| | subV7/V<br>E♭7 | V7/V<br>A7 | V7<br>D7 | | subV7/Ⅵ<br>F7 | V7/Ⅵ<br>B7 | Ⅵm7<br>Em7 | Ⅶm7(b5)<br>F#m7(b5) |

## ※음정과 숫자

| 음정 관계 - 도, 레, 미, 파, 솔, 라, 시, 도 | | |
|---|---|---|
| 1, 2, 3, 4, 5, 6, 7, 8, | | |
| -음정: 음과 음의 거리(높이가 다른 두음의 간격) | | |
| *완전음정: 1-1, 1-4, 1-5, 1-8 ▶ (완전1도, 완전4도, 완전5도, 완전8도) | | |
| *장음정: 1-2, 1-3, 1-6, 1-7 ▶ (장2도, 장3도, 장6도, 장7도) | | |

| 완전음정 | 1, 4, 5, 8 | 증음정 - # 숫자 |
|---|---|---|
| | | 감음정 - ♭ 숫자 |
| 장음정 | 2, 3, 6, 7 | 단음정 - ♭ 숫자 |
| | | 감음정 - (bb) = (°) = dim. |

## 10. 어떤 Key에서 다른 Key와 교환

* 분석한 로마숫자를 보고 코드 네임 표기하기

C-F-B♭-E♭-A♭-D♭-G♭-B-E-A-D-G

| 조성 | 어떤 Key에서 다른 Key와 교환 (12 Key) */3, /5, /3으로 전위하여 베이스 선율라인 만들고 프라이머리 도미넌트 세븐으로 진행 | | |
|---|---|---|---|
| C (Ⅰ) | (Ⅴ7/Ⅳ/3), subⅤ7/Ⅲ<br>C7/E　　F7 (Ⅳ7) | (Ⅴ7/Ⅱ/5), Ⅴ7/Ⅴ<br>A7/E　　D7 | Ⅴ7/Ⅴ/3, Ⅴ7<br>D7/F♯　　G7 |
| F (Ⅰ) | (Ⅴ7/Ⅳ/3), subⅤ7/Ⅲ<br>F7/A　　B♭7 (Ⅳ7) | (Ⅴ7/Ⅱ/5), Ⅴ7/Ⅴ<br>D7/A　　G7 | Ⅴ7/Ⅴ/3, Ⅴ7<br>G7/B　　C7 |
| B♭ (Ⅰ) | (Ⅴ7/Ⅳ/3), subⅤ7/Ⅲ<br>B♭7/D　　E♭7 (Ⅳ7) | (Ⅴ7/Ⅱ/5), Ⅴ7/Ⅴ<br>G7/D　　C7 | Ⅴ7/Ⅴ/3, Ⅴ7<br>C7/E　　F7 |
| E♭ (Ⅰ) | (Ⅴ7/Ⅳ/3), subⅤ7/Ⅲ<br>E♭7/G　　A♭7 (Ⅳ7) | (Ⅴ7/Ⅱ/5), Ⅴ7/Ⅴ<br>C7/G　　F7 | Ⅴ7/Ⅴ/3, Ⅴ7<br>F7/A　　B♭7 |
| A♭ (Ⅰ) | (Ⅴ7/Ⅳ/3), subⅤ7/Ⅲ<br>A♭7/C　　D♭7 (Ⅳ7) | (Ⅴ7/Ⅱ/5), Ⅴ7/Ⅴ<br>F7/C　　B♭7 | Ⅴ7/Ⅴ/3, Ⅴ7<br>B♭7/D　　E♭7 |
| D♭ (Ⅰ) | (Ⅴ7/Ⅳ/3), subⅤ7/Ⅲ<br>D♭7/F　　G♭7 (Ⅳ7) | (Ⅴ7/Ⅱ/5), Ⅴ7/Ⅴ<br>B♭7/F　　E♭7 | Ⅴ7/Ⅴ/3, Ⅴ7<br>E♭7/G,　A♭7 |
| G♭ (Ⅰ) | (Ⅴ7/Ⅳ/3), subⅤ7/Ⅲ<br>G♭7/B♭　　C♭7 (Ⅳ7) | (Ⅴ7/Ⅱ/5), Ⅴ7/Ⅴ<br>E♭7/B♭　　A♭7 | Ⅴ7/Ⅴ/3, Ⅴ7<br>A♭7/C　　D♭7 |
| B (Ⅰ) | (Ⅴ7/Ⅳ/3), subⅤ7/Ⅲ<br>B7/D♯　　E7 (Ⅳ7) | (Ⅴ7/Ⅱ/5), Ⅴ7/Ⅴ<br>G♯7/D♯　　C♯7 | Ⅴ7/Ⅴ/3, Ⅴ7<br>C♯7/E♯　　F♯7 |
| E (Ⅰ) | (Ⅴ7/Ⅳ/3), subⅤ7/Ⅲ<br>E7/G♯　　A7 (Ⅳ7) | (Ⅴ7/Ⅱ/5), Ⅴ7/Ⅴ<br>C♯7/G♯　　F♯7 | Ⅴ7/Ⅴ/3, Ⅴ7<br>F♯7/A♯　　B7 |
| A (Ⅰ) | (Ⅴ7/Ⅳ/3), subⅤ7/Ⅲ<br>A7/C♯　　D7 (Ⅳ7) | (Ⅴ7/Ⅱ/5), Ⅴ7/Ⅴ<br>F♯7/C♯　　B7 | Ⅴ7/Ⅴ/3, Ⅴ7<br>B7/D♯　　E7 |
| D (Ⅰ) | (Ⅴ7/Ⅳ/3), subⅤ7/Ⅲ<br>D7/F♯　　G7 (Ⅳ7) | (Ⅴ7/Ⅱ/5), Ⅴ7/Ⅴ<br>B7/F♯　　E7 | Ⅴ7/Ⅴ/3, Ⅴ7<br>E7/G♯　　A7 |
| G (Ⅰ) | (Ⅴ7/Ⅳ/3), subⅤ7/Ⅲ<br>G7/B　　C7 (Ⅳ7) | (Ⅴ7/Ⅱ/5), Ⅴ7/Ⅴ<br>E7/B　　A7 | Ⅴ7/Ⅴ/3, Ⅴ7<br>A7/C♯　　D7 |

10-1. 어떤 Key에서 다른 Key와 교환
  * 코드 네임을 보고 로마숫자 표기하기
  C-F-B♭-E♭-A♭-D♭-G♭-B-E-A-D-G

| 조성 | 어떤 Key에서 다른 Key와 교환 (12 Key) */3, /5, /3으로 전위하여 베이스 선율라인 만들고 프라이머리 도미넌트 세븐으로 진행 | | |
|---|---|---|---|
| C (I) | C7/E　　　F7 (IV7)<br>(V7/IV/3),　subV7/III | A7/E　　　D7<br>(V7/II/5),　V7/V | D7/F#　　G7<br>V7/V/3,　V7 |
| F (I) | F7/A　　　B♭7 (IV7)<br>(V7/IV/3),　subV7/III | D7/A　　　G7<br>(V7/II/5),　V7/V | G7/B　　　C7<br>V7/V/3,　V7 |
| B♭ (I) | B♭7/D　　E♭7 (IV7)<br>(V7/IV/3),　subV7/III | G7/D　　　C7<br>(V7/II/5),　V7/V | C7/E　　　F7<br>V7/V/3,　V7 |
| E♭ (I) | E♭7/G　　A♭7 (IV7)<br>(V7/IV/3),　subV7/III | C7/G　　　F7<br>(V7/II/5),　V7/V | F7/A　　　B♭7<br>V7/V/3,　V7 |
| A♭ (I) | A♭7/C　　D♭7 (IV7)<br>(V7/IV/3),　subV7/III | F7/C　　　B♭7<br>(V7/II/5),　V7/V | B♭7/D　　E♭7<br>V7/V/3　V7 |
| D♭ (I) | D♭7/F　　G♭7 (IV7)<br>(V7/IV/3),　subV7/III | B♭7/F　　E♭7<br>(V7/II/5),　V7/V | E♭7/G　　A♭7<br>V7/V/3,　V7 |
| G♭ (I) | G♭7/B♭　C♭7 (IV7)<br>(V7/IV/3),　subV7/III | E♭7/B♭　A♭7<br>(V7/II/5),　V7/V | A♭7/C　　D♭7<br>V7/V/3,　V7 |
| B (I) | B7/D#　　E7 (IV7)<br>(V7/IV/3),　subV7/III | G#7/D#　C#7<br>(V7/II/5),　V7/V | C#7/E#　F#7<br>V7/V/3,　V7 |
| E (I) | E7/G#　　A7 (IV7)<br>(V7/IV/3),　subV7/III | C#7/G#　F#7<br>(V7/II/5),　V7/V | F#7/A#　B7<br>V7/V/3,　V7 |
| A (I) | A7/C#　　D7 (IV7)<br>(V7/IV/3),　subV7/III | F#7/C#　B7<br>(V7/II/5),　V7/V | B7/D#　　E7<br>V7/V/3,　V7 |
| D (I) | D7/F#　　G7 (IV7)<br>(V7/IV/3),　subV7/III | B7/F#　　E7<br>(V7/II/5),　V7/V | E7/G#　　A7<br>V7/V/3,　V7 |
| G (I) | G7/B　　　C7 (IV7)<br>(V7/IV/3),　subV7/III | E7/B　　　A7<br>(V7/II/5),　V7/V | A7/C#　　D7<br>V7/V/3,　V7 |

## 11. 연장하거나 꾸며주는 코드 활용

| 연장하거나 꾸며주는 코드로 활용 릴레이티드 Ⅱm7, 인터폴레이티드 Ⅱm7, 익스텐디드 dom7 | |
|---|---|
| 릴레이티드(related) Ⅱm7 | *도미넌트 세븐을 완전5도 위에서 꾸며주고 연장해주는 기능을 한다. 모든 모달 인터체인지 코드는 반드시 분석한다. 단, related Ⅱm7으로 사용하는 경우 분석하지 않는다. |
| 인터폴레이티드(interpolated) Ⅱm7 | ① 도미넌트 세븐(dom7)의 근음이 그대로 있으면서 성질만 마이너 세븐(m7)으로 바꾼다. <br> ② Ⅴ7과 Ⅴ7 사이에 Ⅱm7을 사용하여 Ⅴ7을 꾸며준다. <br> *예)Ⅴ7(Ⅴ7/Ⅱ)-Ⅱm7-Ⅴ7 <br> ③ 근음이 완전5도 하행해야 한다. 인터폴레이티드 Ⅱm7이 사용되면 화살표를 길게 표시해야 하며 소리는 해결이 지연되는 느낌이 든다. <br> 예) Ⅴ7(Ⅴ7/Ⅱ)-Ⅱm7-Ⅴ7의 진행에서 Ⅴ7(Ⅴ7/Ⅱ)과 Ⅴ7 중간에 위치한 Ⅱm7이 인터폴레이티드 Ⅱm7이다. |
| 익스텐디드(Extended) dom7 | *도미넌트 세븐이 보통 4개 이상 연결돼야 연속되는 패턴이 느껴진다. <br> *보통 강박에서 시작하여 4개 이상의 dom7이 나와야 하며 근음은 완전5도 하행해야 하는 조건을 가진다. <br> *시작 첫 번째 dom7에 숫자를 괄호 안에 표기한다. <br> *숫자는 그 조성의 으뜸음에서 몇 번째 음부터 시작하는 도미넌트 세븐인지의 숫자이다. 예를 들어 내림 라장조(D♭)라고 하면 F7(3) → B♭7 → E♭7 → Ⅴ7(A♭7) → Ⅰ/5(D♭/A♭)인데 분석 로마숫자를 쓰지 않고 dom7에서 dom7으로의 진행은 완전5도씩 하행하므로 실선 화살표를 한다. 마지막(4번째) dom7에는 분석 기호를 쓴다. <br> ① extended dom7의 기본형 <br> ② related Ⅱm7이 추가된 형태 <br> ③ subⅤ7이 추가된 형태가 있다. |

## 12. 어보이드 노트(avoid note)

| 어보이드 노트(avoid note) |
|---|
| * 어보이드 노트는 멜로디에 쓸 수 있고 보이싱에는 쓸 수 없다. |
| * 코드 사운드에서 제외되어야 할 음. 코드 스케일의 구성음에는 스케일 노트(음계 구성음) 안에서 코드 톤이나 텐션 노트 어디에도 해당하지 않은 음을 '어보이드 노트'로 분류한다. |
| * 어보이드 노트는 어디까지나 코드 사운드를 만드는데 만 한정되어있는 스케일 노트와의 구별일 뿐이며, 멜로디라인 제작에 활용된다. |
| ** 빌 에번스의 연주에서는 음정 간격과 서로 엇갈리게 하는 방식 등으로 어보이드 노트를 사용하였다. |

## 13. 곡의 종지

| 곡의 종지 | 로마숫자 | C 장조 |
|---|---|---|
| ① 도미넌트 | V7 → I | G7 → C |
| ② 서브도미넌트 | IV → I, IIm7 → I | F → C, Dm7 → C |
| ③ 서브도미넌트 마이너 | IVm → I | Fm → C |
| ④ 서브도미넌트 → 서브도미넌트 마이너 | IV → IVm → I, IIm7 → IVm → I | F → Fm → C, Dm7 → Fm → C |
| ⑤ 서브도미넌트 마이너 → 도미넌트 | IVm → V7 → I | Fm → G7 → C |
| ⑥ 서브도미넌트 → 서브도미넌트 마이너 → 도미넌트 | IV → IVm → V7 → I, IIm7 → IVm → V7 → I | F → Fm → G7 → C, Dm7 → Fm → G7 → C |
| ⑦ 서브도미넌트 → 도미넌트 | IV → V7 → I, IIm7 → V7 → I | F → G7 → C, Dm7 → G7 → C |
| * 위에 제시한 종지와 빌 에번스의 곡 마침은 달랐다. 본 저서에서 분석한 에번스의 재즈 연주곡 5곡 중 3곡은 모달 인터체인지 코드로 곡을 마쳤고 세 번째 곡은 그 곡의 조성으로 종지하였지만 Imaj7/5 → subV7 → I로, 네 번째 곡은 그 곡의 조에서 4마디 전에 반음 내린 전조로 I → IV7 → I로 곡을 마쳤다. | | |

## 〈빌 에번스 음반 목록〉

| 순번 | 년도 | 앨범(1-105)[112] | 연주자 | 음반사 |
|---|---|---|---|---|
| 1 | 1955 | Listen to the Music of Jerry Wald | Bill Evans(p), Jerry Wald(cl & cond.), probably Eddie Costa(vib.), Paul Motian(dr), with guitar, bass, & strings. | Kapp KL 1043 |
| 2 | 1956 | New Jazz Conceptions | Bill Evans(p), Teddy Kotick(b), Paul Motian(dr) | Riverside OJCCD 025-2(RLP12-22) |
| 3 | 1958 | Everybody Digs Bill Evans | Bill Evans(p), Sam Jones(b), Philly Joe Jones(dr) | Riverside OJCCD 068-2 (RLP12-291) |
| 4 | 1959 | On Green Dolphin Street | Bill Evans(p), Paul Chambers(b), Philly Joe Jones(dr) | Milestone M-47024 MCD 9235-2 |
| 5 | 1959 | The Ivory Hunter | Bill Evans(p), Bob Brookmeyer(p), Percy Heath(b), Connie Kay(dr) | United Artist UAL 4004 |
| 6 | 1959 | Portrait in Jazz | Bill Evans(p), Scott LaFaro(b), Paul Motian(dr) | Riverside OJCCD 088-2 (RLP 12-315) |
| 7 | 1961 | Explorations | Bill Evans(p), Scott LaFaro(b), Paul Motian(dr) | Riverside OJCCD 037-2 (RLP 351) |
| 8 | 1961 | Sunday at the Village Vanguard | Bill Evans(p), Scott LaFaro(b), Paul Motian(dr) | Riverside (RLP 376) |
| 9 | 1961 | Waltz for Debby | Bill Evans(p), Scott LaFaro(b), Paul Motian(dr) | Riverside (RLP 399) |
| 10 | 1961-2 | Nirvana | Bill Evans(p), Herbie Mann(fl), Chuck Israels(b), Paul Motian(dr) | Atlantic SD 1426 |
| 11 | 1962 | Undercurrent | Bill Evans(p), Jim Hall(g) | United Artists UAJ 14003 |
| 12 | 1962 | Moon Beams | Bill Evans(p), Chuck Israels(b) Paul Motian(dr) | Riverside RLP 428 |

| 13 | 1962 | How My Heart Sings! | Bill Evans(p), Chuck Israels(b), Paul Motian(dr) | Riverside RLP 473 |
|---|---|---|---|---|
| 14 | 1962 | Interplay | Bill Evans(p), Freddie Hubbard(tp), Jim Hall(g), Percy Heath(b), Philly Joe Jones(dr) | Riverside OJCCD 308-2 (RLP 445) |
| 15 | 1962 | Empathy | Bill Evans(p), Monty Budwig(b), Shelly Manne(dr) | Verve V6-8497 |
| 16 | 1962 | Loose Blues | Bill Evans(p), Zoot Sims(ts), Jim Hall(g), Ron Carter(b), Philly Joe Jones(dr) | Milestone M-47066 |
| 17 | 1963 | The Solo Sessions, Vol. 1 | Solo – Bill Evans(p) | Milestone MCD 9170 |
| 18 | 1963 | The Solo Sessions, Vol. 2 | Solo– Bill Evans(p) | Milestone MCD 9190 |
| 19 | 1963 | The Gary McFarland Orchestra | Orchstra with Special Guest Soloist: Bill Evans | Verve V6-8518 |
| 20 | 1963 | Conversations with Myself | Solo – Bill Evans(p) Grammy Award winner | Verve 821 984-2 (V6-8526) |
| 21 | 1963 | Plays the Theme from The V.I.P.s and Other Gr eat Songs | Bill Evans(p), Orchestra conducted by Claus Ogerman | MGM E/SE 4184 |
| 22 | 1963 | Time Remembered | Bill Evans(p), Chuck Israels(b), Larry Bunker(dr) | Milestone M-47068 |
| 23 | 1963 | At Shelly's Manne Holle | Bill Evans(p), Chuck Israels(b), Larry Bunker(dr) | Riverside OJCCD 263-2 |
| 24 | 1963 | Trio 64 | Bill Evans(p), Gary Peacock(b), Paul Mot ian(dr) | Verve 539 058-2 (V6-8578) |
| 25 | 1964 | Stan Getz & Bill Evans | Bill Evans(p), Stan Get(ts), Richard Davis/Ron Carter(b), Elvin Jones(dr) | Verve 833 802-2 |
| 26 | 1964 | The Bill Evans Trio Live | Bill Evans(p), Chuck Israels(b), Larry Bunker(dr) | Verve V6-8803 |

| 27 | 1964 | Waltz for Debby | Bill Evans(p), Singer Monica Zetterlund & Chuck Israels(b), Larry Bunker(dr) | Philips 6378 508 |
|---|---|---|---|---|
| 28 | 1965 | Trio' 65 | Bill Evans(p), Chuck Israels(b), Larry Bunker(dr) | Verve V6-8613 |
| 29 | 1965 | Bill Evans Trio with Symphony Orchestra | Bill Evans(p), Chuck Israels(b), LarryBunker / Grady Tate(dr). Orchestra conducted by Claus Ogerman | Verve V6-8640 |
| 30 | 1965 | Stockbolm 1965 | Bill Evans(p), Palle Danielsson(b), Rune Carlsson(dr) | Royal Jazz RID 519 |
| 31 | 1966 | Bill Evans at Town Hall | Bill Evans(p), Chuck Israels(b), Arnold Wise(dr) | Verve 831 271 -2(V6-8683) |
| 32 | 1966 | The Secret Sessions | Bill Evans(p), Teddy Kotick(b), Amie Wise(dr) | Fantasy 8MCD-4421-2 |
| 33 | 1966 | Intermodulation | Bill Evans(p), Jim Hall(g) | Verve V6-8655 |
| 34 | 1966 | The Universal Mind of Bill Evans(video) | Bill Evans(p), talking to Harry Evans | Rhapsody Films 9015(KJazz 101) |
| 35 | 1966 | A Simple Matter of Conviction | Bill Evans(p), Eddie Gomez(b), Shelly Manne(dr) | Verve V6-8675 |
| 36 | 1967 | Further Conversations with Myself | Solo - Bill Evans(p) | Verve V6-8727 |
| 37 | 1967 | California Here I Come | Bill Evans(p), Eddie Gomez(b), Philly Joe Jones(dr) | Verve VE2-2545 |
| 38 | 1968 | Bill Evans at the Montreux Jazz Festival | Bill Evans(p), Eddie Gomez(b), Jack DeJohnette(dr) - Grammy Award winner | Verve 827 844-2 (V6-8762) |
| 39 | 1968 | Alone | Solo - Bill Evans(p), Grammy Award winner | Verve 833 801 -2(V6-8792) |
| 40 | 1968 | Some Other Time: The Lost Session from The Black Forest | Bill Evans(p), Eddie Gomez(b), Jack DeJohnette(dr) - Grammy Award winner | ((Villingen) MPS 스튜디오 녹음) Resonance Records |
| 41 | 1968 | Another Time: The Hilversum Concert | Bill Evans(p), Eddie Gomez(b), Jack DeJohnette(dr) | Resonance Records |

| 42 | 1968 | Live at Art D'Lugoff's Top of the Gate | Bill Evans(p), Eddie Gomez(b), Marty Moell(dr) | Resonance Records |
|---|---|---|---|---|
| 43 | 1969 | What's New | Bill Evans(p), Jeremy Steig(fl), Eddie Gomez(b), Marty Morell(dr) | Verve V6-8777 |
| 44 | 1969 | Autumn Leaves | Bill Evans(p), Eddie Gomez(b), Marty Morell(dr) | Joker UPS 2053 |
| 45 | 1969 | Jazzhouse | Bill Evans(p), Eddie Gomez(b), MartyMorell(dr) | Milestone M-9151 |
| 46 | 1969 | You're Gonna Hear From Me | Bill Evans(p), Eddie Gomez(b), Marty Morell(dr) | Milestone M-9164 |
| 47 | 1969 | Quiet Now | Bill Evans(p), Eddie Gomez(b), Marty Morell(dr) | Affinity AFF 73 |
| 48 | 1969 | Evans in England | Bill Evans(p),Eddie Gomez(b), Marty Morell(dr) | Resonance Records |
| 49 | 1970 | From Left to Right | Bill Evans(p & el-p), Orchestra conducted by Michael Leonard | MGM SE-4723 |
| 50 | 1970 | Montreux II | Bill Evans(p), Eddie Gomez(b), Marty Morell(dr) | CTI 6004 |
| 51 | 1970 | HomeWood | Bill Evans(p), Eddie Gomez(b), Marty Morell(dr) | Red Bird Records RB-101 |
| 52 | 1971 | The Bill Evans Album | Bill Evans(p & el-p), Eddie Gomez(b), Marty Morell(dr) - Grammy Award winner | Columbia CK 64963 (C 30855) |
| 53 | 1972 1971.2.14 녹음 | Emily | Bill Evans(p), Herb Geller(afl), Eddie Gomez(b), Marty Morell(dr) | Moon Records MCD 060-2 |
| 54 | 1972 | Two Super Bill Evans Trios: Live in Europe! | Bill Evans(p), Eddie Gomez(b), Marty Morell(dr) | Unique Jazz UJ 24 |
| 55 | 1972 | Living Time | Bill Evans(p & el-p), Eddie Gomez(b), Marty Morell(dr) with George Russell Orchestra | Columbia KC 31490 |

| 56 | 1972 | Live at the Festival | Bill Evans(p), Eddie Gomez(b), Tony Oxley(dr) | Enja 2030 |
|---|---|---|---|---|
| 57 | 1972 | Rare Broadcast Materiall | Bill Evans(p), Eddie Gomez(b), Marty Morell(dr) | Chazzer 2007 |
| 58 | 1972 | Live in Paris 1972, Vol. 1, 2, 3 | Bill Evans(p), Eddie Gomez(b), Marty Morell(dr) | France's Concert FC 107 and FC 114 FCD 125 |
| 59 | 1972 | Momentum | Bill Evans(p), Eddie Gomez(b), Marty Morell(dr) | Limetree |
| 60 | 1973 | The Tokyo Concert | Bill Evans(p), Eddie Gomez(b), Marty Morell(dr) | Fantasy F-9457 |
| 61 | 1973 -5 | Eloquence | Bill Evans(p), Eddie Gomez(b) | Fantasy F-9618 |
| 62 | 1973 | Half Moon Bay | Bill Evans(p), Eddie Gomez(b), Marty Morell(dr) | Milestone |
| 63 | 1973 -4 | From the Seventies | Bill Evans(p), Eddie Gomez(b), Marty Morell(dr) | Fantasy F-9630 |
| 64 | 1974 | Since We Met | Bill Evans(p), Eddie Gomez(b), Marty Morell(dr) | Fantasy F-9501 |
| 65 | 1974 | Re: Person I Knew | Bill Evans(p), Eddie Gomez(b), Marty Morell(dr) | Fantasy F-9608 |
| 66 | 1974 | Symbiosis | Bill Evans(p & el-p), Eddie Gomez(b), Marty Morell(dr), and Orchestra conducted by Claus Ogerman | Pausa PR 7050(US) or MPS-BASF 21 22094 - 3(Europe) |
| 67 | 1974 | Live in Europe, Vol. I . II | Bill Evans(p), Eddie Gomez(b), Marty Morell(dr) | EPM FDC 5712 and FDC 5713 |
| 68 | 1974 | But Beautiful | Bill Evans(p), Stan Getz(ts), Eddie Gomez(b), Marty Morell(dr) | Milestone MCD 9249-2 |
| 69 | 1974 | Blue in Green | Bill Evans(p), Eddie Gomez(b), Marty Morell(dr) | Milestone M-9185 |
| 70 | 1974 | The Canadian Concert | Bill Evans(p), Eddie Gomez(b), Marty Morell(dr) | Can-Am CA 1200 |
| 71 | 1974 | Intuition | Bill Evans(p & el-p), Eddie Gomez(b) | Fantasy F-9475 |

| 72 | 1975 | Switzerland 1975 | Bill Evans(p), Eddie Gomez(b), Eliot Zigmund (dr) | Jazz Helvet JH 01 |
|----|------|------------------|---------------------------------------------------|-------------------|
| 73 | 1975 | My Romance | Bill Evans(p), Eddie Gomez(b), Eliot Zigmund (dr) | Zeta ZET 702 |
| 74 | 1975 | Bill Evans, Monica Zetterlund | Bill Evans(p), Eddie Gomez(b), Eliot Zigmund (dr) | West Wind WW 2073 |
| 75 | 1975 | The National Jazz Ensemble, Vol. 1 | Bill Evans(p), Chuck Israels(b, arr. & cond.), Bill Goodwin(dr) | Chiaroscuro CR 140 |
| 76 | 1975 | On a Friday Evening | Bill Evans(p), Eddie Gomez(b), Eliot Zigmund(dr) | Craft Recordings |
| 77 | 1975 | The Tony Bennett/ Bill Evans Album | Bill Evans(p), singer Tony Bennett | Fantasy F-9489 |
| 78 | 1975 | Montreux III | Bill Evans(p & el-p), Eddie Gomez(b) | Fantasy F-9510 |
| 79 | 1975 | Alone Again | Solo - Bill Evans(p) | Fantasy F-9542 |
| 80 | 1976 | Quintessence | Bill Evans(p), Harold Land(ts), Kenny Burrell(g), Ray Brown(b), Philly Joe Jones(dr) | Fantasy F-9529 |
| 81 | 1976 | Together Again | Bill Evans(p), singer Tony Bennet | Improv 7117 |
| 82 | 1976 | The Paris Concert | Bill Evans(p), Eddie Gomez(b), Eliot Zigmund(dr) | Fantasy VDJ-25035 |
| 83 | 1976 | The Complete Fantasy Recordings Vol. 7 | Bill Evans(p), Eddie Gomez(b), Eliot Zigmund(dr) | Fantasy |
| 84 | 1976 | On a Monday Evening | Bill Evans(p), Eddie Gomez (b), Eliot Zigmund(dr) | Fantasy |
| 85 | 1977 | Crosscurrent | Bill Evans(p), Lee Konitz(as), Warne Marsh(ts), Eddie Gomez (b), Eliot Zigmund(dr) | Fantasy OJCCD 718 -2(F-9568) |
| 86 | 1977 | I Will Say Goodbye | Bill Evans(p), Eddie Gomez(b), Eliot Zigmund(dr) - 1981 Grammy Award winner(with 1979 We Meet Again) | Fantasy F-9593 |

| 87 | 1977 | You Must Believe in Spring | Bill Evans(p), Eddie Gomez(b), Eliot Zigmund(dr) | Warner Bros HS 3504-Y |
|---|---|---|---|---|
| 88 | 1978 | Getting Sentimental | Bill Evans(p), Michael Moore(b), Philly Joe Jones(dr) | Warner Bros. |
| 89 | 1978 | New Conversations | Solo - Bill Evans(p & el-p) | Warner Bros BSK 3177-Y |
| 90 | 1978 | Affinity | Bill Evans(p & el-p), Toots Thielemans(hca), Larry Schneider(ts, ss & afl), Marc Johnson(b), Eliot Zigmund(dr) | Warner Bros BSK 3293-Y |
| 91 | 1978 | Marian McPartland's Piano Jazz | Bill Evans(p), Marc Johnson(b), Joe LaBarbera(dr) | Jazz Alliance TJA 12004 |
| 92 | 1979 | We Will Meet Again | Bill Evans(p & el-p), Tom Harrell(tp), Larry Schneider(sp & ts), Marc Johnson(b), Joe LaBarbera(dr) - Grammy Award winner (with 1977 I Will Say Goodby) | Warner Bros HS 3411-Y |
| 93 | 1979 | Live In Buenos Aires 1979 | Bill Evans(p), Marc Johnson(b), Joe LaBarbera(dr) | Yellow Note Y-200-1 |
| 94 | 1979 | Homecoming | Bill Evans(p), Marc Johnson(b), Joe LaBarbera(dr) | Milestone |
| 95 | 1979 | The Paris Concert: Edition One | Bill Evans(p), Marc Johnson(b), Joe LaBarbera(dr) | Elektra Musician 1-60164-D |
| 96 | 1979 | The Paris Concert: Edition Two | Bill Evans(p), Marc Johnson(b), Joe LaBarbera(dr) | Elektra Musician 1-60311-D |
| 97 | 1979 | The Brilliant Bill Evans | Bill Evans(p), Marc Johnson(b), Joe LaBarbera(dr) | West Wind 2058 |
| 98 | 1979 | Live at Balboa Jazz Club, Vols. 1, 2, and 3 | Bill Evans(p), Marc Johnson(b), Joe LaBarbera(dr) | Ivory ILP 3000, 3001 and 3002 |
| 99 | 1980 | Turn Out the Stars: The Final | Bill Evans(p), Marc Johnson(b), Joe LaBarbera(dr) | Warner Bros 9 |

| | | Village Vanguard Recordings | | 45925-2 |
|---|---|---|---|---|
| 100 | 1980 | Letter to Evan | Bill Evans(p), Marc Johnson(b), Joe LaBarbera(dr) | Dreyfus 191 064-2 |
| 101 | 1980 | Turn Out the Star | Bill Evans(p), Marc Johnson(b), Joe LaBarbera(dr) | Dreyfus 191 063-2 |
| 102 | 1980 | His Last Concert In Germany | Bill Evans(p), Marc Johnson(b), Joe LaBarbera(dr) | West Wind 0022 |
| 103 | 1980 | The Last Waltz: The Final Recor dings | Bill Evans(p), Marc Johnson(b), Joe LaBarbera(dr) | Milestone 2000년 발매 |
| 104 | 1980 | Consecration: The Complete Collection | Bill Evans(p), Marc Johnson(b), Joe LaBarbera(dr) | Alfa Jazz OOR2-61-68 |
| 105 | 1980 | The Very Last Performance At Fat Tuesday | Bill Evans(p), Marc Johnson(b), Joe LaBarbera(dr) | Domino |

112) Peter Pettinger, 『빌 에반스』, 황덕호 역 (서울: 을유문화사, 2008), 496-543.